L. S. Hilton

Maestra

L. S. Hilton

MAESTRA

Roman

Aus dem Englischen
von Wibke Kuhn

PIPER
München Berlin Zürich

Mehr über unsere Autoren und Bücher:
www.piper.de
Aktuelle Neuigkeiten finden Sie auch auf Facebook, Twitter und YouTube.

Die englische Originalausgabe erschien 2016 unter dem Titel »Maestra« bei Zaffre, einem Imprint von Bonnier Publishing Fiction, London.

MIX
Papier aus verantwortungsvollen Quellen
FSC® C083411

ISBN 978-3-492-06051-6

Satz: Kösel Media GmbH, Krugzell
Gesetzt aus der Dante
Druck und Bindung: CPI books GmbH, Leck
Printed in Germany

Für den nordischen Gott von allem,
in Dankbarkeit.

Prolog

Schwere Kleidersäume und gemeingefährliche Absätze rauschten und klackerten übers Parkett. Wir durchquerten den Eingangsbereich und gingen auf die Flügeltüren zu. Das gedämpfte Summen, das zu uns herausdrang, verriet, dass die Männer schon drinnen waren. Der Raum war mit Kerzen beleuchtet, zwischen den Sofas und den niedrigen Esszimmerstühlen standen kleine Beistelltische. Die wartenden Herren trugen dicke schwarze Satinpyjamas mit litzengeschmückten Jacketts, deren Glanz die gestärkten Hemden erst richtig zu Geltung kommen ließ. Hie und da blitzte ein massiver Manschettenknopf oder eine schmale Armbanduhr golden im Kerzenlicht auf, aufgestickte Monogramme zogen sich über prächtige Seidentaschentücher.

Das Ganze hätte einem albern und theatralisch vorkommen können, wären die Details nicht so perfekt gewesen. Doch ich war ohnehin wie hypnotisiert, und mein Puls schlug langsam und kräftig. Yvette wurde von einem Mann mit einer Pfauenfeder am Ärmelaufschlag fortgeführt – ich blickte auf und sah einen anderen Mann auf mich zukommen, der am Revers genau so eine Gardenie trug wie ich.

»So funktioniert das also?«

»Nur während des Essens. Danach können Sie selbst wählen. *Bonsoir.*«

»*Bonsoir.*«

Er war groß und schlank, aber sein Körper wirkte jünger als sein Gesicht. Die Züge waren hart und zeigten deutliche Falten, das bereits leicht ergraute Haar war über der hohen Stirn zurückgekämmt, und seine großen, leicht verschleierten Augen erinnerten an einen byzantinischen Heiligen. Er führte mich zu einem Sofa, wartete, bis ich saß, und drückte mir dann ein schlichtes Kristallglas mit Weißwein in die Hand, klar und streng. Die Förmlichkeit hatte etwas Verschmitztes, aber im Grunde gefiel mir die Choreografie des Ganzen.

Der Gastgeber Julien genoss ganz offensichtlich die Vorfreude. Die größtenteils nackten Kellnerinnen erschienen mit winzigen Hummerpasteten auf kleinen Platten, dann kamen hauchdünne Entenbrustscheiben in einer Honig-Ingwer-Paste, luftige Hippenröllchen mit Himbeer- und Erdbeerfüllung. Nichts, wovon man satt wurde, eher kulinarische Gesten.

»Rote Früchte verleihen der Möse einen wunderbaren Geschmack«, bemerkte mein Begleiter.

»Ich weiß.«

Man unterhielt sich gedämpft, aber die meisten Leute sahen nur zu und tranken, ihre Augen bewegten sich zu den anderen Gästen und dann zu den geschmeidigen Bewegungen der Kellnerinnen, die die Körper von Tänzerinnen hatten – schlank, aber muskulös, ihre Waden kräftig über den eng anliegenden Stiefeln. Ein kleiner Nebenverdienst fürs *corps de ballet*? Ich konnte Yvette undeutlich auf der anderen Seite des Raumes erkennen. Sie ließ sich gerade mit spitzen Silbergabeln ein paar Feigen mit Mandelfüllung in den Mund schieben. Ihr Körper lag da wie der einer Schlange, man konnte zwischen der roten Seide einen dunklen Oberschenkel ausmachen. Gemessenen Schrittes gingen die Kellnerinnen mit Kerzenlöschern herum und verdunkelten den Raum in einer Wolke aus Bienenwachs. Währenddessen spürte ich die Hand des Mannes auf meinem Oberschenkel, sie kreiste und streichelte mich, ganz ohne Eile, und ich merkte, wie sich meine Beine anspannten. Die Mädchen verteilten flache Lacktabletts, auf denen Kondome, kleine Kristallfläschchen mit Monoi-Öl und Bonbonschälchen mit Gleitmittel standen. Manche Paare küssten sich, sie schienen mit den zugelosten Partnern glücklich zu sein, andere Gäste standen höflich auf und durchquerten den Raum, um die Beute zu finden, die sie sich vorher ausgesucht hatten. Yvette hatte ihre Beine gespreizt, ihr Kleid war nach oben geschoben, und nun tauchte der Kopf eines Mannes zu ihr hinab. Ich fing ihren Blick auf, und sie lächelte mir wohlig zu, bevor sie mit der ekstatischen Bewegung eines Junkies auf dem Weg in den seligen Rausch den Kopf nach hinten in die Kissen fallen ließ.

1. DRAUSSEN

1. Kapitel

Wenn Sie mich jetzt fragen würden, wie alles anfing, könnte ich wahrheitsgemäß antworten, dass das erste Mal ein Unfall war. Es war gegen sechs Uhr abends, die Zeit, zu der sich die Stadt noch einmal heftig um die eigene Achse dreht, und obwohl der wie immer hundsmiserable Mai einen beißenden Wind durch die Straßen wehen ließ, war der U-Bahnhof überfüllt und feucht, verdreckt mit weggeworfenen Boulevardzeitungen und Fast-Food-Verpackungen, gereizten Touristen in knallbunter Freizeitkleidung zwischen blassen Pendlern mit resigniertem Blick. Nach wieder mal einem großartigen Start in eine wieder mal großartige Woche, in der ich mich in meinem besonders großartigen Job herumscheuchen und schikanieren lassen durfte, stand ich auf dem Bahnsteig in Green Park und wartete auf die Piccadilly Line. Als der Zug in der Gegenrichtung anfuhr, ging ein leises kollektives Stöhnen durch die Menge. Die Tafel zeigte an, dass die nächste Bahn gerade in Holborn stecken geblieben war. Wahrscheinlich jemand auf den Gleisen. Man konnte förmlich sehen, wie die Leute sich dachten: Typisch, warum müssen die sich immer zur Rushhour umbringen? Die Fahrgäste verließen den Bahnsteig, darunter auch ein Mädchen mit gesundheitsschädlichen Absätzen und einem elektroblauen Schlauchkleid. Azzedine Alaïa aus der letzten Saison, recycled by Zara, dachte ich. Wahrscheinlich wollte sie zu Fuß nach Leicester Square, wie die anderen Bauerntrampel.

Sie hatte außergewöhnliche Haare, einen Wasserfall aus roten Extensions. Sie waren mit einer Art Goldfaden durchflochten, in dem sich das Neonlicht fing und spiegelte.

»Judyyy! Judy, bist du das?«

Auf einmal winkte sie mir enthusiastisch zu. Ich tat so, als würde ich nichts hören.

»Judy! Hier drüben!«

Die Leute fingen schon an zu schauen. Das Mädchen war bereits gefährlich nah an den gelben Sicherheitsstreifen getrippelt.

»Ich bin's! Leanne!«

»Ihre Freundin winkt Ihnen«, sagte die Frau neben mir freundlich.

»Wir sehen uns gleich oben, okay?« Stimmen wie ihre hörte ich nicht mehr so oft. Ich hätte auch nie erwartet, dass ich ihre je wieder hören würde. Offensichtlich wollte sie nicht wieder verschwinden, und da es keinerlei Anzeichen gab, dass der Zug gleich auftauchen würde, hängte ich mir meine schwere Ledertasche über die Schulter und bahnte mir einen Weg durch die Menge. Sie wartete auf dem Verbindungsgang zwischen den Bahnsteigen.

»Hi! Dachte ich's mir doch, dass du das bist!«

»Hallo, Leanne«, sagte ich vorsichtig.

Sie machte ein paar letzte Trippelschritte zu mir und schlang die Arme um mich, als wäre ich ihre lang vermisste Schwester.

»Sieh mal einer an! Voll die Businessfrau! Ich wusste gar nicht, dass du in London wohnst!«

Ich wies sie nicht auf den naheliegenden Grund hin, dass wir seit einem Jahrzehnt nicht mehr miteinander gesprochen hatten. Facebook-Freundschaften waren nicht wirklich mein Ding, und ich musste auch bestimmt nicht daran erinnert werden, wo ich herkam.

Aber dann kam ich mir doch gemein vor. »Toll siehst du aus, Leanne. Super Haare.«

»Ich heiße nicht mehr Leanne. Ich nenn mich jetzt Mercedes.«

»Mercedes? Das ist ja … hübsch. Ich nenn mich meistens Judith. Klingt erwachsener.«

»Na ja … und jetzt sieh mal einer an, was aus uns geworden ist, oder? Voll erwachsen.«

Ich glaube nicht, dass ich damals wusste, wie sich das anfühlt. Und ich fragte mich, ob sie es wusste.

»Hey, hör mal, ich muss erst in einer Stunde zur Arbeit. Wie wär's mit einem schnellen Drink? Dann können wir uns ein bisschen erzählen, was so läuft.«

Ich hätte erwidern können, dass ich beschäftigt war, dass ich es schrecklich eilig hatte, und mir ihre Nummer geben lassen und so tun können, als würde ich sie wirklich mal anrufen. Aber wo musste ich schon hin? Und irgendetwas war mit dieser Stimme, sie war mir vertraut und seltsam willkommen, und als ich sie hörte, fühlte ich mich einsam und getröstet zugleich. Auf dieser Welt hatte ich nur zwei Zwanzig-Pfund-Scheine, und das nächste Gehalt kam erst in drei Tagen.

Aber es konnte sich ja noch was ergeben.

»Klar«, sagte ich. »Ich lad dich ein. Gehen wir ins Ritz.«

Zwei Champagner-Cocktails in der Rivoli-Bar, achtunddreißig Pfund. Dann konnte ich eben bis zum Ende der Woche nicht mehr so viel essen. Vielleicht war es dumm, so anzugeben, aber manchmal muss man der Welt einfach mit ein bisschen Trotz entgegentreten. Leanne – Mercedes – fischte mit einem fuchsiafarbenen Kunstnagel enthusiastisch nach der schwimmenden Maraschinokirsche und schlürfte anschließend genüsslich von ihrem Cocktail.

»Das ist echt supernett, danke. Obwohl ich persönlich eher auf Champagner von Roederer stehe.«

Na, das geschah mir nur recht, nachdem ich so dick aufgetragen hatte.

»Ich arbeite hier in der Nähe«, erzählte ich. »Kunst. In einem Auktionshaus. Ich bin für die Alten Meister zuständig.« Das stimmte zwar nicht, aber andererseits musste ich auch nicht befürchten, dass Leanne einen Rubens von einem Rembrandt unterscheiden könnte.

»Ist ja voll edel«, erwiderte sie. Inzwischen wirkte sie gelangweilt, spielte mit dem Stäbchen in ihrem Drink. Ich überlegte, ob es ihr wohl schon leidtat, mich angesprochen zu haben, doch statt mich zu ärgern, hatte ich das jämmerliche Gefühl, ihr gefallen zu wollen.

»Klingt vielleicht so«, sagte ich in vertraulichem Ton und merkte, wie mir Alkohol und Zucker sanft ins Blut gingen, »aber die Bezahlung ist scheiße. Ich bin ständig pleite.«

Mercedes erzählte mir, dass sie seit einem Jahr in London war. Sie arbeitete in einer Champagner-Bar in St. James. »Machen einen auf erstklassig, aber sind immer dieselben schmutzigen alten Penner drin. Nichts Zwielichtiges«, fügte sie hastig hinzu. »Es ist nur eine Bar. Aber die Trinkgelder sind schon heftig.«

Sie behauptete, zweitausend pro Woche zu verdienen. »Man nimmt bloß zu dabei«, sagte sie bedauernd und klopfte sich auf ihren winzigen Bauch. »Von den ganzen Drinks. Aber wir müssen ja nichts zahlen. Olly sagt immer, wenn es sein muss, sollen wir das Zeug halt in die Blumentöpfe gießen.«

»Olly?«

»Das ist der Besitzer. Hey, du solltest mal vorbeikommen, Judy. Ein bisschen was nebenbei verdienen, wenn du knapp bei Kasse bist. Olly sucht immer Mädchen. Willst du noch einen?«

Ein älteres Ehepaar in Abendkleidung, wahrscheinlich auf dem Weg in die Oper, setzte sich an den Tisch gegenüber. Die Frau ließ ihren Blick kritisch über Mercedes' solariumgebräunte

Beine und den schimmernden Ausschnitt wandern. Mercedes drehte sich auf ihrem Stuhl herum, stellte beide Beine nebeneinander auf den Boden und schlug sie dann ganz bewusst und langsam wieder übereinander, sodass ich und der arme alte Kerl neben ihr einen kurzen Blick auf ihren schwarzen Spitzenstring erhaschten. Dabei schaute sie die ganze Zeit der Frau in die Augen. Es wäre überflüssig gewesen zu fragen, ob hier irgendjemand ein Problem hatte.

»Wie gesagt«, fuhr sie fort, während die Frau feuerrot die Cocktailkarte studierte, »es ist echt lustig. Die Mädchen da kommen von überallher. Du könntest umwerfend aussehen, wenn du dich ein bisschen zurechtmachen würdest. Komm schon.«

Ich schaute an mir herab. Schwarzes Tweedkostüm von Sandro. Tailliertes Jackett, flatteriger Plisseerock. Es sollte bewusst kokett aussehen, professionell mit einem leichten Touch von Left Bank – zumindest redete ich mir das ein, wenn ich zum hundertsten Mal ungeschickt die Säume flickte –, aber neben Mercedes sah ich aus wie eine depressive Krähe.

»Jetzt gleich?«

»Ja, warum nicht? Ich hab jede Menge Zeug in meiner Tasche.«

»Ich weiß nicht, Leanne.«

»Mercedes.«

»Entschuldige.«

»Ach komm. Du kannst mein Spitzentop anziehen. Das wird bombig aussehen mit deinen Titten. Oder bist du verabredet?«

»Nein«, sagte ich und legte den Kopf kurz in den Nacken, um die letzten Tropfen Champagner und Angostura zu erwischen. »Nein, ich bin nicht verabredet.«

2. Kapitel

Irgendwo hab ich mal gelesen, dass Ursache und Wirkung Sicherheitsmaßnahmen gegen die Nicht-Berechenbarkeit sind, gegen die erschreckend unpräzise Veränderlichkeit des Zufalls. Warum ging ich an jenem Abend mit Leanne mit? Der Tag war auch nicht schlimmer gewesen als die anderen. Aber man trifft seine Entscheidungen, bevor man die Erklärungen dafür hat, ob es einen interessiert oder nicht. In der Welt der Kunst gibt es nur zwei Auktionshäuser, die man wirklich kennen muss. Es sind die mit den Hundert-Millionen-Pfund-Verkäufen, die sich um die Sammlungen von verzweifelten Herzögen und Oligarchen mit Sozialphobie kümmern, die die Schönheit und das Künstlertum von tausend Jahren durch ihre museumsstillen Räume schleusen und sie in hartes, sexy Bargeld verwandeln.

Als ich vor drei Jahren den Job bei British Pictures an Land zog, hatte ich das Gefühl, es endlich geschafft zu haben. Zumindest für ein, zwei Tage. Schon bald kapierte ich, dass die Träger, also die Typen, die die Kunstobjekte trugen, die Einzigen waren, die sich wirklich um die Bilder scherten. Der Rest der Angestellten hätte genauso gut Streichhölzer oder Butter verhökern können. Obwohl man mich aufgrund meiner Leistungen angestellt hatte, obwohl ich hart und sorgfältig arbeitete und im Großen und Ganzen über ein beeindruckendes kunstgeschichtliches Wissen verfügte, musste ich zugeben, dass ich gemessen an den Standards des Hauses definitiv keine große

Nummer war. Nach ein paar Wochen im Büro war mir klar, dass es hier niemand interessierte, ob man einen Brueghel von einem Bonnard unterscheiden konnte, und dass man hier andere, viel wichtigere Codes knacken musste.

Es gab schon ein paar Dinge, die ich auch nach drei Jahren an meinem Job noch mochte. Es gefiel mir, am livrierten Pförtner vorbei in die nach Orchideen duftende Lobby zu gehen. Mir gefielen die schmeichelhaft ehrfürchtigen Blicke, mit denen die Kunden uns »Experten« bedachten, wenn ich die mächtige Eichentreppe hochging, denn selbstverständlich sah alles im Haus nach mächtigen drei Jahrhunderten aus. Es gefiel mir, die Unterhaltungen der Europasekretärinnen zu belauschen, die alle mehr oder weniger gleich aussahen und deren französische und italienische Vokale genauso knackig waren wie ihre Frisuren. Es gefiel mir, dass ich im Gegensatz zu ihnen nicht vorhatte, mir mit den Schlingen meiner Föhnfrisur einen Hedgefondsmanager zu fangen. Ich war stolz auf das, was ich erreicht hatte: Nach einem einjährigen Praktikum bei British Pictures hatte ich eine Assistentenstelle ergattert. Nicht, dass ich vorgehabt hätte, länger hierzubleiben. Schließlich wollte ich nicht den Rest meines Lebens damit zubringen, mir Bilder von Hunden und Pferden anzuschauen.

Der Tag, an dem mir Leanne über den Weg lief, hatte mit einer E-Mail von Laura Belvoir begonnen, meiner stellvertretenden Chefin. Die Betreffzeile lautete »Dringende Aufgabe!«, doch als ich die Mail öffnete, fand ich keinen Text. Also ging ich in ihr Büro, um mich zu erkundigen, was sie wollte. Die Chefs waren vor Kurzem auf einem Management-Seminar gewesen, und Laura hatte sich gleich die Idee der digitalen Kommunikation von Schreibtisch zu Schreibtisch zu eigen gemacht, obwohl es leider am Tippen haperte.

»Ich bräuchte dich für die Zuordnung der Longhis.«

Wir bereiteten gerade eine Serie von Konversationsstücken

des venezianischen Künstlers für eine bevorstehende Verkaufsveranstaltung in Italien vor.

»Du willst, dass ich im Lager die Titel abgleiche?«

»Nein, Judith, das ist Ruperts Job. Geh zum Heinz und sieh zu, ob du die Sujets identifizieren kannst.« Rupert war der Chef unserer Abteilung, der selten vor elf Uhr auftauchte.

Das Heinz-Archiv verfügt über einen riesigen Katalog von Bildern – ich musste nun darin nachsehen, welche englischen Lords im achtzehnten Jahrhundert bei ihrem Europajahr für Longhi Modell gesessen haben könnten, denn die Identifikation bestimmter Personen machte die Bilder für die Käufer noch interessanter.

»Alles klar. Könntest du mir bitte die Fotos von der Serie geben?«

Laura seufzte. »Die sind in der Bibliothek. Unter Longhi-Schrägstrich-Frühjahr.«

Da das Haus einen gesamten Straßenzug einnahm, ging man vom Büro vier Minuten zur Bibliothek, und diesen Weg legte ich jeden Tag mehrmals zurück. Obwohl das Gerücht ging, dass draußen bereits das einundzwanzigste Jahrhundert angebrochen war, wurde das Haus im Großen und Ganzen immer noch wie eine viktorianische Bank geführt. Viele Angestellte verbrachten ihre Tage damit, durch die Korridore zu trotten und sich gegenseitig Zettel zu bringen. Das Archiv und die Bibliothek waren nicht mal richtig digitalisiert: Oft stolperte man über kleine Dickens'sche Geister, die in irgendwelchen dunklen Kämmerchen verzweifelt zwischen Stapeln von Quittungen und dreifach fotokopierte Berichte gestopft worden waren. Ich besorgte den Umschlag mit den Fotos und ging zurück zu meinem Schreibtisch, um meine Tasche zu holen. Mein Telefon klingelte.

»Allo? Ier ist Serena vom Empfang. Isch abe Ruperts Osen ier.«

Ich stapfte zum Empfang, nahm das riesige Päckchen von Ruperts Schneider entgegen, das per Kurier die fünfhundert Meter von der Savile Road zu uns geschickt worden war, und brachte es hoch ins Büro. Laura blickte auf.

»Bist du immer noch nicht weg, Judith? Was zum Teufel hast du denn die ganze Zeit gemacht? Na, wo du schon mal hier bist, kannst du mir kurz einen Cappuccino holen? Aber nicht aus der Kantine, geh bitte zu diesem netten kleinen Laden in der Crown Passage. Und bring den Bon mit.«

Nachdem ich den Kaffee besorgt hatte, ging ich zu Fuß zum Archiv. Ich hatte fünf Fotos dabei, Szenen aus dem Teatro La Fenice, auf den Zattere und in einem Café auf der Rialtobrücke, und nachdem ich die Kisten ein paar Stunden durchgeblättert hatte, lag mir eine Liste von zwölf identifizierten Personen vor, die sich zum Zeitpunkt der Entstehung der Portraits in Italien aufgehalten hatten. Ich glich den Heinz-Index mit den Bildern ab, sodass die Zuordnung der Personen für den Katalog überprüft werden konnte, und brachte dann alles zu Laura.

»Was ist das?«

»Die Longhis, um die du mich gebeten hattest.«

»Das sind doch die Longhis von der Auktion vor sechs Jahren. Also wirklich, Judith. Die Fotos hatte ich dir doch in der Mail mitgeschickt.« In ihrer Mail ohne Text.

»Aber du hast doch gesagt, sie sind in der Bibliothek.«

»Ich meinte die elektronische Bibliothek.«

Ich sagte nichts. Stattdessen loggte ich mich in den Onlinekatalog unserer Abteilung ein, fand die richtigen Bilder (übrigens abgelegt unter Lunghi), lud sie auf mein Handy und ging zurück zum Heinz, nachdem mich Laura auch noch wegen meiner Zeitverschwendung getadelt hatte. Ich war mit dem zweiten Schwung fertig, als sie von ihrem Lunch im Caprice zurück war, und machte mich dann daran, die geladenen Gäste für die private Schau vor dem eigentlichen Verkauf anzurufen, die bis jetzt noch nicht geantwortet hatten. Dann schrieb ich die Kurzbiografien, mailte sie an Laura und Rupert, zeigte Laura, wie man den Anhang öffnete, fuhr mit der U-Bahn zum Museum für Angewandte Kunst bei Chelsea Harbour, um mir eine Probe von einem Seidenstoff anzusehen, von dem Rupert vermutete, dass er mit einem Behang auf den Longhi-Bildern übereinstimmen könnte, entdeckte jedoch, dass dem nicht so war (was niemanden überraschte), ging den Großteil der Strecke zu Fuß zurück, weil die Circle Line ab Edgware Road blockiert war, und dann machte ich noch einen Umweg zu Lillywhite's am Piccadilly, um einen Schlafsack für den Schulausflug von Lauras Sohn abzuholen. Erschöpft und schmutzig kam ich um 17.30 Uhr wieder ins Büro, um mir noch einen Tadel abzuholen, weil ich die Begutachtung der Bilder verpasst hatte, an denen ich am Vormittag gearbeitet hatte.

»Ganz ehrlich, Judith«, bemerkte Laura, »du wirst nie Fortschritte machen, wenn du in der Stadt herumgaloppierst, während du dir hier die echten Kunstwerke ansehen könntest.«

Selbst wenn ich das Zupfen an unsichtbaren Schicksalsfäden mal außer Acht lasse – vielleicht war es gar nicht so überraschend, dass mir wirklich nach einem Drink zumute war, als ich später Leanne in der U-Bahn-Station traf.

3. Kapitel

Mein Bewerbungsgespräch im Gstaad Club bestand darin, dass Olly, der riesige, übellaunige finnische Besitzer, Restaurantchef und Rausschmeißer in einer Person, mich gründlich von oben bis unten musterte – ich hatte mir auf der Toilette im Ritz schnell noch eine hautfarbene Spitzenbluse übergestreift.

»Kannst du trinken?«, fragte er dann.

»Hey, das Mädel ist aus Liverpool«, kicherte Mercedes, und damit war die Sache abgemacht.

Während der nächsten acht Wochen arbeitete ich donnerstag- und freitagabends also im Club. Nicht unbedingt zu Zeiten, die die meisten Leute in meinem Alter angenehm fänden, aber After-Work-Drinks mit dem Team gehörten nicht unbedingt zu meinem Arbeitsalltag. Der Name des Clubs – ebenso wie alles andere dort – war ein verfehlter Versuch, dem Etablissement Klasse zu verleihen. Das einzig Echte an diesem Club war die wirklich gepfefferte Gewinnspanne, die man hier auf den Champagner draufschlug. In der Tat war es nicht viel anders als im Annabel's, dem ehemaligen Nachtclub ein paar Blöcke weiter, am Berkeley Square. Dasselbe versnobte Publikum, dieselben mittelmäßigen Bilder an den gelben Wänden, dieselbe Sammlung tragischer, schmerbäuchiger älterer Herren, dieselben herumlungernden Scharen von Mädchen, die man vielleicht nicht gerade Nutten nennen sollte, die aber immer einen kleinen Zuschuss zu ihrer Miete gebrauchen konnten. Mein Job war einfach. Eine halbe Stunde bevor der Club seine Türen öffnete, versammelten sich ungefähr zehn Mädchen zu einem kleinen Aufwärmdrink, ausgeschenkt von Carlo, dem Barkeeper. Er trug eine tadellos gebügelte, aber immer leicht streng riechende weiße Jacke. Der Rest des Personals bestand aus einer uralten Babuschka, die an der Garderobe stand, und Olly. Um Punkt neun Uhr sperrte er die Tür auf und machte jedes Mal denselben feierlichen Witz: »Los, Mädels, runter mit den Höschen!«

Danach saßen wir eine Stunde lang plaudernd herum, blätterten in Klatschzeitschriften oder schrieben SMS, bis die Kunden eintrafen, fast immer allein. Der Hintergedanke war der, dass sie sich das Mädchen aussuchten, das ihnen gefiel, und es mitnahmen, damit es sich mit ihnen in einen der mit rosa Samt ausgekleideten Alkoven setzte. Das nannte man ziemlich offenherzig »gebucht werden«. Wenn man gebucht war, lautete das Ziel, den Kunden dazu zu bringen, so viele überteuerte Flaschen Champagner wie möglich zu ordern. Wir bekamen kein Gehalt, nur zehn Prozent Beteiligung an jeder Flasche und dazu das Trinkgeld, das der Gast daließ. An meinem ersten Abend taumelte ich vom Tisch weg, als wir gerade mal bei der dritten Flasche waren, und musste die Babuschka bitten, mir die Haare zu halten, während ich mir den Finger in den Hals steckte.

»Dummes Mädchen«, sagte sie mit grimmiger Genugtuung. »*Du* sollst das Zeug doch nicht trinken.«

Ich lernte dazu. Carlo servierte den Champagner in riesigen goldfischglasgroßen Gläsern, die wir in den Sektkübel mit dem Eis oder in die Blumentöpfe leeren konnten, wenn der Gast einmal den Tisch verließ. Eine andere Strategie sah so aus, dass man ihn überredete, auch »eine Freundin« auf ein Gläschen einzuladen. Die Mädchen trugen Pumps – niemals offene Sandalen –, weil ein anderer Trick darin bestand, ihn den Champagner aus dem Schuh schlürfen zu lassen. Man glaubt ja gar nicht, wie viel Champagner in einen Louboutin in Größe 39 passt. Und wenn alles nichts half, kippten wir das Zeug auch einfach mal auf den Boden.

Zu Anfang wollte es mir wie ein Wunder scheinen, dass das Lokal sich überhaupt halten konnte. Es hatte schon etwas extrem Edwardianisches, dieses ganze unbeholfene Flirten und der völlig überzogene Preis allein für unsere Gesellschaft. Warum sollte sich irgendein Mann so etwas antun, wenn er sich doch alles, was er wollte, mit der entsprechenden App bestellen konnte? Es war so unfassbar altmodisch. Aber im Laufe der Zeit wurde mir klar, dass es genau das war, was die Männer immer wieder herzog. Sie waren nicht auf Sex aus, auch wenn viele von ihnen nach ein paar Goldfischgläsern schon mal ein bisschen übermütig werden konnten. Diese Typen waren keine Playboys, nicht mal im Traum. Sie waren ganz gewöhnliche Ehemänner mittleren Alters, die sich für ein paar Stunden vormachen wollten, dass sie wirklich ein Date hatten, mit einem echten Mädchen, einem hübschen Mädchen, hübsch angezogen und mit guten Manieren, das sich tatsächlich mit ihnen *unterhalten* wollte. Mercedes mit ihren High Heels und Extensions war ganz offiziell das ungezogene Ding – für Kunden, die es gern ein bisschen gewagter hatten. Aber ansonsten hatte Olly es lieber, wenn wir schlichte, gut geschnittene Kleider trugen. Nicht zu viel Make-up, frisch gewaschenes Haar, diskreter Schmuck. Die Männer wollten kein Risiko und keinen Ärger, ihre Frauen sollten nichts davon mitbekommen, und wahrscheinlich wollten sie sich sogar die Peinlichkeit oder die Mühe ersparen, einen hochkriegen zu müssen. Es war absolut erbärmlich, aber sie wollten sich einfach mal wieder begehrt fühlen.

Olly kannte den Markt, und er bediente ihn perfekt. Es gab eine winzige Tanzfläche im Club, und Carlo spielte nebenbei den DJ, sodass unser Begleiter uns jederzeit durch eine Disconacht wirbeln konnte, aber dazu sollten wir ihn auf keinen Fall ermutigen. Es gab eine Speisekarte mit absolut korrekten Speisen, Steak und Jakobsmuscheln und Eisbecher – Männer mittleren Alters stehen drauf, Mädchen mit Dickmachern zu füttern. Natürlich blieben die üppigen Desserts nur so lange drin, bis wir einen diskreten Abstecher zur Toilette machen konnten. Mädchen, die Drogen nahmen oder sich zu nuttig aufführten, flogen nach ihrem ersten Abend – ein Schild neben der Herrentoilette machte die »verehrte Kundschaft« darauf aufmerksam, dass es den Gästen streng verboten war, den »jungen Damen ihre Begleitung außerhalb des Clubs anzubieten«. Sie sollten uns nur verehren.

Ich stellte fest, dass ich mich auf die Donnerstag- und Freitagabende richtig freute. Abgesehen von Leanne (irgendwie kriegte ich »Mercedes« noch nicht so richtig in den Kopf) waren die Mädchen weder freundlich noch unfreundlich, sie waren höflich, aber ohne jede Neugier. Sie schienen sich überhaupt nicht für mein Leben zu interessieren, vielleicht auch deshalb, weil keines der Details stimmte, das sie über sich selbst verrieten. Am ersten Abend, als wir ein bisschen angeschickert die Albemarle Street entlangstolperten, schlug Leanne mir vor, ich sollte mir einen Namen aussuchen, den ich im Club verwenden wollte. Mein zweiter Name lautete Lauren, das war neutral und verriet nicht viel.

Ich behauptete, Kunstgeschichte zu studieren. Die meisten Mädchen schienen irgendwas zu studieren, meistens BWL, und vielleicht stimmte es bei ein paar von ihnen auch. Keine war aus England. Die Vorstellung, dass sie in dieser Bar jobbten, um sich hochzuarbeiten, schlug bei manchen Kunden offensichtlich die Eliza-Doolittle-Seite an. Leanne dämpfte ihren rauen Liverpooler Akzent, und ich bemühte mich, meine eigene Aussprache, die ich bei der Arbeit einsetzte und in der ich mittlerweile auch träumte, etwas abzuschleifen, damit sie nicht gar zu sehr nach BBC-Englisch klang. Doch zu Ollys sichtlicher Befriedigung klang ich trotzdem noch ziemlich nach Upperclass.

Bei meiner Arbeit in der Prince Street gab es eine Million winziger Codes zu berücksichtigen. Mit einem einzigen Blick konnte man die Position eines Menschen auf der sozialen Leiter bis auf den x-ten Grad bestimmen. Das Erlernen dieser Regeln war viel schwieriger, als Gemälde zu bestimmen, denn der Haken an diesen Regeln war ja der, dass man sie als Insider gar nicht erklärt bekommen musste. Vor den Augen der meisten Leute hätte ich wahrscheinlich bestanden, nachdem ich stundenlang sorgfältig studiert hatte, wie ich sprechen und gehen musste – Leanne zum Beispiel schien verwirrt und wider Willen beeindruckt von meiner Verwandlung –, aber irgendwo im Haus gab es ein verstecktes Kästchen mit Alice-im-Wunderland-Schlüsseln, die ich niemals besitzen würde, Schlüssel, die noch kleinere Gärten aufschlossen, deren Mauern noch undurchdringlicher waren, weil sie unsichtbar waren. Im Gstaad war ich jedoch die Vorzeige-Vornehme, und wenn die Mädchen überhaupt darüber nachdachten, dann glaubten sie, dass es keinen Unterschied gab zwischen den Spielerfrauen und den überalterten Debütantinnen, die die Seiten in den Klatschmagazinen füllten. Und im Grunde hatten sie ja auch recht.

Geplaudert wurde im Club meistens über Klamotten, den Erwerb von Designerschuhen und -handtaschen und über Männer. Manche Mädchen behaupteten, einen festen Freund zu haben, wobei dieser oftmals verheiratet war, weshalb es üblich war, sich pausenlos über den festen Freund zu beschweren. Andere gingen mit Männern aus, und bei denen war es dann eben üblich, sich pausenlos über ihre Dates zu beschweren. Für Natalia und Anastasia und Martina und Karolina schien es eine Binsenwahrheit zu sein, dass Männer nichts anderes waren als ein notwendiges Übel, das man ertragen musste, um Schuhe, Handtaschen und am Samstagabend Restaurantbesuche beim Japaner in Knightsbridge abzustauben. Sie analysierten ausführlich die Häufigkeit und Herzlichkeit ihrer SMS, aber emotionale Beteiligung ihrerseits war für die Fälle reserviert, dass die Männer sich mit anderen Frauen trafen oder nicht genug Geschenke anschleppten. Es gab Intrigen und Gegenintrigen – mit ausgetüftelter iPhone-Fallenstellerei. Sie redeten von Männern mit Segelbooten, sogar von Männern mit Flugzeugen, aber ich hatte nie das Gefühl, dass in irgendeinem dieser Fälle wirklich Vergnügen im Spiel war. Liebe war nicht die Sprache, die eine von uns benutzt hätte, unsere Währung waren unser frischer Teint und unsere straffen Oberschenkel, die nur für Männer einen Wert hatten, die zu alt waren, um so etwas als selbstverständlich vorauszusetzen. Im Großen und Ganzen war man sich einig, dass ältere Männer insgesamt weniger Ärger machten, obwohl es schon genug Geschrei über ihre körperlichen Defizite gab. Kahlköpfigkeit und Mundgeruch und Viagra waren die Realität, obwohl man das nicht geglaubt hätte, wenn man sah, wie kokett der SMS-Wechsel zwischen diesen Mädchen und ihren Männern ablief. So war ihre Welt eben, und ihre Verachtung und ihre gelegentlichen Tränen blieben für uns reserviert.

Im Gstaad hatte ich zum ersten Mal so etwas wie Freundinnen, und ich schämte mich ein bisschen dafür, wie glücklich mich das machte. In der Schule hatte ich nie Freundinnen gehabt. Ich hatte mir des Öfteren ein blaues Auge eingefangen, ich hatte mich aggressiv hochmütig gegeben, ausgiebig geschwänzt und den Freuden des Sex gefrönt, aber für Freundinnen hatte ich keine Zeit gehabt. Leanne und ich hatten eine stillschweigende Übereinkunft, dass wir als Teenager befreundet gewesen seien (wenn es denn ein Zeichen von Freundschaft war, dass man nicht aktiv beteiligt gewesen war, wenn die andere mit dem Gesicht ins Waschbecken getunkt wurde), und sprachen nie davon.

Abgesehen von Frankie, der Sekretärin im Haus, waren die einzigen konstanten weiblichen Präsenzen in meinem Leben meine Mitbewohnerinnen, zwei ernste Koreanerinnen, die am Imperial College Medizin studierten. Wir hatten einen Putzplan, der im Bad hing und an den wir uns alle höflich hielten, und abgesehen davon gab es kaum Konversationsbedarf. Mit Ausnahme der Frauen, die ich bei den speziellen Partys kennenlernte, auf die ich gerne ging, hatte ich von meinem eigenen Geschlecht nie etwas anderes erwartet als Feindseligkeit und Geringschätzung. Ich hatte nie gelernt, wie man tratschte oder Ratschläge erteilte oder sich endlose Litaneien über verschmähtes Begehren anhörte. Doch hier hatte ich das Gefühl, mich anschließen zu können. In der U-Bahn tauschte ich das *Burlington Magazine* und den *Economist* gegen die Regenbogenpresse, damit ich auf die unerschöpfliche Reihe der Filmstars zurückgreifen konnte, wenn das ewige Gerede über die Männer schal wurde. Ich schützte ein gebrochenes Herz vor (Folgen einer Abtreibung), um meinen Mangel an Dates zu erklären. Ich behauptete, »noch nicht wieder bereit« zu sein, und verkniff mir ein Grinsen, wenn sie mir rieten, »mit der Sache abzuschließen und mich neu zu orientieren«. Meine nächtlichen Ausflüge behielt ich für mich. Ich merkte, wie mir dieses seltsame kleine konzentrierte Universum gefiel, in dem nichts real war und die Außenwelt weit entfernt schien. Dort fühlte ich mich sicher.

Was das Geld anging, hatte Leanne nicht gelogen, sondern höchstens ein bisschen übertrieben, aber es war immer noch bemerkenswert. Wenn ich meinen Umsatzanteil am Champagner als Taxigeld für die Heimfahrt veranschlagte, machte ich immer noch sechshundert Pfund pro Woche nur mit Trinkgeldern, mit zerknitterten Zwanzigern und Fünfzigern, manchmal auch mehr. Nach vierzehn Tagen hatte ich mein Minus auf dem Girokonto ausgeglichen, und ein paar Wochen später fuhr ich sonntags mit dem Zug zu einem Outlet-Center in der Nähe von Oxford und investierte ein wenig. Ein schwarzer Moschino-Rock, um den armen alten Sandro zu ersetzen, ein schmerzlich schlichtes weißes Cocktailkleid von Balenciaga, flache Schuhe von Lanvin, ein Kleid von Diane von Fürstenberg. Ich ließ mir endlich meine Kassenzähne in der Harley Street lasern, machte einen Termin bei Richard Ward und ließ mir die Haare so schneiden, dass sie fast genauso aussahen wie vorher, nur fünf Mal teurer. Nichts davon war für den Club gedacht. Fürs Gstaad kaufte ich mir in der Haupteinkaufsstraße der Innenstadt ein paar schlichte Kleider, denen ich mit einem Paar Lack-Louboutins ein Upgrade verpasste. Ich räumte ein Fach in meinem Kleiderschrank frei und legte meine sorgfältig in Papier gewickelten Neuerwerbungen hinein. Manchmal schaute ich sie mir einfach nur an und zählte sie wie ein Geizkragen sein Geld. In meiner Kindheit hatte ich die Internatsromane von Enid Blyton verschlungen, mit Heldinnen wie Dolly oder Hanni und Nanni. Die neuen Sachen waren meine Schuluniform und mein Lacrosse-Schläger, die Uniform der Frau, die ich werden würde.

Er begann, den Club zu besuchen, als ich einen Monat dort arbeitete. Donnerstag waren normalerweise die meisten Männer im Gstaad, einen Tag bevor die Geschäftsmänner aufs Land urückkehrten, aber an diesem Abend schüttete es aus Kübeln, und wir hatten nur zwei Gäste. Sobald die Kunden erschienen, waren Zeitschriften und Handys tabu, also waren die Mädchen lustlos, drängelten sich draußen zum Rauchen unter der Markise und versuchten dabei zu verhindern, dass ihre Haare von der feuchten Luft strohig wurden. Da klingelte es, und Olly kam herein. »Gerade hinsetzen, Ladys! Heute ist euer Glücksabend!« Ein paar Minuten später bewegte einer der widerlichsten Männer, die ich je gesehen hatte, seinen riesigen Bauch in den Raum.

Er setzte sich gar nicht erst auf einen Barhocker, sondern ließ sich gleich auf die nächste Bank fallen und bedeutete Carlo mit einer gereizten Geste, dass er in Ruhe gelassen werden wollte. Er nahm seine Krawatte ab und trocknete sich das nasse Gesicht mit einem Taschentuch ab. Er hatte etwas Schlampiges an sich, dem nur wirklich erstklassige Schneiderkunst abhelfen kann, und sein Schneider war eindeutig überfordert gewesen. Sein offenes Jackett gab den Blick auf ein enges cremefarbenes Hemd frei, das über seinem Bauch strammte, der wiederum auf seinen gespreizten Knien ruhte. Speckrollen stapelten sich auf seinem Kragen, sogar seine Schuhe sahen aus, als würden sie gleich aus den Nähten platzen. Er bat um ein Glas Wasser mit Eis.

»Fatty hab ich auch schon eine Weile nicht mehr gesehen«, zischelte jemand.

Wir Mädchen sollten uns angeregt unterhalten, mit viel Haareschütteln und Blicken unter halb gesenkten Lidern, sodass es aussah, als wären wir rein zufällig hier, ganz ohne Begleitung in unseren hübschen Kleidern, bis der Gast sich eine ausgesucht hatte. Der Dicke entschied sich schnell. Er nickte mir zu, seine Wangen zogen sich wie schlabberige marmorierte Vorhänge zu einem Lächeln zurück. Als ich den Raum durchquerte, sah ich das spießige Streifenmuster auf der abgelegten Krawatte und den Siegelring, der im Fett seines kleinen Fingers fast unterging. Igitt.

»Ich bin Lauren«, hauchte ich lächelnd. »Soll ich mich zu dir setzen?«

»James«, stellte er sich vor.

Ich setzte mich sittsam neben ihn, überkreuzte die Füße

an den Knöcheln und schaute ihn erwartungsvoll an. Keine Gespräche, bevor sie bestellten.

»Ich schätze, ich soll dir einen Drink bestellen?« Er sagte es verdrossen, als wüsste er, wie dieser Club funktionierte, empfände es aber immer noch als Zumutung.

»Danke, das wäre nett.«

Er schaute gar nicht auf die Karte. »Was ist das Teuerste?«

»Ich glaube …«

»Na los, sag's schon.«

»Na ja, James, das wäre der Cristal 2005. Hättest du gern eine Flasche davon?«

»Bestell sie. Ich trinke nicht.«

Ich nickte Carlo zu, bevor mein Gast es sich anders überlegen konnte. Der 2005er kostete atemberaubende dreitausend. Dreihundert hatte ich also schon mal in der Tasche. Hey, Big Spender.

Carlo trug die Flasche an unseren Tisch, als wäre sie sein erstgeborener Sohn, doch James winkte ihn ungeduldig fort, öffnete sie und goss uns pflichtbewusst die Goldfischgläser voll.

»Magst du Champagner, Lauren?«, fragte er.

Ich gestattete mir ein trockenes kleines Lächeln. »Na ja, manchmal kann es schon ein bisschen monoton werden.«

»Warum gibst du die Flasche dann nicht deinen Freundinnen und bestellst dir, was du wirklich haben willst?«

Dafür mochte ich ihn. Er war körperlich abstoßend, das ja, aber die Tatsache, dass er keine Heuchelei von mir erwartete, hatte etwas Mutiges. Ich bestellte mir also einen Hennessy und nippte langsam daran, und er erzählte mir ein bisschen von seinem Beruf, der natürlich mit Finanzen zu tun hatte, und am Ende stemmte er sich wieder auf die Füße und watschelte davon, nicht ohne mir vorher fünfhundert Pfund in neuen Fünfzigern auf den Tisch gelegt zu haben.

Am nächsten Abend kam er zurück und machte genau dasselbe. Leanne schrieb mir am Mittwochmorgen eine SMS, dass er am Dienstag da gewesen sei und nach Lauren gefragt habe, und am Donnerstag kam er wieder, nur wenige Minuten nachdem der Club geöffnet hatte. Es gab zwar ein paar Mädchen, die »Stammkunden« hatten, aber keiner war so großzügig, und das verlieh mir einen ganz neuen Status. Ich war fast etwas überrascht, dass es keine Eifersucht gab. Aber andererseits war Geschäft natürlich Geschäft.

4. Kapitel

Seit ich im Club arbeitete, fielen mir die täglichen Demütigungen an meinem Arbeitsplatz im Büro umso deutlicher ins Auge. Im Gstaad Club hatte ich zumindest die Illusion, die Karten in der Hand zu haben. Ich versuchte mir einzureden, es würde mich *amüsieren*, dass mein korrektes, »reales« Leben, das nur wenige Straßen von Olly und den Mädchen entfernt war, keinerlei Wert oder Macht mit sich brachte. Im Club fühlte ich mich jedes Mal geschätzt, wenn ich nur die Beine übereinanderschlug, während ich in meinem eigentlichen Job, in dem ich Karriere machen wollte, nicht mehr war als ein Mädchen für alles. Doch das Gstaad und der elitärste Kunsthandel der Welt hatten mehr gemeinsam, als ich mir eingestehen wollte.

Die Arbeit im Haus mochte enttäuschend sein, aber ich erinnerte mich noch immer daran, wie ich ein Bild zum ersten Mal richtig *gesehen* hatte, und diese Erinnerung glühte in mir nach. Bronzinos *Allegorie der Liebe* in der National Gallery am Trafalgar Square. Ich finde das Bild bis heute beruhigend, nicht nur wegen der manieristischen, geheimnisvollen Eleganz der Komposition – verspielt und auf unschuldige Art erotisch, gleichzeitig aber der Sterblichkeit und des Todes eingedenk –, sondern auch, weil bis jetzt noch kein Forscher eine akzeptierte Theorie aufgestellt hat, was es bedeuten soll. In gewisser Weise liegt die Schönheit dieses Gemäldes in der Frustration, die es hervorruft.

Es war auf einem Schulausflug nach London, eine stundenlange Fahrt in einem heißen Bus, um mich herum der Geruch von Wurstbroten und Käsechips, die beliebten Mädchen quatschten und stritten auf der hintersten Bank, und unsere Lehrer sahen seltsam verletzlich aus in ihrer ungewohnten Alltagskleidung. Wir hatten durch die Tore von Buckingham Palace gegafft und waren dann in den marineblauen Pullovern unserer Schuluniform die Mall bis zur National Gallery hinuntergelaufen – es fehlte nur noch das Namensschild, und schon hätten wir uns ins Callcenter setzen können. Die Jungs schlitterten über den Parkettboden, die Mädchen machten laute, ordinäre Bemerkungen bei jedem Akt, an dem wir vorbeikamen. Ich versuchte, mich abzusetzen und in diesen scheinbar endlosen Räumen voller Bilder zu verlieren – da stieß ich zufällig auf den Bronzino.

Ich kam mir vor, als wäre ich gestolpert und in ein Loch gefallen, dieses Gefühl, erschrocken zu sein, mich aber gleich wieder von meinem Schreck erholt zu haben, bei dem das Gehirn dem Körper jedes Mal hinterherzuhinken scheint. Da war die Göttin, hier ihr kleiner Junge, dort der geheimnisvolle Alte über ihnen. Ich wusste damals nicht, wer sie waren, aber ich begriff, dass ich nicht gewusst hatte, was Mangel bedeutet, bis ich sah, wie sich diese erlesenen Farben glühend über das Bild ergossen. Und damit wusste ich auch, was Begehren bedeutet, dieses erste Bewusstsein dessen, was ich wollte und nicht hatte. Ich hasste das Gefühl. Ich hasste den Gedanken, dass mir alles, was ich bis jetzt gekannt hatte, auf einmal hässlich vorkam, und dass die Quelle dieses Gefühls, dieses geheimnisvolle Lauern und Locken, mir von diesem Bild entgegenleuchtete.

»Rashleigh denkt sich perverse Fantasien über die nackte Frau aus!«

Leanne und ein paar von ihren Freundinnen hatten mich eingeholt.

»Scheißlesbe!«

»Leeeesbe!«

Ihre groben, quietschenden Stimmen störten die anderen Besucher, Köpfe drehten sich zu uns um, mein Gesicht brannte vor Scham. Leannes brutal dauergewelltes Haar war damals blond mit einem Stich ins Orange, und sie hatte es zu einer Hochfrisur gegelt. Wie ihre Freundinnen benutzte sie viel zu dunkles Make-up und verschmierten schwarzen Eyeliner.

»Man sollte die gar nicht reinlassen, wenn sie sich nicht benehmen können«, hörte ich eine Stimme. »Ich weiß, der Eintritt ist frei, aber …«

»Ich weiß schon«, unterbrach eine andere. »Kleine Tiere.«

Sie lachten uns aus, als würden wir schlecht riechen. Ich überlegte, ob wir für sie vielleicht wirklich schlecht rochen. Ich hasste die Verachtung in ihren weichen, gebildeten Stimmen. Ich hasste es, dass ich mit den anderen in einen Topf geworfen wurde. Doch Leanne hatte sie auch gehört.

»Fickt euch doch alle ins Knie«, giftete sie zurück. »Oder seid ihr etwa auch Lesben, hä?«

Die beiden Frauen, die gesprochen hatten, sahen einfach nur angewidert aus. Sie sagten gar nichts mehr, sondern gingen ruhig weiter. Meine Augen folgten ihnen hungrig. Ich drehte mich zu den Mädchen um.

»Kann gut sein, dass die sich beschweren. Am Ende schmeißen sie uns noch raus.«

»Na und? Ist doch sowieso unsere letzte Runde. Wo ist dein Problem, Rashleigh?«

Damals konnte ich schon ziemlich gut kämpfen. Wenn meine Mutter mich überhaupt zur Kenntnis nahm, ging sie diskret über meine blauen Augen und blauen Flecken hinweg, aber meistens versteckte ich die Spuren meiner Kämpfe vor ihr. Sie sah mich schon damals als eine Art Wechselbalg. In diesem Moment wäre ich nur zu gern auf Leanne losgegangen, aber –

vielleicht lag es an dem Bild, vielleicht auch an dem Wissen um die beiden Frauen – ich wollte nicht mehr. Ich würde mich nicht mit ihnen gemein machen, nicht mehr. Also ließ ich es einfach dabei bewenden. Ich versuchte, mich in meine Verachtung zu hüllen wie in einen Pelzmantel, um ihnen zu zeigen, wie tief sie unter mir standen, so tief, dass sie nicht einmal meine Aufmerksamkeit wert waren. Bis zum Schulabschluss war ich ziemlich gut darin, mir das einzureden. Ich hatte zwei Jahre für meine erste Reise nach Norditalien gespart, hatte an einer Tankstelle gearbeitet, in einem Salon gebleichte Haarwürmer zusammengekehrt, mir beim Chinesen die Finger an den scharfkantigen Take-away-Aluboxen geschnitten und freitags mein Blut in das süßsaure Schweinefleisch der Betrunkenen tropfen lassen. Ich hatte mir ein Auslandsjahr in Paris geleistet und später einen einmonatigen Grundkurs in Rom.

Ich hatte gedacht, wenn ich an der Universität bin, wird alles anders. Noch nie hatte ich Leute gesehen, die so aussahen, geschweige denn so einen Ort. Diese Menschen und diese Gebäude gehörten zusammen. Der unangestrengte Anspruch ganzer Generationen auf diese Sphären hatte die honigfarbenen Steine und die honigfarbene Haut in jedem von der Zeit glatt polierten Detail zu architektonischer Perfektion verschmelzen lassen. Ich hatte im College zwar diverse Liebhaber, aber wenn man so aussieht wie ich und solche Dinge mag wie ich, dann wird man wohl nie der Typ für Frauenfreundschaften sein. Ich redete mir ein, dass ich sie nicht brauchte, und außerdem hatte es neben der Bibliothek und meinen Teilzeitjobs sowieso nicht viel Zeit für andere Dinge als Lesen gegeben.

Ich beschränkte mich nicht auf die Bücher auf meiner Lektüreliste – neben Gombrich und Bourdieu hatte ich Hunderte von Romanen gelesen, die ich nach Details des seltsamen Landes absuchte, in dem die Oberschicht zu Hause ist und die Menschen eine ganz bestimmte Sprache pflegen. Ich suchte nach dem Vokabular, das die Mitglieder dieses unsichtbaren Clubs von den Nicht-Mitgliedern unterscheidet. Ich arbeitete unermüdlich an meinen Fremdsprachen: Französisch und Italienisch waren die Sprachen der Kunst. Ich las *Le Monde* und *Foreign Affair*, *Country Life* und die *Vogue* und das *Opéra Magazine* und den *Tatler* und Polozeitschriften und den *Architectural Digest* und die *Financial Times*. Ich brachte mir alles über Wein, über seltene Buchbindemethoden und altes Silber bei. Ich ging zu sämtlichen kostenlosen Konzerten, einerseits aus Pflichtgefühl, andererseits zum Vergnügen, ich lernte, wie man die Dessertgabel korrekt benutzt und wie man diesen unsterblichen Akzent imitiert. Ich wusste, dass es sinnlos war, etwas vorzuspielen, was ich nicht war, aber ich dachte, wenn ich mich als Chamäleon perfektionierte, würde niemand auf die Idee kommen, genauer nachzufragen.

Dabei machte ich das alles nicht aus Snobismus. Ich empfand eine gewisse Erleichterung darüber, mich in einer Umgebung zu bewegen, in der das Bekenntnis zu einem Interesse für etwas, was nicht mit irgendwelchen beschissenen Realityshows zu tun hat, nicht einer Aufforderung zum Kieferbruch gleichkam. Wenn ich früher die Schule geschwänzt hatte, war ich meistens mit dem Bus in die Stadt gefahren, zum Picton Reading Room in der Central Library oder zur Walker Art Gallery, denn diese stillen Räume atmeten für mich mehr als nur die Schönheit, die darin ausgestellt war. Sie waren – zivilisiert. Und Zivilisiertsein bedeutete, dass man sich mit den richtigen Dingen auskannte. Da können die Leute noch so eifrig behaupten, das sei nicht wichtig – es ist trotzdem wahr. Das zu bestreiten ist ungefähr so dumm, als würde man behaupten, dass Schönheit nicht wichtig sei. Und wenn man zu den richtigen Dingen vordringen will, muss man sich bei den Leuten aufhalten, die sie besitzen. Und wenn man gerne gründlich ist, dann ist es auch ganz nützlich, den Unterschied zwischen einem ererbten und einem ehrenhalber verliehenen Adelstitel zu kennen.

Als ich zum ersten Mal zum Auktionshaus kam, schien meine Rechnung ganz gut aufzugehen – ich hatte meine Ecken mittlerweile erfolgreich abgeschliffen. Ich verstand mich gut mit Frankie, der Sekretärin, auch wenn sie eine Stimme hatte, die sich anhörte wie eine Memsahib, die ihre Gepäckträger herumkommandiert, und über Freunde verfügte, die sie tatsächlich »Pongo« oder »Squeak« nannte. Frankie passte in diese Umgebung, wie es mir nie gelingen würde, aber gleichzeitig schien sie sich ein bisschen zurückzuziehen von der Welle von aufdringlichem neuem Geld, das langsam ins Haus sickerte. Die Kunstwelt war von ihrem vornehmen Schlummer auf dem Milliardärsspielplatz erwacht, wo Mädchen wie Frankie langsam, aber sicher ausstarben. Einmal hatte sie mir kummervoll anvertraut, dass sie lieber auf dem Land leben würde, aber ihre Mutter finde, dass sie mit einem Job in der Stadt größere Chancen habe, »jemanden kennenzulernen«. Obwohl Frankie eifrige Leserin der *Grazia* war, schien sie nie einen der Schönheitstipps zu befolgen – sie trug einen gänzlich unironischen Samthaarreif, und ihr Hintern sah aus wie ein riesiger, tweedbespannter Pilz. Ich musste sie einmal während eines schnellen Besuchs bei Peter Jones mit sanfter Gewalt von einem wirklich grauenvollen türkisen Taft-Ballkleid abbringen. Ich hatte nicht das Gefühl, dass ihre Mutter allzu bald die geprägten Einladungen drucken lassen musste, aber ich bewunderte Frankies selbstbewussten Stil, ihre großartige Verachtung für Diäten und ihren unerschütterlichen Optimismus, eines Tages »dem Richtigen« zu begegnen. Ich hoffte wirklich, dass sie ihn finden würde – ich sah sie geradezu vor meinem inneren Auge, wie sie in einem georgianischen Pfarrhaus vorm Ofen stand und das Abendessen an ihre liebende, gesunde Familie austeilte.

Manchmal gingen wir zusammen Mittag essen, und während ich nie genug von den Erzählungen aus ihrer Ponyclub-Kindheit bekommen konnte, schien sie genauso gern Geschichten über die (streng zensierten) Eskapaden meiner eigenen Kindheit zu hören. Frankie gehörte zu den Seiten, die ich an meinem Job mochte – eine weitere war Dave, der als Pförtner im Lager arbeitete. Dave war so ziemlich der einzige Mensch im Haus, bei dem ich das Gefühl hatte, dass er mich aufrichtig gernhatte. Er hatte im Ersten Irakkrieg in Bagdad ein Bein verloren und war während seiner Genesung auf Kunstdokus verfallen. Er hatte ein fantastisches Auge und war schnell von Begriff, seine Leidenschaft war das achtzehnte Jahrhundert. Er hatte mir einmal erzählt, dass nach allem, was er am Golf zu sehen bekommen hatte, dies hier das Einzige war, was ihn über Wasser hielt: die Möglichkeit, in der Nähe großer Gemälde zu sein. An der zärtlichen Art, mit der er die Kunstwerke anfasste, sah man, wie sehr er sie liebte. Ich respektierte die Aufrichtigkeit seines Interesses ebenso wie sein Wissen, und von Dave lernte ich ganz bestimmt mehr über Bilder als von irgendeinem meiner Vorgesetzten.

Natürlich flirteten wir, eine Art von Teeküchengeplänkel, aber ich mochte Dave eben auch, weil ich von ihm nichts zu befürchten hatte. Er machte zwar ab und zu einen dreckigen Witz, aber sein Interesse an mir war eher altmodisch-väterlicher Natur. Er schickte mir sogar eine Glückwunschkarte, als ich befördert wurde. Doch ich wusste, dass er glücklich verheiratet war – er nannte sie immer seine »Göttergattin« –, und um es ganz offen zu formulieren: Es war entspannend, mal mit einem Mann zu tun zu haben, der mich nicht ficken wollte. Abgesehen von Rokokokunst hatte Dave noch ein Faible für knallbunt aufgemachte True-Crime-Taschenbücher. In diesen Romanen war ehelicher Kannibalismus ein populärer Trend: Viele unzufriedene Frauen tischten ihren Ehemann als Pastete mit einem gut gekühlten Chardonnay auf, und Dave, dessen Begegnungen mit Schusswaffen durchaus effizient gewesen waren, genoss die Shakespeare'sche Naivität der Mordinstrumente. Es war überraschend, was man mit einem Lockenstab und einem Federmesser so alles anstellen konnte, wenn man sich ein paar kreative Gedanken machte. Wir teilten viele Zigarettenpausen im staubigen Bereich des Lagers, wo wir die neuesten Trends bei den grausamen Morden in seinen Krimis analysierten. Manchmal fragte ich mich, wie seine Interessen zusammenpassten, ob die aufgehübschten Götter und Göttinnen, die über die von Dave so geliebten Leinwände tänzelten, eine Art Trost für die Gewalt darstellten, die er hatte mit ansehen müssen, oder ob sie in ihrer oft erotischen Schönheit eine Bestätigung dafür waren, dass die klassische Welt genauso brutal und grausam war wie alles, was er in der Wüste zu sehen bekommen hatte. Während ich von Daves autodidaktisch erworbenen Kenntnissen beeindruckt war, hatte er manchmal so viel Respekt vor meinem Expertenstatus, dass es mir schon peinlich war.

Eines Freitagmorgens Anfang Juli, nachdem ich wieder einmal einen Abend mit James verbracht hatte, blieben mir noch ein paar Minuten, bevor das Büro aufmachte, also schlich ich mich ins Lager zu Dave. Es war eine lange Nacht im Gstaad gewesen, und meine Hornhaut fühlte sich wund an vor lauter Rauch und Schlaflosigkeit. Dave wusste sofort Bescheid, als er mich um neun Uhr morgens mit Sonnenbrille sah.

»Lange Nacht, meine Liebe?«

Er stellte mir einen Becher süßen Tee, zwei Ibuprofen und einen Galaxy-Schokoriegel hin. Nichts hilft so gut gegen Kater wie schlechte Schokolade. Dave glaubte netterweise immer noch, dass ich wie viele andere Mädchen, die hier arbeiteten, ein schillerndes Sozialleben mit der Aristokratie von Chelsea führte. Ich klärte ihn nicht auf. Sobald ich mich hinreichend menschenähnlich fühlte, um die Sonnenbrille abzunehmen, zog ich einen Block und mein Maßband aus der Aktentasche, um eine kleine Serie von neapolitanischen Landschaften für die bevorstehende Grand-Tour-Auktion abzumessen.

»Schockierend«, bemerkte Dave, »dass sie das mit einem Limit von 200 000 als Romney einstellen. Das ist doch höchstens aus der Schule von Romney.«

»Schockierend«, stimmte ich ihm zu, während ich meinen Stift zwischen den Zähnen hielt.

Gleich zu Beginn meiner Tätigkeit im Haus hatte ich gelernt, dass das Limit den Minimalpreis bezeichnet, den ein Verkäufer für ein Stück haben will. Ich deutete mit einem Kopfnicken auf Daves Tasche. »Neues Buch?«

»Ja, ich kann's dir leihen, wenn du magst. Umwerfend.«

»Wann war Romney noch mal in Italien?«

»Von 1773 bis 1775. Meistens in Rom und Venedig. Diese Frau hat ihren Mann im Küchenmixer verhackstückt. In Ohio.«

»Als ob das stimmen würde, Dave.«

»Als ob das ein Romney wäre.«

Mein Handy meldete sich mit einer SMS von Rupert, meinem Chef. Ich sollte zu einer Begutachtung gehen, sobald ich mit meinen Notizen fertig war.

Rupert saß an seinem Tisch und gönnte sich wahrscheinlich gerade sein drittes Frühstück, ein Wurstbrot, aus dem der Senf bereits auf eine seiner Umschlagmanschetten getropft war. Das hieß wohl, dass ich später mal wieder zur Reinigung laufen konnte, dachte ich betrübt. Wieso hatte ich immer mit fetten Männern zu tun? Er gab mir eine Adresse in St. John's Wood sowie ein paar Angaben zu den Kunden und bat mich darum, mich zu beeilen. Doch als ich an seiner Bürotür war, rief er mich noch mal zurück.

»Äh, Judith?« Ich hasste vieles an Rupert, unter anderem seine Macke, mich mit »Äh« anzusprechen, als wäre es mein Name.

»Ja, Rupert?«

»Wegen dieser Whistler-Bilder …«

»Ich hab gestern alles darüber nachgelesen, genau wie du es mir gesagt hast.«

»Äh, ja, aber bitte vergiss nicht, dass Colonel Morris ein sehr wichtiger Kunde ist. Er wird absolute Professionalität erwarten.«

»Selbstverständlich, Rupert.«

Vielleicht hasste ich ihn doch nicht so sehr. Er betraute mich immerhin mit einem äußerst wichtigen Gutachten. Man hatte mich vorher auch schon zu kleineren Jobs geschickt, manchmal sogar außerhalb von London, aber das hier war die erste Gelegenheit, bei der ich mit einem »wichtigen Kunden« zu tun haben würde. Ich nahm es als Zeichen dafür, dass mein Chef mir zunehmend vertraute. Wenn ich den Preis richtig einschätzen konnte – korrekt, aber attraktiv für den Verkäufer –, konnte ich den Deal fürs Haus an Land ziehen, indem ich die Stücke für uns ankaufte, bevor wir sie weiterverkauften. Whistler war einer der großen Künstler, die ernsthafte Sammler anzogen, das konnte wirklich Geld fürs Haus bedeuten.

Um das zu feiern, bestellte ich mir ein Taxi auf Firmenrechnung, obwohl Mitarbeitern meines Ranges eigentlich keine Taxis gestattet waren. Dieses Budget war reserviert für die absolut lebenswichtigen Transporte, wie Ruperts Abholung vom Café Wolseley am Piccadilly Circus, gleich um die Ecke. Ich stieg ein paar Straßen vor der Kundenadresse aus, sodass ich in der Stille unter den sommerschweren Bäumen am Kanal entlanggehen konnte. Mein Kopf war jetzt ganz klar, und aus den Gärten mit den alarmgesicherten Mauern drang der Duft von nassem Flieder. Ich musste lächeln bei dem Gedanken, dass diese Straßen, mit ihren Truppen aus ernst dreinblickenden philippinischen Kindermädchen und polnischen Arbeitern, die in den Kellern riesige Pools anlegten, früher einmal kaum mehr als ein riesiges berüchtigtes Edelbordell gewesen waren, wo Frauen hinter schweren Plüschgardinen, arrangiert wie Aktbilder von Etty, auf ihre Liebhaber warteten, die auf dem Heimweg aus der City hier vorbeikamen. London war schon immer eine Stadt der Huren und wird es auch immer bleiben.

Ein scharfes Laserauge scannte mich ab, als ich die Klingel der Erdgeschosswohnung drückte. Der Kunde höchstpersönlich öffnete die Tür des cremefarbenen Doppelhauses mit der Stuckfassade.

»Colonel Morris? Ich bin Judith Rashleigh von British Pictures«, stellte ich mich vor und hielt ihm meine Hand hin. »Wir hatten einen Termin wegen der Whistler-Studien.«

Er schnaubte einen Gruß, und ich folgte seinem twillüberzogenen Kavalleriehintern in die Eingangshalle. Ich hatte keinen umwerfend aussehenden Offizier erwartet, aber ich musste mich schon zusammenreißen, damit ich nicht zurückwich, als seine Klaue mit den gelben Nägeln kurz meine Hand ergriff. Bösartige kleine Augen zuckten über einem ergrauenden Hitlerbärtchen, das an seiner Oberlippe hing wie eine Nacktschnecke an der Sprungschanze. Er bot mir keinen Tee an, stattdessen führte er mich sofort in den vollgestellten Salon, in dem spießige pastellfarbene Vorhänge einen seltsam provinziellen Kontrast zu den bemerkenswerten Bildern an der Wand bildeten. Der Colonel zog die Vorhänge zu, während ich einen Sargent, einen Kneller und einen winzigen exquisiten Rembrandt-Cartoon betrachtete.

»Was für wunderbare Bilder.« Mindestens zehn Millionen wert. Das versprach wirklich ein anständiger Auftrag zu werden.

Er nickte selbstzufrieden und bedachte mich mit einem weiteren Walrossschnaufen. »Die Whistler-Zeichnungen sind in meinem Schlafzimmer«, keuchte er und ging zur zweiten Tür.

Dieses Zimmer war noch dämmriger und enger, und in der Luft hing ein unangenehm stechender Geruch nach getrocknetem Schweiß und einem altmodischen Rasierwasser. Ein breites Bett mit Laken und haarigen moosgrünen Decken nahm den größten Raum ein. Ich musste mich daran vorbeischlängeln, um die Kommode zu erreichen, über der fünf kleine Bilder hingen. Mit meiner Taschenlampe untersuchte ich sie alle gründlich, überprüfte die Signatur und löste sehr vorsichtig die Rahmen, um das Wasserzeichen auf dem Papier zu überprüfen.

»Wunderschön«, sagte ich. »Die Vorbereitungen für die Thames-Sonata-Serie, genau, wie Sie gesagt haben.« Ich war sehr zufrieden mit dem Klang meines selbstsicheren, effizienten Urteils.

»Ich hätte Sie nicht gebraucht, um mir das zu bestätigen.«

»Selbstverständlich nicht. Aber Sie denken daran, sie zum Verkauf zu stellen? Für die italienische Auktion wären sie eher nicht so geeignet, aber für den Frühlingskatalog wären sie perfekt. Sie haben sicherlich die Belege für die Herkunft?« Der Herkunftsnachweis war der Schlüssel in diesem Geschäft – der Weg eines Bildes vom Pinsel des Künstlers durch die Hände der verschiedenen Besitzer und Verkaufsräume, die Papierspur, die seine Echtheit bewies.

»Natürlich. Vielleicht möchten Sie sich die hier ansehen, während ich die Belege raussuche?« Er reichte mir ein schweres Album. »Spätviktorianisch. Sehr ungewöhnlich.«

Vielleicht lag es an den zwei grabschenden Händen, die an meinen Hinterbacken herumtasteten, aber ich hatte auch so schon eine deprimierend klare Vorstellung davon, was ich auf den Radierungen des Colonel sehen würde. Nichts, womit ich nicht zurechtkommen würde. Ich schüttelte einfach seine Hände ab und schlug das Album auf. Gar nicht mal schlecht für Porno aus dem neunzehnten Jahrhundert. Ich blätterte ein paar

Seiten um, als würde es mich wirklich interessieren. Professionalität, mehr brauchte ich nicht. Doch dann fühlte ich, wie eine dieser Hände an mir emporkroch und sich um meine Brust schloss, und auf einmal war er mit seinem ganzen Gewicht auf mir und warf mich aufs Bett.

»Colonel! Lassen Sie mich sofort los!« Ich setzte meine beste Wütende-Schulsprecherinnen-Stimme auf, dabei war das längst kein Schultheaterstück mehr. Sein Körper drückte mir die Luft aus den Lungen, während er versuchte, seine widerlichen spitzen Finger unter meinen Rock zu schieben. Die grüne Decke erstickte mich, ich konnte meinen Kopf nicht mehr heben. Meine Versuche, ihn abzuschütteln, erregten ihn offenbar nur noch mehr, denn er drückte mir einen faulig-nassen Kuss auf den nackten Hals und schob sich noch weiter über mich.

Ich atmete flach und keuchend – inzwischen bekam ich keine Luft mehr, und das versetzte mich in Panik. So was mag ich wirklich nicht. Ich versuchte, meine Handflächen unter meinen Körper zu manövrieren, um mich hochzustemmen und ihn so von mir abzuwerfen, doch er packte mein rechtes Handgelenk und hielt es auf dem Bett fest. Es gelang mir, mein Gesicht nach rechts zu drehen, und mir stieg die stinkende Luft unter seiner Achselhöhle in die Nase. Schweiß tränkte seine Viyella-Hemdbrust, neben mir pulsierten die Falten seines Gesichts. Aus der Nähe betrachtet waren seine Zähne widerliche, braun verfärbte fötale Stummel.

»Was halten Sie davon?«, keuchte er und verengte seine blutunterlaufenen Augen verführerisch. »Ich hab noch viel mehr von der Sorte. Videos auch. Ich wette, einer kleinen Nutte wie Ihnen gefällt so was, stimmt's?«

Sein Bauch drückte auf meinen Rücken, und ich ließ ihm Zeit, seinen Reißverschluss aufzumachen. Was er da drin zu finden hoffte, weiß der liebe Herrgott. Dann biss ich ihn in die Hand, so fest ich nur konnte, und ich spürte, wie das Fleisch unter meinen Zähnen nachgab. In dem Moment, in dem er aufquiekte und sich aufrichtete, griff ich mir meine Tasche, holte mein Handy heraus und richtete es mit fester Hand auf seinen Schoß wie eine Pistole.

»Sie kleine ...«

»Nutte? Ja, Sie sagten es bereits. Dummerweise kann die kleine Nutte auch beißen. So. Und jetzt sehen Sie zu, dass Sie mir vom Leib bleiben.«

Er versorgte seine verwundete Hand. Es blutete nicht, aber sicherheitshalber spuckte ich ihn an.

»Ich werde auf der Stelle Rupert anrufen!«

»Das glaube ich nicht. Wissen Sie, Videos sind schon ein bisschen aus der Mode gekommen, Colonel Morris. Mittlerweile leben wir in einer digitalen Welt. Schauen Sie sich zum Beispiel mal mein Handy an. Damit kann ich das hier alles filmen und automatisch an meine ganzen Freunde mailen. Obwohl es leider kein Vergrößerungsglas gibt, nur für den Fall, dass Sie noch herausholen wollen, was Sie da in Ihrer Hose verstecken. Haben Sie schon mal was von Youtube gehört?«

Ich wartete, ohne meine Augen von seinem Gesicht loszureißen, und spürte dabei, wie sich mein Rücken anspannte. Es war immer noch unmöglich, in diesem engen Raum an ihm vorbeizukommen, es sei denn, er ließ mich aus freien Stücken vorbei. Ich atmete einmal langsam ein und aus. Dieser Mann war ein sehr wichtiger Kunde.

»Vielen Dank für Ihre Zeit, Colonel. Ich werde Sie nicht weiter in Anspruch nehmen. Ich werde jemanden vom Lager vorbeischicken, der heute Nachmittag herkommt und die Zeichnungen einpackt, einverstanden?«

Ich hatte noch einen kurzen panischen Moment an der Haustür, aber sie war unverschlossen und glitt mit einem leisen Klicken hinter mir ins Schloss. In kerzengerader Haltung ging ich bis zur Abbey Road. Dort atmete ich vier Sekunden ein, hielt die Luft vier Sekunden an und atmete vier Sekunden aus. Dann säuberte ich mein Gesicht mit einem Feuchttuch aus meiner Tasche, brachte mein Haar in Ordnung und rief im Büro an.

»Rupert? Hier ist Judith. Wir können heute Nachmittag jemand vorbeischicken, der die Whistlers abholt.«

»Äh, Judith. Ist alles … äh … ist alles gut gelaufen?«

»Warum hätte es nicht gut laufen sollen?«

»Kein … äh … kein Ärger mit dem Colonel?«

Er wusste es also. Der blöde Rupert wusste Bescheid. Ich beherrschte meine Stimme.

»Überhaupt kein Ärger. Ich hatte die Lage absolut … im Griff.«

»Gut gemacht, Mädchen.«

»Danke, Rupert. Ich bin dann gleich wieder im Büro.«

Natürlich wusste er Bescheid. Deswegen hatte er das hübsche Mädchen geschickt, statt so eine wichtige Begutachtung selbst durchzuführen. Warum bist du so bescheuert, Judith? Warum hast du geglaubt, dass er den absoluten Niemand aus seiner Abteilung zu so einem großen Auftrag schickt, außer wenn der Kunde sich eine kleine Draufgabe erwartet? Wie es aussah, hatte er sehr klare Vorstellungen davon, wofür ich gut war.

Dann lehnte ich mich – nur für ein paar Sekunden – an die Wand, verbarg mein Gesicht in den Armen und ließ das Adrenalin durch meinen Körper strömen. Ich zitterte so heftig, dass meine Bauchmuskeln schmerzten. Gleichzeitig hatte ich das Gefühl, ganz vom Gestank des Scheiß-Colonel Morris umfangen zu sein, und ich war vor Wut völlig außer Atem – ganz so, als hätte irgendetwas mein Herz k. o. geschlagen. Ich verzog mein Gesicht bei dem Versuch, mein Schluchzen zu unterdrücken. Ich könnte weinen, dachte ich. Ich könnte mein Gesicht an das körnige Londoner Mauergestein pressen und um all die Dinge weinen, die ich nicht hatte, über die Ungerechtigkeit und darüber, wie verdammt müde mich das alles machte. Ich könnte weinen wie der kleine Loser, der zum Teil immer noch in mir steckte, weil mir diese Geschichte passiert war. Andererseits war es gut möglich, dass ich nicht mehr aufhören konnte, wenn ich erst mal anfing zu weinen. Und das ging einfach nicht. Diese ganze Geschichte war nichts. Nichts. Ich ertappte mich bei dem Gedanken, Rupert könnte mir tatsächlich dankbar sein, weil ich nicht das Nächstliegende getan und »sexuelle Belästigung« gezetert und darauf bestanden hatte, die Polizei einzuschalten. Doch diesen Gedanken unterdrückte ich im nächsten Moment mit meinem Selbstmitleid. Es war Zeitverschwendung, wenn ich mir Lob erhoffte, genauso wie es Zeitverschwendung war, Bitterkeit deswegen zu empfinden. Schon möglich, dass ich nicht den richtigen Namen trug oder nicht in die richtige Schule gegangen war oder kein Jagdwochenende mit den richtigen Leuten verbracht hatte, aber ich ärgerte mich nicht über die Ruperts dieser Welt, und ich war auch nicht verunsichert genug, um sie zu verachten. Hass ist viel besser. Hass heißt, dass man einen kühlen Kopf bewahrt, sich flink bewegt und allein bleibt. Wenn man sich in jemand anders verwandeln will, ist Einsamkeit ein guter Ausgangspunkt.

Als ich zum Bewerbungsgespräch in die Prince Street gekommen war, hatte Rupert mir gelangweilt ein paar Postkarten auf den Tisch gelegt, damit ich die Maler benannte. Absolutes Grundwissen – ein Velázquez, ein Cranach. Ich fragte mich, ob er sich überhaupt die Mühe gemacht hatte, meinen Lebenslauf zu lesen, und als ich später eine Bemerkung zu meiner Masterarbeit fallen ließ, entnahm ich seiner verstört-überraschten Miene, dass er ihn tatsächlich nicht gelesen hatte. Die letzte Postkarte, die er mir langsam über den Tisch schob, zeigte ein schlankes, halb nacktes Mädchen in hauchzarten Tüchern.

»Artemisia Gentileschi, *Das natürliche Talent*«, antwortete ich, ohne zu zögern. Einen winzigen Moment lang gestattete sich Rupert sogar einen imponierten Gesichtsausdruck. Diese Postkarte hatte ich an meiner Zimmerwand hängen, seit ich mit sechzehn meine erste Florenzreise unternommen hatte. Artemisia war die Tochter eines Malers, die genialste von all seinen Lehrlingen, von denen sie übrigens einer vergewaltigte, als sie auf einem Auftrag in Rom waren. Sie brachte ihn vor Gericht, und nachdem man sie mit Daumenschrauben gefoltert hatte, um zu überprüfen, ob sie die Wahrheit sagte, gewann sie den Prozess. Ihre Hände waren ihre Zukunft, und sie hatte riskiert, dass sie ihr bis zur Unkenntlichkeit verdreht wurden, so sehr loderte sie für Gerechtigkeit. Viele ihrer Bilder waren bekannt für ein gewisses gewalttätiges Moment in der Malweise, und das war so stark, dass die Kritiker sich kaum vorstellen konnten, dass eine Frau sie gemalt hatte. Aber ich hatte mir dieses Bild ausgesucht, weil sich Artemisia ihr eigenes Gesicht zur Vorlage genommen hatte.

Sie war einundzwanzig, als sie dieses Bild malte. Damals hatte man sie schon gegen ihren Willen mit einem drittklassigen Hofmaler verheiratet, der von ihrem Talent schmarotzte, aber sie zeigte sich selbst, schien mir, so wie sie sein wollte, ohne Scham, ihr schlichtes Gesicht heiter, und in der Hand einen Kompass, Symbol ihrer Zielstrebigkeit. Ich werde entscheiden, sagte mir dieses Bild. Ich werde *selbst* entscheiden. Wie alle verliebten Teenager war ich überzeugt, dass niemand Artemisia so verstand wie ich. Das Objekt mochte etwas unkonventionell sein, aber das Gefühl war genau dasselbe. Wir waren uns so ähnlich, sie und ich. Wenn sie nicht im siebzehnten Jahrhundert gestorben wäre, dann hätten wir beste Freundinnen für immer und ewig sein können.

Artemisia verhalf mir zu meiner Stelle. Dieses Bewerbungsgespräch war die einzige Gelegenheit, bei der Rupert mich sah, das heißt, bei der er wirklich eine Person sah und nicht eine jederzeit zu vernachlässigende Präsenz. Doch selbst damals sah er nichts anderes als ein perfektes, kluges Mädchen für alles, das klaglos die Drecksarbeit für ihn erledigen würde. Als ich mich jetzt mit trockenen Augen an eine Vorstadtmauer lehnte, spürte ich ein kurzes Aufflackern von Liebe zu meinem sechzehnjährigen Selbst, wie ich mit meiner ernsthaften Büchertasche und meinen grauenvollen Klamotten in der Casa Buonarroti stand, und ich wünschte mir, ich könnte ihr wie ein Geist aus der Zukunft erscheinen und ihr sagen, dass alles gut werden würde. Denn es würde alles gut werden. Ich würde nicht zur Polizei gehen. Rupert würde mich feuern, sowie ich meine Aussage gemacht hätte. Nein. Ich würde damit schon klarkommen. Ich konnte die Dinge wieder geraderücken.

5. Kapitel

Als ich an diesem Abend nach Hause kam, lagen meine Nerven blank, und ich sagte mir, dass ich mir nach Colonel Morris ein bisschen Party verdient hatte. Also schickte ich Lawrence eine SMS, um mich zu erkundigen, ob am Abend irgendeine Veranstaltung bei ihm stattfand. Lawrence war eine Bekanntschaft aus meinen frühen Londoner Tagen: reich, zwielichtig und auf eine friedliche Art heroinsüchtig. Ich hatte ihn in der Szene kennengelernt, die wie bei allen sehr speziellen Hobbys eine ziemlich kleine Welt ist. Jetzt organisierte er eher private Partys in seinem Haus in Belgravia, und er schlug mir vor, gegen elf am Square vorbeizukommen.

Lawrence Partys kosteten normalerweise 150 Pfund, aber ich wusste, dass er mich umsonst hineinlassen würde. Ich schloss meine Schlafzimmertür auf und ließ meinen Kopf gegen den Seidenkimono fallen, der dort hing. Ich atmete den Geruch von sauberem Leinen und Geranienöl aus meiner kleinen Keramikduftlampe ein. Ich musterte meine Bücher, mein säuberlich gemachtes Bett, das Tuch mit dem balinesischen Muster, das ich über die hässliche Jalousie gehängt hatte – und ich konnte den Anblick einfach nicht mehr ertragen. Alles so billig, alles so jämmerlich optimistisch. Nicht mal das zusammengefaltete Versprechen der schönen Kleider in meinem buckligen Kunststoffkleiderschrank konnte mich beschwichtigen. Ich wühlte meine Sachen durch und versuchte herauszufinden, wonach mir heute war. Nichts zu Aggressives. Unter der Oberfläche musste ich weich und feminin wirken, nach außen ganz die einzelgängerische Katze. Ich entschied mich für einen kaffeebraunen Brazil-Slip aus Spitze und den dazugehörigen BH. Darüber zog ich eine locker sitzende Cargohose, ein schwarzes T-Shirt und Chucks. Wenn ich dort war, würde ich in High Heels schlüpfen – ich konnte mir mittlerweile zwar ein Taxi leisten, aber ich wollte mich bewegen, um die letzten Schimmelsporen von der Decke des Colonel aus meinen Lungen zu lüften. Ich nahm mir verschwenderisch lange Zeit, um mein Gesicht so zu schminken, dass es aussah, als würde ich gar kein Make-up tragen, dann ging ich zu Fuß nach Belgravia.

Die weißen Straßen mit den Stuckfassaden schienen in Geheimnisse gehüllt. Es war immer so still hier. Sämtliche Sünden, die sich hinter diesen plutokratischen Säuleneingängen verbargen, wurden problemlos durch Geld abgefedert. Lawrence lehnte rauchend am Eingang zu 33 Chester Square, als ich kam. Wahrscheinlich brauchte er mal kurz seine Ruhe vor der Gang von ausgelassenen Soho-Exilanten, die seinen Dachboden bewohnten, sich bei ihm durchfraßen und tranken und sich für Künstler hielten. Theoretisch sorgte die Eintrittsgebühr dafür, dass ihre Heroin- und Vinylzufuhr nicht abriss. Manchmal hatte ich schon überlegt, ob ich ihn um ein Zimmer bitten sollte, um die Miete zu sparen, doch die ganze Atmosphäre war einfach zu verwahrlost und würde mich von der Zukunft ablenken, die ich mir zimmern wollte.

»Hallo, meine Liebe.« Lawrence trug eine blaue Samthose mit Streifen und dazu ein uraltes weißes Hemd, dessen ausgefranste Manschetten ihm über die dünnen Handgelenke hingen.

»Hey, Lawrence. Wer ist denn schon hier? Jemand Hübsches dabei?«

»Ach, Schätzchen, jetzt natürlich *du*.« Lawrence dehnte die

Vokale derartig, dass ich schon befürchtete, er würde mir gleich auf der Schwelle einschlafen.

»Kommst du nicht mit rein?«

»Nein, Schätzchen, noch nicht. Ab mit dir. *Amuse-toi.*«

Die Party fand im Keller statt, aber ich ging erst einmal durchs Haus und stellte mir wie immer vor, wie ich wohnen würde, wenn mir so ein Haus gehören würde, wie ich die Zimmer verändern würde, sie streichen und möblieren. Niemand sah, wie ich die Hand über die sinnliche Kurve des Geländers aus dem achtzehnten Jahrhundert fahren ließ, über die feste Sicherheit des polierten Mahagonis. Aus den klügeren Einrichtungszeitschriften hatte ich gelernt, dass es falsch war, wenn Häuser zu perfekt aussahen, und dass das schreckliche grüne Cordsofa aus den Siebzigern, das in Lawrences Salon stand, ebenso Zeichen seiner Klasse war wie seine Stimme oder die Art, wie er seine ausgefransten Hemden trug. Nichtsdestoweniger malte ich mir aus, wie das Zimmer aussehen würde, wenn man die Wände in Gris Trianon streichen würde, dazu ein paar ausgewählte Möbelstücke, ganz sparsam und exquisit, und ich ganz heiter und gelassen mittendrin. Das Haus am Chester Square war ein viel besseres Gegengewicht zu Colonel Morris als meine kleine aufmunternde Ansprache von vorhin. Begehren und Mangel, sagte ich mir, und die Lücke, die dazwischen liegt, das war meine Verhandlungsbasis. Manchmal sah ich mein Leben als ein Netz von Hochseilen, über die ich balancieren musste, aufgespannt zwischen dem, was ich geben konnte – oder zu geben vortäuschte –, und dem, was ich besitzen wollte.

Ich schälte mich aus meinen Kleidern und schlüpfte in meine schwarzen Wildlederpumps von Yves Saint Laurent. Dann ging ich langsam durchs Zimmer, ließ die Finger über Lawrences wunderschöne, vernachlässigte Antiquitäten gleiten, berührte sie wie Talismane. Ja, dachte ich, du und du und *du*. Dann tänzelte ich die Treppe hinunter.

Als ich durch den schwarzen Vorhang aus Shantung-Seide trat, entdeckte ich ein blondes Mädchen, das ich von anderen Partys wiedererkannte. Sie verpasste einem Mittvierziger gerade einen Blowjob und strich sich dabei professionell das Haar aus dem Gesicht, sodass er ihren Mund gut sehen konnte. Sie nahm die ganze Länge mit einem einzigen geschmeidigen Schluck auf einmal in den Mund. Ich hatte sie schon öfter gesehen, sie war Russin, nannte sich aber Ashley – Lawrence lud zusätzlich zu seinen Gästen gerne ein paar Professionelle ein, um die Party in Schwung zu bringen. Ich ging an ihnen vorbei und holte mir einen Drink von Lawrences Barkeeper und Rausschmeißer, der mit formeller Miene vor einer der schwarz lackierten Wände stand und ein Tablett Champagner in Händen hielt. Er sah so unerschütterlich aus, als würde er Canapés auf der Cocktailparty eines Diplomaten servieren. Ich nahm einen Schluck, aber ich brauchte den Champagner nicht.

»Ist Helene hier?«, fragte ich. Auch sie war Stammgast bei Lawrence.

»Da drüben.« Er machte eine diskrete Kopfbewegung.

Helene lag auf einer schwarzen Samtchaiselongue, ihre Brüste quollen wie Zabaione aus dem bestickten Korsett.

»Hey, Judith, Schätzchen.«

Sie hob ihr Gesicht, und ich beugte mich hinunter, um sie zu küssen. Ich saugte ihre Zunge in den Mund, die vom Champagner leicht säuerlich schmeckte.

»Lawrence hat schon gesagt, dass du kommst. Wir haben auf dich gewartet, nicht wahr?«

Ein junger Kerl, der zwischen Helenes üppig gerundeten Schenkeln kniete, blickte auf. Ich hätte ihren Körper nicht haben wollen, aber ich hatte eine kleine Schwäche für ihren Bauch, der weich und blass war. Ich ließ meine Hand langsam über den vollen Hügel gleiten, erforschte seine Konsistenz und seinen Glanz.

»Das ist Stanley.«

»Hallo, Stanley.«

Er stand auf, um mich zu küssen, doch es ging zu schnell, als dass ich wirklich ein Gefühl für sein Gesicht bekommen hätte. Sein Mund war breit und nicht zu schlaff, und ich roch den Jungmänner-Duft von nassem Heu unter seinem Rasierwasser. Ich ließ meine Hände neugierig über seinen nackten Rücken gleiten, als er mich fester an sich zog, und ich fühlte die Muskeln unter seinen Schulterblättern. Schön.

Helene ließ ein Paar Handschellen aus glänzendem Stahl zwischen den Fingern baumeln, das Standardmodell der Polizei. »Ich hab zu Stanley gesagt, es würde dir gefallen, wenn er uns beide gleichzeitig fickt.«

»Natürlich, meine Liebe. Wo hättest du mich gern?«

»Unten. Wäre das nicht schön, Stanley?«

Er nickte. Es hatte nicht den Anschein, als wäre Sprechen eine seiner Stärken. Ich legte mich neben Helene auf die Chaiselongue, und wir begannen uns zu küssen. Ich streichelte die köstlichen Grübchen und Rundungen ihres Körpers, sie zog mir langsam den Slip aus und legte sanft einen Finger auf meine Schamlippen. Ich nahm eine Brustwarze in meinen Mund und saugte, wobei ich meine Zunge über den Hof kreisen ließ, bis Helene ein leises schnurrendes Geräusch von sich gab, und dann schob ich zwei Finger in sie. Immer diese köstliche Festigkeit, aber dabei so weich, so unglaublich weich. Jetzt konnte ich die wachsende Lust in mir spüren, also manövrierte ich mich in Bauchlage und schob mich unter sie, bis unsere Körper aufeinanderlagen. Mein Gesicht war im Samt vergraben, ihr üppiger Bauch legte sich in mein Kreuz. Ich hob den rechten Arm, sie tat es mir nach. Stanley fummelte eine Weile erfolglos herum, doch dann gelang es ihm, unsere Handgelenke aneinanderzufesseln.

»So«, murmelte Helene, »ist das nicht fein?« Er nahm sie

zuerst, drang von hinten in sie ein, sodass ich seine Eier und ihre Hitze und ihre Säfte an meinem Arsch spürte. Ich schob meine linke Hand unter meine Klit, die von dem Gewicht der beiden auf meine Finger gepresst wurde, und begann mich zu streicheln. Ich war jetzt selbst heiß, ich wollte seinen Schwanz in mir und hob meine Hüften gleichzeitig mit Helene, während sie ihn in sich aufnahm. Ich hörte sie nach Luft schnappen, als er seinen Schwanz herauszog, und dann war die Spitze, die sich im Kondom ganz seidig anfühlte, endlich an meinen eigenen Schamlippen, und er glitt widerstandslos in mich hinein, während seine Hände Helenes Hintern bearbeiteten. Er brachte mich bis kurz vor den Höhepunkt, wandte sich anschließend wieder Helene zu und fickte sie härter, bis sich ihr Körper auf mir anspannte und zuckte, dann drang er wieder in mich ein. Ich betete, dass er lang genug durchhielt, bis ich so weit war, und das tat er auch. Helene rollte sich von mir herunter, ihre Möse ruhte nass an meinem Oberschenkel, und dann blies sie Stanley, bis er kam. Ich lag schwer atmend daneben, eins meiner Beine rutschte auf den Boden, sodass ich komplett offen dalag. Mein Saft kühlte auf den noch immer pulsierenden Lippen meiner Möse ab. Das war der größte Kick für mich. Nicht nur die Reinheit unverfälschter fleischlicher Lust, sondern dieses Gefühl, das ich hatte, wenn ich von einem Fremden so geöffnet und gevögelt wurde – frei und unberührbar.

6. Kapitel

Wie sich herausstellte, war das die vorerst letzte Party, die ich in London besuchte. Nachdem ich jetzt im Gstaad Club arbeitete, musste ich auf mich achten, musste neben meinem eigentlichen Beruf auch genug Zeit für Schlaf und Joggingrunden aufbringen. Und ich sagte mir, dass ich den Vorfall mit Colonel Morris ad acta legen musste. Der alte Wichser war bei seinem jämmerlichen Versuch ja gescheitert, und für mich zählte nur das Endergebnis. Ich hatte die Begutachtung abgeschlossen, das war alles, was im Haus zählte. Ich musste straff und frisch bleiben, auch wenn das bedeutete, dass ich mir den Wecker auf fünf Uhr stellen musste, um meine Runden im Hyde Park runterzureißen, bevor ich ins Büro fuhr. Als James regelmäßig in den Club gewatschelt kam, um Fünfziger auf mich herabregnen zu lassen, begann ich, mir regelmäßige kosmetische Gesichtsbehandlungen und Maniküren zu gönnen, und leistete mir auch noch ein paar teure Pilatesstunden im Fitnessstudio. Dank meiner neuen Lektüre wusste ich, dass das keine Extravaganzen waren, sondern »Zeit für mich« und »Investitionen in mich«. James galt offiziell als mein Stammkunde, und an Donnerstagen und Freitagen sagte Olly, dass ich zu niemand anders an den Tisch zu gehen brauchte. Manchmal setzte ich mich allerdings schon zu einem anderen Mann, wenn er mich bat. Dann musste James alleine warten. Er beobachtete mich unverwandt, bis die obligatorische Flasche geleert war und ich mit einem freundlichen Lächeln auf dem Gesicht über die Tanzfläche zu ihm stolzierte.

Ich konnte nicht umhin, mir bisweilen auszumalen, wie es wäre, wenn ich das Interesse des guten alten James dauerhaft fesseln könnte. Mein Job bei British Pictures brachte mir nur ein minimales Gehalt ein. Obwohl meine Ausbildung an sich kostenlos gewesen war, hatte ich einen Studentenkredit über zehntausend Pfund aufgenommen, um Miete und Lebenshaltungskosten abdecken zu können. Demnächst musste ich mit der Rückzahlung beginnen. Ich hatte mir ausgerechnet, dass ich gut genug war, um eine etwas bessere Position zu erreichen, bevor die Rückzahlung anstand, das schien mir das Risiko wert zu sein. Doch ab diesem Herbst wurden die Raten fällig, und bevor ich im Club anfing, hatte ich von meinem Lohn gerade mal existieren können. Wenn ich allerdings jede Woche einen Tausender von James bekam, zuzüglich des Geldes, das ich nebenbei mit anderen Gästen verdiente, durfte ich hoffen, den Kredit zurückzahlen zu können und trotzdem noch ein bisschen Luft zu haben, vielleicht sogar eine Wohnung allein zu beziehen. Ich eröffnete ein Sparkonto und sah zu, wie der Kontostand immer höher kletterte.

Es war von Anfang an klar, was James wollte, aber seine Arroganz wurde von einer gewissen Zaghaftigkeit überlagert, als wüsste er nicht so richtig, wie er es anfangen sollte. Wie die meisten Männer war sein Lieblingsgesprächsthema er selbst, also war es sehr leicht, ihn auszukundschaften. Er hatte eine Frau namens Veronica und eine Tochter im Teenageralter, die in Kensington wohnten, in der Nähe von Holland Park. Er behauptete, in seiner Freizeit Philosophie zu studieren, obwohl seine Vorstellung von ernsthaftem Nachdenken eher in Richtung »CEO Jesus« als Kant'sche Ästhetik ging. Trotzdem konnten wir aus diesem Thema eine Menge herausschlagen. Ich bat ihn, mir ein paar Titel zu empfehlen, und googelte dann die

Rezensionen, sodass es den Anschein erweckte, als hätte ich die Bücher tatsächlich gelesen. Veronica managte sein Haus und saß im Vorstand diverser Wohltätigkeitsorganisationen. Ich dachte ein wenig über sie nach, ob sie wohl Bescheid wusste, wo ihr Mann seine Abende verbrachte, und ob es ihr etwas ausmachte. Ich bezweifelte es. Fickten die beiden wohl? Ich konnte mir nicht vorstellen, dass James dazu in der Lage war. Selbst wenn die Östrogene, die dieses ganze Fett produzierten, seinen Schwanz noch nicht aufgefressen haben sollten – er konnte ja kaum die Treppe zum Club hochgehen, ohne einen Herzinfarkt zu riskieren. Doch im Laufe der Abende, die wir miteinander verbrachten, war er ganz erpicht darauf, mir zu verstehen zu geben, dass er in seiner besten Zeit ein ganz schöner Filou gewesen war. O ja, er hatte weiß Gott lustige Zeiten gehabt, der gute alte James. Die ältere verheiratete Frau in St. Moritz, die Schwestern auf Cap Ferrat. Er war alt genug, um behaupten zu können, so manche Debütantin beglückt zu haben, und ich konnte mir reihenweise Anekdoten über »Mädels« anhören, die sich ihm in sportlichen Kombis und auf Londoner Plätzen, auf wilden House-Partys und in den Nachtclubs von Soho hingegeben hatten. Was in den Siebzigern noch von der Londoner Gesellschaft übrig geblieben war, war offensichtlich ein erotisches Paradies für krankhaft fettleibige Männer gewesen.

»Kleiner Keks gefällig, Judith?«, fragte Frankie, unsere Sekretärin, schob mir einen Teller mit schokoladenüberzogenem Gebäck über den Tisch und holte so meine Aufmerksamkeit zurück zum Meeting. Laura runzelte die Stirn. Wir saßen mit Rupert zusammen und hielten eine Beratung von höchster Dringlichkeit – ich, Frankie, Rupert, Laura und Oliver, der Porträtexperte, der etwas dünner und nicht ganz so granatapfelfarben war wie unser Chef.

»Nein, danke«, flüsterte ich zurück.

Laura bedachte uns mit einem Stirnrunzeln und zog ihren Paschminaschal noch höher über die Verwüstungen, die die ständige Barbados-Bräune auf ihrem Gesicht angerichtet hatte. Zumindest Frankie brachte mir eine sanfte weibliche Solidarität entgegen, im Gegensatz zu Laura, die mich meistens behandelte wie ein unfähiges Hausmädchen.

»Hier sind sie«, sagte eine Mädchenstimme. Eine große Blonde mit kunstvoll verstrubbelter Frisur legte atemlos einen Stapel neuer Kataloge auf den Tisch.

»Das ist Angelica«, erklärte Laura. »Angelica macht bei uns ein einmonatiges Praktikum. Sie hat gerade das Burghley in Florenz abgeschlossen.«

Wenn Dave da gewesen wäre, hätte ich die Augen verdreht. Das Burghley bot Kurse in Kunstgeschichte an, für reiche Dummköpfe, die zu faul waren, um auch nur auf eine Pseudouniversität zu gehen. Sie verbrachten ein Jahr im Renaissance-Disneyland und nahmen an, dass sie zwischen ihren Joints vielleicht per Osmose ein bisschen Kultur in sich aufnahmen, und am Ende kriegten sie ein nettes kleines Zertifikat.

»Willkommen bei uns, Angelica«, sagte Rupert freundlich.

»Es ist so nett von Ihnen, mich hier zu beschäftigen«, erwiderte sie.

»Angelica ist mein Patenkind«, fügte Laura hinzu und zwang ihr gebotoxtes Gesicht zu einem strahlenden Lächeln. Das war also die Erklärung. Ich straffte den Rücken.

»So«, sagte Rupert, »großes Ereignis heute, meine Lieben. Wir haben einen Stubbs reinbekommen.« Er ließ die Kataloge herumgehen. Sie sahen aus wie Programme für eine Oper aus dem achtzehnten Jahrhundert. George Stubbs, verkündete das Cover, *»Der Herzog und die Herzogin von Richmond auf der Rennbahn«*.

»Heyyy«, quietschte Frankie los, die niemals jemandem den Spaß verderben wollte, »ein Stubbs!«

Ich verstand schon, warum sie so begeistert war. George Stubbs war ein höchst lukrativer Maler, der dafür bekannt war, Preise jenseits der zwanzig Millionen zu erzielen. Ich hatte selbst ein gewisses Faible für ihn – er stammte aus Liverpool, wie ich, und obwohl er sich tatsächlich der Mühe unterzogen hatte, Anatomie zu studieren, sodass seine Pferdebilder zu den besten gehörten, die das achtzehnte Jahrhundert hervorgebracht hatte, wurde er von der Royal Academy damals als »Sportmaler« abgetan und nie als vollwertiges Mitglied aufgenommen. Ich war neugierig zu sehen, welches von seinen Werken wir da bekommen hatten.

»Ihr solltet das sehr gründlich durchlesen«, warf Oliver ein. »Ich hab eine ganze Weile daran gearbeitet.«

Ich blätterte den Katalog rasch durch, doch als ich zur wichtigsten Illustration kam, wurde mir auf einmal ganz kalt. Dieses Bild hatte ich schon einmal gesehen, und es gehörte mitnichten in einen Katalog.

»Entschuldige, Rupert«, sagte ich, »aber ich versteh das nicht. Dieses Bild hab ich im Januar gesehen, im Haus in der Nähe von Warminster.«

»Keine Sorge, dein Gutachten war absolut in Ordnung. Ich hab es mir aber selbst noch mal genauer angeguckt. Ich konnte ja kaum damit rechnen, dass meine Praktikantin einen Stubbs findet!«

Ich hatte ihn nicht gefunden, weil es kein Stubbs war. Und ich war auch keine Praktikantin mehr, wie Rupert sehr wohl wusste. Ich hatte hart gearbeitet, um diese Art von Expertengutachten machen zu können.

»Du hast aber gar nicht gesagt ...«, versuchte ich erneut.

Rupert unterbrach mich mit einem verlegenen Lachen.

»Ich wollte, dass es eine Überraschung ist. Also ...«

Ich fiel ihm ins Wort. »Aber ich war ganz sicher. Ich habe Fotos gemacht.«

»Das Bild wurde gereinigt, nachdem ich es hergebracht hatte, Judith. Die Details, die du korrekt identifiziert hast, waren spätere Übermalungen. Hast du irgendein Problem damit?«

Ich wusste, dass es nicht klug war, ihm nochmals zu widersprechen. »Nein, natürlich nicht.« Ich zwang mich, eine enthusiastische Miene aufzusetzen. »Das ist ja aufregend!«

Für September war eine zweiwöchige Schau angesetzt, direkt danach sollte der Verkauf stattfinden. Rupert fand das Bild wichtig genug, um ihm eine eigene Auktion zu widmen. Oliver war der Meinung, dass es in eine größere Auktion integriert werden sollte. Laura sprach davon, welche Sammler man benachrichtigen müsste. Frankie machte sich Notizen. Ich war zu schockiert, um mich über die Vorstellung zu amüsieren, was für Gedanken durch die weiten, leeren Ebenen in Angelicas Hirn kullern mochten. Ich brachte ein paar pflichtschuldige Fragen vor, zum Beispiel, was die Vorbereitungen für die Schau betraf, damit ich die Mädels von der Veranstaltungsabteilung entsprechend instruieren konnte, und dann warf ich beiläufig die Frage ein, ob heute Nachmittag Bergsteigen im Lager auf dem Plan stehe.

»Ich dachte mir, ich könnte Angelica mit runternehmen, damit sie sich das mal anschauen kann«, schlug ich freundlich vor.

Während wir durch das Labyrinth der staubigen Kellergänge gingen, erklärte ich Angelica, was es mit dem »Bergsteigen« auf sich hatte. So nannten wir im Jargon des Hauses die Anlieferung von Kunstwerken: Sie mussten auf einem Lattenrost »bergauf« ins Lager gerollt werden. Beim Auspacken konnten auch rangniedere Angestellte aus nächster Nähe einen Blick auf die Werke werfen, bevor die Experten dazukamen. Es sei wirklich bemerkenswert, erklärte ich, die Meisterwerke auf einer ganz alltäglichen Holzbank liegen zu sehen statt in der feierlichen Atmosphäre einer Galerie. Angelica war ganz vertieft in ihr Smartphone.

»Jaja«, brachte sie nebenbei hervor und fuhr sich mit der Hand durch die blonde Mähne. »Ich hab die Dinger massenweise in den Uffizien gesehen. Zum Beispiel … äh … Branzini?«

»Ich könnte mir vorstellen, dass du Bronzino meinst?«

»Ja, genau.«

Wie erhofft, trafen wir Dave an. Ein Kollege und er rollten gerade zehn Pompeo Batonis für die demnächst bevorstehende Grand-Tour-Auktion die Rampe hoch.

»Gut siehst du aus, Judith, gut siehst du aus heute. Hast du einen Neuen?«

»Du bist der Einzige für mich, Dave, das weißt du doch«, flirtete ich zurück. Ich hatte einen Haufen neuer True-Crime-Romane bei Amazon bestellt und den Bänden ein etwas gebrauchtes Aussehen verliehen. Nachdem ich Angelica vorgestellt hatte, gab ich ihm die ganze Tüte und behauptete, sie als Restposten im Oxfam-Laden in Marylebone gefunden zu haben.

»Was steht heute auf dem Programm?«, fragte ich. Alles, was Angelica an Konzentration aufbringen konnte, war immer noch bei ihrem Smartphone.

»Batoni in Rom.«

»Italien!«, kreischte ich. »Toll! Dann hilf ihnen doch beim Ausmessen, Angelica!« Ich gab Dave mit einer kurzen Geste zu verstehen, dass ich eine Rauchpause mit ihm machen wollte, und er humpelte mit mir in eine Kellerecke, die mit Zigarettenstummeln übersät war.

Ich informierte Dave schnell über meine Reise nach Warminster. Rupert hatte behauptet, ein Kumpel mit einem Antiquitätengeschäft in Salisbury habe ihn angerufen. Der Freund habe das Bild bei einer Dinnerparty gesehen und sich gedacht, es könnte ein ganz großes Ding sein. Man hatte mich nur deswegen zur Begutachtung hingeschickt, weil Rupert an diesem Wochenende auf der Jagd war. Der Besitzer des Hauses, ein Exgardist, der sich ohne jede Ironie als Tiger vorstellte, erklärte, dass seine Familie seit ungefähr hundert Jahren hier wohne. Er meinte, dass dieses Bild von seinem Urgroßvater gekauft worden sei. Ich stellte nicht allzu viele Fragen, weil Rupert mich strengstens angewiesen hatte, nicht einmal anzudeuten, dass wir der Meinung seien, das Bild könnte ein Original sein.

Ich hatte das Gemälde von der Esszimmerwand genommen und es ans Fenster gestellt, wo das Licht am besten war. Im ersten Moment konnte ich schon erkennen, warum Ruperts Freund so aus dem Häuschen geraten war. Die Komposition war sehr rhythmisch arrangiert, einige Damen, Herren und Stallknechte besetzten den linken Hintergrund und beobachteten drei Pferde, die über die Tiefebene auf den Zuschauer zugaloppierten. Die Pferde waren wunderbar dargestellt, zwei Füchse und ein Rappschimmel, ihre Beine griffen in rasender Symmetrie aus. Die Farben waren gedämpft, wie an einem nebligen Morgen, nur die roten Livreen der Reitknechte wetteiferten mit dem glänzenden Fell der Pferde darin, das Licht einzufangen. Doch als ich genauer hinsah, war ich schon wesentlich weniger beeindruckt von der Zuschauergruppe, die irgendwie leblos und betulich aussah, während sich rundherum die gesammelte Ausrüstung für ein Picknick des achtzehnten Jahrhunderts drängte und stapelte. Sie brachten die ganze Komposition aus dem Gleichgewicht, lenkten von dem anmutigen Rennen der Tiere ab, sodass die Menschen die Leinwand letztlich auf eine Art dominierten, wie sie mir für Stubbs ganz uncharakteristisch vorkam. Ich war unsicher, weil ich etwas gefunden hatte, was nach einer gar zu eindeutigen Signatur aussah, und ich drehte die Leinwand um, um die Rückseite zu betrachten. Am Rahmen klebte ein kleines Schildchen mit dem Namen Ursford & Sweet – eine Londoner Galerie, die es schon seit geraumer Zeit nicht mehr gab. Auf dem Aufkleber standen auch ein Titel – *Der Herzog und die Herzogin von Richmond beim Galopprennen* – und die Jahreszahl 1760. Hinter den Figuren auf dem Bild befand sich ein Hinweisschild mit der Aufschrift »Newmarket«. Stubbs war der beste Pferdemaler seiner Zeit, vielleicht sogar aller Zeiten, doch soviel ich wusste, hatte er nie an der Rennbahn in Newmarket gearbeitet. Ich hatte einen *catalogue raisonné* mitgebracht, das aktuellste Kompendium sämtlicher bekannter Stubbs-Werke, also blätterte ich die Bilder durch, bis ich eine andere Darstellung des Herzogs und der Herzogin fand, bei der sie das Training in Goodwood verfolgten, auch dieses Gemälde von 1760. Es bestand eine gewisse Ähnlichkeit zwischen den Gesichtern, obwohl sie eher epochen- als personenbedingt schien. Ich nahm an, das hatte Rupert überzeugt. Womöglich hatte Stubbs seine Gönner in Newmarket gemalt, obwohl der Katalog nichts dergleichen erwähnte, geschweige denn die Existenz des Bildes, das ich vor mir hatte. Ein neu entdeckter Stubbs wäre eine Sensation gewesen und hätte auch einen Riesenprofit versprochen, deswegen ließ ich das Bild mit Bedauern genau fotografieren und gab in meinen Notizen eine detaillierte Zusammenfassung meiner Beobachtungen. Ganz am Schluss legte ich meine eigene Meinung dar, dass es nämlich eine zeitgenössische Malübung war. Dann hatte ich noch eine Stunde, bis mein Zug kam, und Tiger bot mir an, mir die Ställe zu zeigen. Ich fand nicht, dass Dave von meinem kleinen Galopp im Paddock erfahren musste.

»Das ist total komisch, Dave. Ich habe es im Januar als ›Schule von‹ identifiziert, und jetzt im Sommer taucht es plötzlich als echter Stubbs wieder auf. Und der Hinweis auf Newmarket ist weg – Rupert behauptet, das sei eine Übermalung gewesen, die bei der Reinigung entfernt wurde –, und die Signatur befindet sich an einer anderen Stelle.«

»Was sagtest du, woher kommt das Bild?«

»Der Besitzer meinte, sein Urgroßvater habe es gekauft. Es

trug ein Schild von Ursford & Sweet in der Bond Street. Die gibt es schon seit dem Krieg nicht mehr.«

»Na ja, aber du hast gesagt, es stammt aus dem achtzehnten Jahrhundert, oder?«

»Ja.«

»Dann muss es Ursford ja auch irgendwo gekauft haben.«

»Wenn wir darüber etwas wüssten, hätte Rupert es im Katalog vermerkt.«

»Und das Andere Haus?«

In den beiden führenden Auktionshäusern in London war es tabu, den Namen des Konkurrenten im Munde zu führen – wie bei Oxford und Cambridge.

»Es könnte natürlich auch ein Privatverkauf gewesen sein, aber die Chance ist groß, dass es die Konkurrenz war. Allerdings würde es ja ewig dauern, bis wir die Genehmigung bekommen, ihre Archive durchzugehen.«

»Na ja, also, ich hab da einen Kumpel im Lager der Alten Meister. Der kann dich jederzeit ins Archiv lassen, das wäre gar kein Problem. Könntest du doch heute in deiner Mittagspause machen. Warum bist du eigentlich so hinter der Sache her?«

»Ich weiß nicht. Es würde mir einfach gegen den Strich gehen, wenn uns da ein Fehler unterläuft.«

Ich konnte Dave nicht sagen, dass ich mich plötzlich in Miss Marple verwandelt hatte, weil ich glaubte, endlich einen Weg gefunden zu haben, mir die verdiente Anerkennung zu verschaffen: indem ich meine Vorgesetzten davor bewahrte, durch einen sehr öffentlichen Irrtum ihr Gesicht zu verlieren. Ich war ganz aufgeregt und malte mir meine grandiose Enthüllung beim nächsten Meeting aus. Vielleicht würde es im Haus sogar ein Lunch zu meinen Ehren geben, eine echte Beförderung. Um zu zeigen, dass ich mehr war als irgendein Mädchen, das Colonel Morris und seinesgleichen ordentlich einheizen konnte. Es wäre *die* Chance, aus den richtigen Gründen Erfolg zu haben, nämlich aufgrund von Talent und Fleiß. Eine Chance zu beweisen, dass ich gute Arbeit leisten konnte.

Offiziell hatte ich nur eine Stunde Mittagspause, aber sie ließ sich leicht überziehen, weil die anderen Mitarbeiter von British Pictures es für ihr ererbtes Recht hielten, drei Stunden zu nehmen, und so machte ich mich auf den Weg zur New Bond Street.

»Sind Sie Mike? Daves Freund? Ich bin Judith Rashleigh. Vielen Dank, dass Sie mir das erlauben – es ist gerade ein bisschen stressig bei uns.«

Ich musste lächeln, als ich das Taschenbuch sah, das aus der Gesäßtasche von Mikes Jeans ragte: *Zerschmettert: Die wahre Geschichte einer liebenden Mutter. Ein untreuer Ehemann und ein kaltblütiger Mord in Texas*.

»Ich kann Sie reinlassen, aber dann muss ich Mittagspause machen. Es ist schön, dass Sie es eilig haben, aber wenn Sie irgendjemand fragen sollte, warum Sie keinen Genehmigungsschein von der Direktion vorweisen können, habe ich nichts damit zu tun, klar?«

»Natürlich. Wir sind Ihnen wirklich dankbar. Wie gesagt, wir sind im Moment ein bisschen hektisch unterwegs. Vielen Dank noch mal.«

Das Archiv unseres Rivalen war in einer wunderschön getäfelten Galerie untergebracht, mit Ausblick über die Savile Row. Sie hatten auch noch nichts digitalisiert, und als ich die langen Reihen schwerer Bücherregale anschaute, die bis ins frühe achtzehnte Jahrhundert zurückgingen, konnte man sich des Gedankens nicht erwehren, dass selbst das leistungsfähigste Computerhirn zu einer Pfütze zerschmelzen würde bei der Aussicht auf ein solches Chaos. Es arbeiteten noch ein paar andere Personen im Archiv, die meisten in meinem Alter, Praktikanten und Assistenten, die endlich in die Mittagspause gehen wollten und immer wieder SMS tippten. Keiner von ihnen nahm Notiz von mir.

Wenn die originale Datierung des Gemäldes von 1760 korrekt war, lagen etwa hundertfünfzig Jahre zwischen dem Zeitpunkt seines Entstehens und dem Schließen der Galerie Ursford im Jahre 1913. Ursford hatte ungefähr 1850 aufgemacht, es war also logisch, dort zu beginnen und sich voranzuarbeiten. Glücklicherweise benutzte man in diesem Haus dasselbe System wie bei uns, also begann ich mit den Indexkarten, die jeweils ein Gemälde enthielten, oft mit einem Foto, dazu Details zu Verkaufsdatum und Preis. Den Index auf den neuesten Stand zu bringen, gehörte zu den öden Jobs, die ich gewöhnt war. Ich fand viele Stubbs-Verkäufe, doch keine der Beschreibungen passte auf das Gemälde, das ich gesehen hatte. Es gab auch mehrere Klassifikationen als »Schule von Stubbs«, also Bilder aus derselben Epoche im Stil des genannten Malers, die aber nicht unbedingt von der Hand des Künstlers stammen mussten. Fünf davon waren auf die Zeit zwischen 1870 und 1910 datiert. Eines trug den ID-Code ICHP905/19, was bedeutete, dass es bei der Important-Country-House-Pictures-Auktion 1905 unter den Hammer gekommen war, bei der dieses Bild als neunzehnter Posten versteigert worden war. Ich ging zurück zu den Regalen, fasste mit beiden Händen die Griffe der mit »1905–1905« beschrifteten Reihe und schob sie zur Seite. Sie bewegten sich auf Rollen, und es kostete mich einige Kraft, sie so weit zu bewegen, dass ich zu der Stelle vordringen konnte, die ich brauchte. Ich schob mich zwischen die Regale und ging rasch die Reihe entlang, bis ich vor 1905 stand und »Important Country Houses Pictures« suchen konnte. Und da war es. *Eigentum eines Grafen: Der Herzog und die Herzogin von Richmond beim Galopprennen. Verkauft an W. E. Sweet, Esq., Zuschlag bei 1300 Guineen.* Der Graf von Halifax, schätzte ich, eine der umfangreichsten Stubbs-Sammlungen des Landes. Es war also echt. Ich konnte nicht anders, ich war auf perverse Art enttäuscht. Mein großartiger Plan, Rupert vor einer katastrophalen Fehlzuschreibung zu bewahren, war ein Rohrkrepierer. Ein früherer Experte hatte das Original auch schon einmal als »Schule von« eingestuft, aber das war's. Es war mein Fehler. Zumindest konnte ich noch ein paar nützliche Informationen über die Herkunft mitnehmen. Das würde Rupert sicher auch gefallen.

Auf dem Rückweg ging ich an der Burlington Arcade entlang, schaute in die Schaufenster der Kaschmirläden und das bezaubernde vergoldete Schmuckkästchen des Ladurée-Macaron-Ladens. Ich überlegte, ob ich mir mit ein wenig Club-Geld einen guten klassischen Pullover kaufen sollte. Aber irgendwie ließ mich die Geschichte nicht los. Dreizehnhundert Guineen waren eine ganz schöne Summe, doch in der Aufregung über den Stubbs hatte niemand die Höhe des Limits erwähnt. Ich musste an den Katalog denken, bei dem die Zahl diskret auf der Rückseite vermerkt war: 800 Tsd. Absurd wenig. Das war absoluter Unfug. Wenn das Bild ein Original war, und danach sah es jetzt ja aus, warum sollte Rupert dann bereit gewesen sein, einen so geringen Minimalpreis anzusetzen?

Als ich ins Büro zurückkam, war nur Frankie da, die einen riesigen Käsetoast von einem fettigen Laden in der Crown Passage kaute. Wie üblich war es draußen feucht, und ich merkte, dass die Jacke, die sie über den Stuhl geworfen hatte, stark nach Labrador roch. Dafür mochte ich sie nur noch mehr.

»Sag mal, Frankie, weißt du noch, wo du die Notizen hingetan hast, die ich vor ein paar Monaten aus Warminster mitgebracht hatte?«, fragte ich. »Die Recherchen zu dem Stubbs?«

»Die dürften beim Material zu den bevorstehenden Auktionen sein. Rupert ist so begeistert!«

»Ja, ja, natürlich. Ich wollte nur ganz kurz noch mal draufschauen.«

Sie griff hinter sich und nahm sich einen Ordner, den sie durchblätterte, doch sie schüttelte den Kopf. »Nein, die sind hier nicht drin. Nur Ruperts eigene Notizen und die Fotos nach der Reinigung. Soll ich noch mal schauen?«

»Nein, ist nicht weiter wichtig. Sorry, ich wollte dich nicht beim Mittagessen stören.«

Irgendetwas kratzte mich immer noch an dieser Geschichte. Ich schlug eine Nummer nach und ging in die schmuddelige Bürotoilette, um zu telefonieren. Mrs Tiger nahm ab. Ich hatte sie nicht kennengelernt, sie war bei meinem Besuch bei ihrer Schwester in Bath gewesen, was vielleicht gar nicht blöd war, wenn ich daran zurückdachte, was Tiger mit einer Reitgerte anzustellen wusste. Sie klang auf eine nette Art gesprächig.

»Hier ist Judith Rashleigh. Ich war vor ein paar Monaten bei Ihnen in Warminster. Ihr Mann war so nett, mir Ihr Pferdebild zu zeigen.«

»Ach, das Vergnügen war ganz auf unserer Seite. Was kann ich für Sie tun?«

»Sie sind bestimmt sehr glücklich über die Zuschreibung.«

»Nun ja, im Grunde haben wir immer schon gewusst, dass es kein echter Stubbs ist. Der Mann hat uns trotzdem einen ganz schön guten Preis gezahlt.«

»Der Käufer?«

»Der Mann, der zu uns gekommen ist.«

»Ach, natürlich«, sagte ich rasch. »Rupert.«

Mrs Tiger zögerte. »Nein, ich glaube, so hieß er nicht.«

»Oh.« Ich versuchte, ganz beiläufig zu klingen, um meine Verwirrung zu verbergen. »Sorry, da habe ich mich geirrt. Na ja, ich wollte nur sichergehen, dass Sie unsere Kontaktdaten haben, für den Fall, dass Sie noch andere Sachen haben, die wir für Sie prüfen sollen. Wir halten gerne den Kontakt.«

»Sie haben uns ja netterweise auch noch eine andere Galerie vorgeschlagen.«

»Das ist … ähm … gar nicht der Rede wert. Ich möchte Ihre Zeit nicht weiter in Anspruch nehmen, aber können Sie sich zufällig an den Namen des Mannes erinnern, der Sie besucht hat?«

Ihre Stimme bekam einen argwöhnischen Unterton. »Nein. Warum?«

Ich murmelte irgendetwas im unverständlichsten Fachjargon, bedankte mich und legte auf. Dann blieb ich auf der Toilette sitzen, um nachzudenken. Mrs Tiger hatte bedauernd zugegeben, dass ihr Bild kein echter Stubbs sei. Sie hatten es verkauft und waren zufrieden, einen anständigen Preis für ein Bild »aus der Schule von« bekommen zu haben. Trotzdem verkauften wir jetzt im Büro genau dieses Bild.

Ich warf noch einen Blick in den Katalog, den wir gerade vorbereiteten. Das Bild würde, den Gepflogenheiten entsprechend, als »Eigentum eines Gentleman« gelistet werden. Ich hatte natürlich angenommen, dass dieser »Gentleman« Mr Tiger sei, aber anscheinend ja doch nicht. Ruperts Geschichte stimmte mit meinen Recherchen im anderen Archiv überein: Das Bild war falsch zugeschrieben worden, also musste die Person, die seine Echtheit entdeckt hatte, der geheimnisvolle Mann sein, der es den Tigers abgekauft hatte und jetzt vorhatte, es über uns zu verkaufen. Pech für die Tigers, obwohl ich nicht so dumm sein würde, es ihnen zu erzählen. Wenn der Mann sie betrogen hatte, war das nicht unsere Sache – er war offenbar seiner Intuition gefolgt und hatte ein hübsches Sümmchen dafür hingelegt, und jetzt strich er seine Belohnung ein. Trotzdem kam mir immer noch irgendwas faul vor.

Ich war nervös, seltsam ängstlich, ein Gefühl, das mich nicht verließ, bis Rupert gegen drei ins Büro zurückkam. Er hatte offenbar mal wieder ein leckeres Mittagessen genossen und murmelte irgendetwas von einem Meeting bei Brooks. Tatsächlich stellen sie den Clubmitgliedern dort Kissen, damit sie am Nachmittag ein Nickerchen in der Bibliothek halten können.

»Dann bis heute Abend, Angelica«, sagte er auf dem Weg nach draußen.

Angelica schaute nicht mal von ihren dringenden SMS auf. »Ja, klar, Rupert.«

Ich fragte mich noch, was wohl »heute Abend« los war, als Rupert an meinem Schreibtisch stehen blieb und in seiner Aktentasche herumfummelte.

»Äh, Judith. Ich dachte, du würdest vielleicht auch gerne kommen«, sagte er und reichte mir einen dicken Umschlag. »Angelica kommt auch. Ein bisschen Socializing. Zieh dich schick an!«

»Ich werde mein Bestes tun, Rupert.«

»Davon bin ich überzeugt. Du siehst immer … äh … sehr hübsch aus. Bis später dann!«

Ich ließ den Umschlag noch eine Weile dort liegen, wo er ihn hatte hinfallen lassen, für den Fall, dass Angelica dachte, ich wüsste nicht, wohin ich eingeladen worden war. Doch als ich das Kuvert aufmachte, kostete es mich einige Mühe, nicht übers ganze Gesicht zu grinsen. Rupert hatte mir eine Einladung zur Tentis-Party in der Serpentine Gallery gegeben. Tentis & Tentis waren ein riesiges Architekturbüro, das gerade einen Umbau in der City abgeschlossen hatte, bei dem einige der teuersten Wohnungen von ganz London entstanden waren. Die Zeitschriften im Gstaad Club hatten seitenweise darüber berichtet. Rupert hatte es geschafft, ihnen einen ganzen Schwung Restposten von nicht abgeholten Auktionsüberbleibseln (manche davon stammten noch aus den Achtzigern) unterzujubeln, um damit die Wände der Milliardäre zu schmücken. Ich hatte eine Woche gebraucht, um die Herkunftsnachweise zusammenzuschustern. Die Party feierte die bevorstehende Zusammenarbeit mit der Frieze Masters Art Fair. Rupert hatte mich tatsächlich gebeten zu kommen. Selbstverständlich würden Fotografen vor Ort sein. Vielleicht würden die Mädels im Gstaad Club Fotos davon in den Hochglanzmagazinen sehen. Vielleicht würden es sogar die Schlampen sehen, mit denen ich zur Schule gegangen war.

Der Dresscode, der am unteren Rand der dicken, klassisch cremefarbenen Einladung angegeben war, lautete: *Black Tie*. Ich besaß kein langes Kleid, aber das war nicht der rechte Moment zum Sparen. Ich beobachtete die Uhr, bis der Sekundenzeiger auf fünf Uhr sprang, rannte zur Bank am Piccadilly Circus, dann hielt ich ein Taxi an. Gegen sechs Uhr war ich nach einem Abstecher zu Harvey Nicks wieder in meiner Wohnung, mit einer Baumwollhülle, in der eine schlichte schwarze Seidensäule von Ralph Lauren steckte, die an der einen Schulter mit einer fast unsichtbaren Kette geschlossen wurde. Das Ding war absurd teuer gewesen, doch ich wollte gar nicht darüber nachdenken. Das konnte ich im Club ja wieder reinholen. Ich interessierte mich nicht so sehr für Ruperts Meinung zu meinem Sinn für Mode, aber dies war die erste echte Gelegenheit, mit wirklich wichtigen Leuten Kontakte zu knüpfen. Ich wollte perfekt aussehen.

Beim Schmuck zauderte ich. Die matten kleinen Diamantstecker, die meine Mutter mir zum einundzwanzigsten Geburtstag geschenkt hatte, waren seit Jahren in Hatton Garden verpfändet, also stellte ich mich auf den Standpunkt, dass gar kein Schmuck immer noch stylisher wirkt als schlechter Schmuck, und ging ganz ohne. Das Kleid machte alles andere überflüssig. Dazu zog ich schlichte High Heels an und quatschte Pai ihre schwarze Gucci-Clutch ab, um das Outfit abzurunden. Kaum Make-up, nur Mascara und einen Klecks beerenfarbenen Lippenstift. Ich rief mir ein Taxi, um nicht zerzaust zu wirken, wenn ich ankam. Als ich einstieg, verriet mir der Gesichtsausdruck des Taxifahrers alles, was ich wissen musste.

Ein Trüppchen von Paparazzi wartete am Ende des roten Teppichs, der am Glaspavillon im Hyde Park begann, welcher in Rosa und Mauve glühte wie ein Retro-Raumschiff. Ein paar der Fotografen schossen pflichtschuldigst ein paar Bilder, ich nahm an, dass es reine Höflichkeit war, aber ich fühlte mich gut dabei. Das dumpfe Stimmengewirr der Party pulsierte mir entgegen, unisono und organisch, wie das Murmeln eines riesigen Tieres. Ich reichte einem Mann am Eingang meine Einladung, er winkte mich weiter, und ich schloss die Augen für eine köstliche Sekunde der Vorfreude. Ich war bereit, alles in mich aufzunehmen.

Wie hätte sich Aschenputtel wohlgefühlt, wenn sie es endlich zum Ball geschafft hatte, nur um festzustellen, dass sie mitten auf einer Büroparty von Immobilienmaklern gelandet war? Die riesigen Töpfe mit Jo-Malone-Kerzen konnten nicht über den Geruch eines massiven, säuerlichen Champagnerrülpsers hinwegtäuschen. Hunderte von teigigen Männern in schlechten Anzügen belagerten die Bar mit den Freigetränken, und sie entwickelten dabei den Eifer von Mormonen, die man in Atlantic City losgelassen hatte. Wo auch immer Tentis & Tentis ihre Partystatisten gemietet hatten, es war offenbar eine Moët-freie Zone gewesen. Ich erspähte den winzigen Kopf eines gealterten Supermodels, das aus der Menge herausragte wie ein verwirrter Stangensellerie. Doch abgesehen von ihr hätte das hier auch ein Freitagabend in der All Bar One in Hammersmith sein können. Mit einem Stich des Bedauerns dachte ich an den Harvey-Nicks-Kassenbon auf meiner Kommode. Der einzige andere Mensch, der sich an den Dresscode gehalten hatte, war Rupert, der seinen eigenen Mini-VIP-Bereich um sich herum geschaffen hatte. Er sprach mit jemandem, den ich vage kannte, einem Galeristen namens Cameron Fitzpatrick. Als Rupert mich erspähte, kam er auf mich zugelaufen. Es gibt nur wenige Männer, die durch Abendgarderobe nicht gewinnen, und

Rupert gehörte zu diesen wenigen, aber ausnahmsweise freute ich mich, ihn zu sehen. »Rupert«, rief ich leutselig und winkte mit meiner Clutch. »Hallo!«

Er wirkte fast ein wenig verdattert.

»Oh, äh, Judith. Genau. Also, ich wollte gerade gehen. Ich hab noch ein Dinner heute Abend.«

»Ich will dich nicht aufhalten. Aber ich hab noch ein paar Fleißaufgaben zur Herkunft von unserem Stubbs gemacht.«

»Was?«

»Du weißt schon, der Stubbs. Von unserem Meeting heute.«

»Judith, ich muss jetzt los, wir reden morgen drüber!«, rief er im Davonrennen noch über die Schulter.

Meine einzige andere Hoffnung auf eine Small-Talk-Anlaufstelle, Fitzpatrick, war inzwischen in der Menge verschwunden. Ich bahnte mir meinen Weg zur Bar, durch eine Gänseschar von knapp bekleideten Mädchen mit Schuhen, die Coleen Rooney wahrscheinlich gerne zurückgehabt hätte. Ich konnte nicht mal die Blicke genießen, mit denen sie mich musterten. Sie hatten anscheinend gehört, dass es Macht bedeutete, wenn man sich betont sexy gab, aber wahrscheinlich hatten sie kein Stück darüber hinaus gedacht. Seine innere Göttin abzubilden, indem man seinen Arsch in einen Rock zwängt, der herausposaunt, wann man zum letzten Mal im Waxingstudio war, ist vielleicht nicht der beste Weg zur weiblichen Emanzipation. Ich schätzte, dass ihr Abend um drei Uhr morgens mit einem halbherzigen Lapdance im Vingt Quatre für eine Menge aus mayonnaisebedeckten Vorstadtschnöseln enden würde. Im Gegensatz zu mir. Im Gegensatz zu Judith, der erfolgreichen Kunsthändlerin-Schrägstrich-Hostess. Ich wollte nicht unbedingt etwas trinken, aber ich holte mir trotzdem zwei Gläser, damit ich irgendetwas zu tun hatte. Dann durchquerte ich den Raum noch einmal langsam und tat so, als würde ich das zweite Glas jemandem mitbringen, aber ich war nicht wirklich bei der Sache.

Angelica hatte sich gar nicht die Mühe gemacht aufzutauchen. Schon möglich, dass sie nichts über Gemälde wusste, aber zu ihrer Ausbildung hatte definitiv ein Seminar zur Frage gehört, welche Partys man besser mied. Offenbar ein weiterer Geheimcode, den ich noch nicht geknackt hatte. Wie hatte ich nur so lächerlich nervös sein können? Was hatte ich eigentlich gedacht, was hier passieren würde? Anmutige Konversation mit einer glamourösen Menge? Einen Scherz mit Jay Jopling austauschen, bevor man kurzerhand zum Dinner an Lucien Freuds Tisch im Wolseley mitgenommen wird?

Das würde mir niemals passieren, denn ich war schließlich nur ein gemeiner Fußsoldat. Ein Emporkömmling. Ich fühlte mich gedemütigt. Sogar die Paparazzi draußen hatten sich anderen Dingen zugewandt. Das gealterte Supermodel war ebenfalls verschwunden. Wahrscheinlich schob sie sich gerade einen dicken Scheck für ihr Erscheinen unter die Hühnerfilets in ihrem BH und war längst unterwegs an einen Ort, wo sich die wirklich schicken Leute trafen. O Gott, war ich erbärmlich. Vielleicht hätte ich mich selbst bestrafen sollen, indem ich zu Fuß heimging, doch ich war zu deprimiert. Was waren jetzt schon weitere zwanzig Pfund für ein Taxi? Zumindest konnte ich Dave erzählen, dass ich auf einer schicken Party gewesen war, so was gefiel ihm. Aber war es immer so? War London eine Serie aus immer winzigeren Enklaven, wie bei den russischen Matrioschkapuppen? Jedes Mal, wenn man dachte, dass man es nach drinnen geschafft hatte, entdeckte man das nächste bemalte Kästchen, fest verschraubt, damit man ja nicht hineinkam. Ich riss mir das blöde Kleid bereits herunter, während ich den Fahrer bezahlte. Die zarte Kette riss, und ich war so wütend, dass ich den Schlitz griff und das verdammte Ding in der Mitte zerriss, sehr zur Überraschung eines älteren Ehepaars, das mit Programmheften von der Albert Hall an mir vorbeiging.

Die Wohnung wartete auf mich. Ich rauchte vor Wut. Nachdem ich mich durch den Haufen von Fahrrädern und Pumps und Helmen gewühlt hatte, die ständig unseren Flur blockierten, entdeckte ich auf dem Küchentisch eine Schachtel, auf die ein Zettel mit der Aufschrift »Judy« geklebt war. Die Schachtel enthielt einen riesigen rosa Keramikbecher mit Hasenohren. Auf dem Zettel stand: »Sorry, ich hab mir deine Tasse geliehen und sie aus Versehen zerbrochen. Ich hab dir diese als Ersatz gekauft!« Meine Mitbewohnerin hatte noch einen Smiley dazugemalt, diese blöde Fotze. Ich schaute in den Abfalleimer. Dort lagen die Scherben meiner Tasse und Untertasse, ein perfektes Villeroy&Boch-Stück in Absinthgrün, das ich zwei Wochen lang in einem Schaufenster in der Camden Passage angeschmachtet hatte. Sie hatte nur vierzig Pfund gekostet, aber darum ging es nicht. Darum ging es einfach nicht. Ich dachte, wir könnten vielleicht Sekundenkleber in der Schublade der grässlichen pseudoviktorianischen Küchenanrichte haben, aber der Griff klemmte, und ich trat so heftig gegen den Fuß dieses Scheißschranks, dass er einfach abbrach. Die Anrichte sackte zur Seite, wodurch das ganze billige Scheißporzellan in Stücke ging. Es folgten ein paar bedauerliche Minuten, und nachdem ich mich beruhigt hatte, dauerte es eine geraume Weile, den ganzen Müll wieder aufzuräumen.

7. Kapitel

Um fünf Uhr morgens wachte ich mit brummendem Schädel auf. Ich lag nackt auf dem Bett und starrte die hässliche alte Decke an. Ich hatte zugelassen, dass der Club mir den Verstand vernebelte. Die Freundschaft mit den anderen Mädchen und das leicht verdiente Geld hatten mich von meinem Plan abgebracht. Aber ich würde diese Sache bis zum Schluss verfolgen, ich würde aufklären, was hinter diesem Stubbs-Ankauf steckte. Eine schlechte Party fiel überhaupt nicht weiter ins Gewicht. Ich musste mich einfach nur konzentrieren.

Ich war früh im Büro und brannte darauf, Dave zu sprechen, doch Laura fing mich ab und gab mir eine Beschäftigung, an der ich den ganzen Morgen ungeduldig saß – ich musste die Minimalpreise für Stanley-Spencer-Gemälde durchschauen, um irgendeinem Hedgefondsmanager zu helfen, seine Kapitalertragssteuer zu manipulieren. Die Kapitalertragssteuer war so ziemlich der einzige Bereich, in dem das Büro entfernt nach geschäftlichen Gesichtspunkten agierte. In der Mittagspause ging ich ins Lager, doch Dave war nicht da. Ich versuchte es auf seinem Handy und lud ihn auf einen Drink nach der Arbeit ein. Dann ging ich zu N. Peal und kaufte mir einen schönen hellblauen Kaschmirpullover mit rundem Ausschnitt, der fast so viel kostete wie das Kleid von Harvey Nicks. Irgendwie half mir das Geldausgeben dabei, über das Tentis-Debakel hinwegzukommen. Um mehr Zeit für das Treffen mit Dave im Bunch of

Grapes in der Duke Street zu haben, wollte ich mich in der Damentoilette der London Library für den Club umziehen. Als er hereingehumpelt kam – er war zu stolz, um einen Gehstock zu benutzen –, bestellte ich ihm ein Glas London Pride und ein Tonic Water für mich.

»Danke für den Drink, Judith, aber meine Göttergattin wird sich wundern, wo ich bleibe.«

Ich erklärte ihm, dass meine Notizen zu dem Bild anscheinend verschwunden waren und dass der Stubbs dem Paar in Warminster nicht direkt abgekauft worden war, sondern über einen rätselhaften anderen Käufer. Es klang alles ein bisschen lahm, aber ich war mir so sicher, dass hier was im Busch war. Ich hätte es Dave nicht erklären können, doch nach meinem völligen Versagen am Abend zuvor kam es mir noch wichtiger vor zu beweisen, dass ich mich bei dem Stubbs nicht täuschte.

»Ich möchte es mir anschauen, Dave. Das Bild ist doch schon im Lager, oder? Du hast ein besseres Auge als ich. Ich glaube dieses Gerede von den Übermalungen einfach nicht.«

Dave senkte die Stimme. »Du glaubst doch nicht wirklich, dass Rupert eine Fälschung verhökern würde?«

»Natürlich glaube ich das nicht. Vielleicht hat er einen Fehler gemacht. Ich möchte einfach nicht, dass hier irgendjemand am Ende blöd dasteht, das ist alles. Wenn ich gut dabei dastehe, weil ich ihnen helfe, nicht schlecht dazustehen, dann passt mir das auch ganz gut in den Kram. Aber es wäre ja auch nicht das erste Mal, dass jemand sich bei einer Zuschreibung irrt, oder? Das weißt du doch. Bitte. Zehn Minuten, und dann kannst du mir meinetwegen sagen, dass ich ein Trottel bin, und ich werde die Sache nie wieder erwähnen.«

»Judith, für so was gibt es Experten. Ich brauche … ich weiß auch nicht, ich brauche Werkzeuge.«

»Dave. Dir ist doch auch an Echtheit gelegen, oder? Du findest doch auch, dass wir nur echte Stücke verkaufen sollten, oder? Die Ehre des Regiments und so weiter?«

»Wir sollten uns vorher wirklich eine Genehmigung einholen.«

»Ich arbeite dort, du arbeitest dort. Wir haben die Ausweise – ich könnte mir einfach nur ›die Werke‹ anschauen, wie die blöde Laura immer so schön sagt.«

»Zehn Minuten.«

»Maximal. Komm.« Ich ließ meine Stimme sanfter klingen. »Wir sind doch Kumpels, oder?«

»Na gut, dann schau es dir an.«

Die meisten Angestellten waren schon gegangen. Dave ließ uns mit seinem Code am Hintereingang ins Gebäude. Im Lager mussten wir Taschenlampen benutzen, weil hier zum Schutz der Bilder Dämmerlicht herrschte. Dave ging geradewegs zum richtigen Stapel und zog das Bild heraus. Ich deutete auf die Stelle, an der nach meiner Erinnerung das Newmarket-Schild gewesen war, und dorthin, wo ich eine veränderte Position der Signatur vermutete.

»Judith, ich kann es nicht sagen. Für meine Augen sieht das wirklich alles in Ordnung aus.«

»Aber hier war ein Zeichen, genau hier. Wie neu ist dieser Lack?«

Unsere Köpfe berührten sich fast, als wir auf die Leinwand starrten und die Fingerspitzen über den leeren Stellen schweben ließen.

»Wenn es gereinigt wurde«, sagte Dave, jetzt mit engagierterem Ton, »dann könnte es Spuren auf dem darunterliegenden Bild geben. Wir müssen es unter das richtige Licht legen.«

»Na ja, wir können es doch mitnehmen, oder?«

»Was hast du gesagt, wo war die Signatur?«

»Ja, wo war sie denn?« Rupert. Es heißt ja immer, dass fette Menschen sich oft erstaunlich lautlos bewegen können.

»Rupert. Hallo. Sorry, wir haben nur …«

»Bitte erklär mir, was du hier machst. Du bist keine leitende Angestellte, du hast überhaupt kein Recht, hier unten zu sein.« In Wirklichkeit war das gar keine so große Katastrophe. Ich war nach der regulären Arbeitszeit schon öfter hier unten gewesen. Normalerweise, weil Rupert es mir aufgetragen hatte. Er wandte sich an Dave, und seine Stimme wurde sanfter.

»Was treibt ihr beiden denn hier, hm? Wird es nicht Zeit zum Heimgehen, Dave?«

Dave wirkte beschämt und murmelte: »Guten Abend, Sir.« Ich fand es schrecklich, dass er Rupert mit »Sir« ansprach. Rupert blieb freundlich und höflich, bis Dave die Stufen hinaufgehinkt war, dann betrachtete er mich eine geraume Weile. Im bläulichen Licht sah er aus wie ein seltsam aufgedunsener El Greco. Ich wusste, dass er mir keine Szene machen würde. Macht ist viel effektiver, wenn sie leise ist.

»Judith, ich wollte schon länger mal mit dir sprechen. Ich glaube, du passt hier nicht wirklich rein. Ich wollte dir eine Chance geben, aber ich habe hier im Büro schon mehrfach Klagen über deine Einstellung gehört. Und deine Bemerkungen im Meeting, als wir über den Stubbs gesprochen haben, waren unangebracht und einfach nur impertinent.«

»Ich dachte nur … das heißt, ich wollte versuchen … ich war mir nicht sicher, ob …« Ich stotterte herum wie ein ertapptes Schulmädchen, was meine Wut auf mich selbst nur steigerte, ich konnte aber trotzdem nicht aufhören.

»Ich glaube, es wäre besser, wenn du deine Sachen holst und sofort gehst, meinst du nicht?«, fügte er ruhig hinzu.

»Du … feuerst mich?«

»Wenn du es so formulieren willst – ja, ich feuere dich.«

Ich war verblüfft. Statt zu protestieren, statt mich zu verteidigen, fing ich einfach an zu weinen. Absurd. Die ganzen frustrierten Tränen, die ich mir verbissen hatte, blubberten ausgerechnet in diesem Moment über wie ein Geysir und reduzierten mich auf die Rolle der bettelnden Frau. Obwohl ich die heißen, zornigen Tränen in meinen Augen spürte, wusste ich, dass Rupert etwas vor mir verbarg. Und auch, dass die blöde Partyeinladung eine Bestechung gewesen war, damit ich den Mund hielt. Aber so sollte es doch nicht laufen, oder? Ich versuchte, das Richtige zu tun, das Gute.

»Rupert, bitte, ich habe doch nichts Falsches getan. Wenn ich dir das erklären dürfte …?«

»Deine Erklärungen interessieren mich nicht.«

Er ignorierte mich, als wir zum Büro zurückgingen. Ich ging vor ihm her durch die schmalen Korridore und kam mir vor wie eine Gefangene. Er stand mit verschränkten Armen neben mir, während ich meinen Krimskrams aus dem Schreibtisch sammelte und in meine Tasche steckte. Mein Kleid und die Schuhe für die Party lagen zusammengestaucht ganz unten. Ich konnte ihren Anblick kaum ertragen.

»Bist du fertig?«

Ich nickte dumpf.

»Deinen Ausweis bräuchte ich bitte noch. Ich glaube, es ist nicht nötig, jemanden vom Sicherheitspersonal zu bitten, dich hinauszubegleiten.«

Stumm reichte ich ihm die Karte.

»Dann ab mit dir, Judy.«

Ich dachte an Colonel Morris. Ich dachte an die Laufburschendienste, die ich für Rupert erledigt hatte, indem ich seine Anzüge vom Schneider und seine gereinigten Hemden abgeholt hatte, ich dachte an die Anrufer, die ich vertröstet hatte, wenn er nicht in der Arbeit war, an die Überstunden, die ich im der Bibliothek und in den Archiven geleistet hatte – jedes Mal ein Versuch zu beweisen, dass ich besser war, dass ich klüger war, dass ich schneller rennen, mehr aushalten und besser arbeiten konnte. Ich war bescheiden und sorgfältig gewesen.

Ich hatte mir nie gestattet zu zeigen, dass ich mich geringschätzig behandelt und ausgeschlossen fühlte. Ich hatte weder Laura noch Oliver oder Rupert merken lassen, dass ich überhaupt die Unterschiede zwischen uns bemerkte. Mein Oxbridge-Abschluss war besser als alles, was sie vorzuweisen hatten. Ich hatte tatsächlich geglaubt, dass ich es mit Zeit und harter Arbeit schaffen konnte, zu ihnen aufzusteigen. Ich hatte mir nie vorgemacht, dass Rupert mich respektierte oder wertschätzte. Aber ich hatte geglaubt, dass ich nützlich sei, dass ich etwas wert sei. Erbärmlich.

»Ich schätze, du gibst Angelica meinen Job?« Es nervte mich selbst, wie larmoyant und bitter das klang.

»Das geht dich nichts an. Bitte geh jetzt.«

Ich schaute ihm ins Gesicht und wusste, dass meines tränenverschmiert war. Ich dachte daran, wie es sich anfühlen würde, aufzuwachen und nicht aufzustehen, um in die Prince Street zu marschieren. Die kühle Eingangshalle, das beruhigende Gefühl der Holzmaserung auf dem Geländer unter meiner Hand. Das war meine Chance gewesen. Schon möglich, dass ich es nicht mehr so viel weiter nach drinnen geschafft hatte, aber immerhin hatte ich das Tor passiert. Ich war Teil der Welt gewesen, zu der ich gehörte, und jeden Tag hatte ich das Gefühl gehabt, ein bisschen höher zu steigen. Ich dachte daran, wie ich meinen Lebenslauf im Laufe der Zeit an andere Arbeitgeber verschickt hätte und wohin mich das gebracht hätte. Und jetzt hatte ich es versaut. Ich hatte die Kontrolle verloren, ich hatte zugelassen, zu viel zu wollen, war übereifrig, gedankenlos, dumm, richtig *dumm* gewesen. Ich hatte aufgehört, wütend genug zu sein, war durch die Gegend getapert wie ein kleines naives Dummchen, das immer noch glaubt, dass der gute Wille am meisten zählt. Die Wut war immer mein Freund gewesen, und ich hatte sie in den Hintergrund treten lassen. Die Wut hatte mir den Rücken gestärkt, die Wut hatte dafür gesorgt, dass ich die Kämpfe und die Geringschätzung überlebte. Die Wut hatte mich von meinem nutzlosen Schulabschluss an die Universität befördert, sie war meine Stärke und mein Trost gewesen. Einen Moment spürte ich die Weißglut in meinem Innersten und sah ein Bild aufblitzen, wie Ruperts blutüberströmtes Gesicht auf seine Tastatur sank. Komm, winkte die Wut mir zu. Komm, nur das eine Mal. Meine schäbige Aktentasche hatte Messingscharniere an den Ecken, ich stellte mir vor, wie ich damit auf seine Schläfen eindrosch, aber ich würde sie gar nicht brauchen. Ich konnte den Schmerz in meinen Armsehnen spüren, in meinen Zähnen. Ich wollte ihm an die Kehle springen wie ein Hund. Er schaute mich an, und eine Sekunde lang sah ich einen Hauch von Angst in seinen Augen aufflackern. Mehr brauchte ich nicht.

»Weißt du, Rupert«, sagte ich beiläufig, »du bist ein Stück Scheiße. Ein fettärschiges, überprivilegiertes, unbegabtes, korruptes Stück Scheiße.«

»Raus.«

Ich wusste nicht, wen von uns beiden ich mehr verabscheute.

Um mich zu entschädigen, ging ich mit der Wut einen trinken. Die Wut ist ein guter Trinkkumpan, Glas um Glas hält sie wacker mit. Als James in den Club kam, hatte ich die zweite Flasche Bollinger schon zur Hälfte geleert, und heute schluckte ich wirklich alles runter. Ich machte mir nicht mal die Mühe, meinem ersten Gast Auf Wiedersehen zu sagen, ich ließ ihn einfach überrascht sitzen und plumpste neben James aufs Sofa, während Carlo den Cristal klarmachte.

»Ich hab mir gedacht, ich trink heute mal ein bisschen was davon, wenn es dir nichts ausmacht.«

»Harten Tag gehabt?«

Ich nickte. Dabei würde dieses Besäufnis mein Unglück nicht im Geringsten mildern. Ich fühlte mich kalt und grausam und skrupellos. Ich hob meine Schale zu einem kargen Toast. Natürlich fand ich ihn obszön, aber wir tranken ja auch im Last-Chance-Saloon, die Wut und ich.

»James, lass uns doch zum Thema kommen. Wie viel würdest du zahlen, um mich ficken zu dürfen?«

Er sah mich erst verdutzt an, dann angewidert. »Ich muss für Sex nicht zahlen.«

»Warum? Ist er dir weniger wichtig als Geld?«

»Lauren, was ist eigentlich los mit dir?«

Wäre das Ganze ein Film gewesen, hätte an dieser Stelle eine Montage folgen müssen, ein Wirbel von Erinnerungen: die tapfere kleine Judith, die ihren Abschluss macht, Judith, die spätabends von der Arbeit nach Hause kommt, die über ihren Katalogen brütet, eine anrührende Träne, die über Judiths Wange läuft, als Rupert sie feuert, ihre großen Augen, als sie erkennt, dass sie in diesem schmuddeligen Keller sitzt und diesen dreckigen alten Freier für ihre letzte Chance hält. *Diese* Judith wäre aufgestanden und höflich davongegangen, ihrer glorreichen Zukunft entgegen, denn sie hatte es nicht nötig, sich zu verkaufen. Tja. Ich hatte die Scheißneuanfänge gründlich satt. Ich hatte das Gefühl, als wäre das hier meine einzige Hoffnung. Wenn es das war, wozu ich geboren war, dann würde ich es auch richtig machen. Die Wut und ich, wir würden es noch bis ganz nach oben schaffen.

Ich ließ die Tränen, die ich seit Stunden unterdrückte, wirkungsvoll an die Ränder meiner Lider steigen, für den ganz speziellen Nasse-Hyazinthe-Effekt. Ich zitterte ein wenig und biss mir auf die Unterlippe, bevor ich den Blick zu ihm hob.

»Entschuldige, James. Das war vulgär von mir. Es ist nur einfach dieser Club – ich ertrage den Gedanken nicht, dass du glaubst, ich wäre – so. Ich wollte dich testen. Du bist so ein wunderbarer Mensch, und ich … ich …«

Selbst sein aufgeblähtes Ego würde über ein Wort wie

»Liebe« stolpern, also fügte ich an der entscheidenden Stelle einen kleinen Schluchzer ein. Und noch einen. Du lieber Gott. Er reichte mir sein Taschentuch, das groß und weiß war und nach Persil roch. Ich musste an meine Mutter denken, wie sie mich an einem ihrer guten Tage badete und mich dann in ein sauberes weißes Handtuch wickelte, das genauso roch, und ab da wurden meine Schluchzer ganz echt. Wir unterhielten uns also, und ich erzählte ihm, dass ich Angst hatte und dass ich meinen Job verloren hatte (Empfangsdame in einer Kunstgalerie). Als er mir vorschlug, vielleicht einfach mal übers Wochenende rauszukommen, tat ich so, als wäre ich noch nie in Südfrankreich gewesen und als würde ich seinen Vorschlag ganz wunderbar finden, aber wir sollten lieber noch eine Freundin von mir mitnehmen, damit klar wäre, dass ich nicht diese Art von Mädchen war. Oder zumindest nicht ganz. Ich flüsterte noch ein paar Worte, um zu suggerieren, wie er mich ansonsten noch überzeugen könnte. In Wirklichkeit wollte ich unbedingt noch eine weitere Person mitnehmen, weil ich dachte, dass ich sonst am Ende ein Bett mit ihm teilen müsste. Außerdem – wenn er einen Dreier wollte, war es besser, wenn ich gerüstet war. Es war nicht schwer, die Andeutung unterzubringen, dass seine Überzeugungsarbeit vielleicht noch, sagen wir, dreitausend Pfund brauchte, nur um mir über die Runden zu helfen, bis ich eine neue Stelle hatte.

Als er ging, lagen tausend auf dem Tisch, für zwei Tickets nach Nizza, und ich ging zu Mercedes, um ihr mitzuteilen, dass wir an die Riviera reisen würden.

»Du liebe Güte, Judy«, sagte sie bewundernd, »was hast du da eigentlich in deinem Oberstübchen?«

8. Kapitel

Ich hatte ein paar von James' Fünfzigern dazu benutzt, mich für die Reise auszustatten – mit einem braunen geflochtenen Lederweekender aus einem kleinen Laden in Marylebone und einer passenden Tasche, die beide ohne Weiteres als Bottega Veneta durchgegangen wären, mit einem schwarzen Bikini von Eres, der an der Seite gebunden wurde, einer Tom-Ford-Sonnenbrille und einem Vuitton-Schal im Stephen-Sprouse-Design in Türkis und Beige. Als wir am Flughafen von Nizza landeten, stellte ich erfreut fest, dass ich mit diesen Accessoires aussah wie viele andere Frauen, die übers Wochenende herkamen: äußerst gepflegt, aber ohne dass es irgendwie bemüht aussah. Mercedes (wir hatten vereinbart, unsere Clubnamen zu benutzen, damit wir uns nicht verplapperten) trat ganz untypisch zurückhaltend mit einer schlichten Jeans und einem weißen T-Shirt an. James erwartete uns im Café neben der Lounge im Terminal. Ich holte tief Luft, als ich sah, wie ungeniert er dort in seiner ganzen Massigkeit herumlümmelte, mit Schweißflecken auf seinem blassrosa Hemd. Gut, er war fett, aber musste er sich deswegen so gehen lassen? Es hatte etwas Selbstgefälliges, als würde ihm sein Geld erlauben, die Wirkung zu ignorieren, die er auf andere Menschen hatte – andererseits hatte er damit ja leider auch recht. Ich atmete noch einmal tief durch. Plötzlich sehnte ich mich bizarrerweise in meine schreckliche Wohnung zurück. So viele Stunden hatte ich dort geplant und geträumt und mir dabei ausgemalt, wie sich meine Erwartungen an die Zukunft erfüllen würden. Aber das hier war es. Das hier war die Zukunft. Zumindest für die nächsten paar Monate, bis ich einen besseren Plan hatte. Ich konnte das schaffen, redete ich mir ein. Mehr denn je *musste* ich es schaffen. Es ging bloß um Kontrolle.

Ein junger Mann mit marokkanischem Aussehen, der ein dunkles Jackett mit dem Schriftzug »Hôtel du Cap« auf der Brust trug, lud unsere Taschen in eine schwarze Limousine. James wuchtete sich auf den Beifahrersitz, und das Auto ging auf seiner Seite in die Knie wie ein altes Bett. Ich konnte Mercedes kaum in die Augen schauen.

»S'il vous plaît, mesdemoiselles.«

Ich glitt an der Tür vorbei, die er mir aufhielt, und setzte mich auf den elfenbeinfarbenen Ledersitz. Im Auto war es kühl, die Fenster waren getönt, der Motor schnurrte leise. So fühlte sich das also an. James fummelte an seinem Handy herum, ich musste also gar nicht versuchen, Konversation zu treiben. Als wir am Hotel waren, drückte Mercedes mir aufgeregt die Hand.

»Das ist ja großartig, James«, hauchte sie und stieß mich an.

»Wirklich wunderschön«, fügte ich enthusiastisch hinzu.

Wir warteten diskret im Eingangsbereich, der mit schwarzem Marmor gefliest war, während James den Check-in erledigte. Eine der Empfangsdamen fragte uns nach unseren Pässen, und ich erklärte ihr mit ruhigem Lächeln kurz auf Französisch, dass sie in unserem Gepäck seien und wir sie später herunterbringen würden. Ich wollte nicht, dass James unsere richtigen Namen sah, das würde nur die Stimmung verderben.

»Dein Französisch ist ja super!« Mercedes war überrascht.

Ich zuckte mit den Achseln. »Das sollten wir James vielleicht nicht unbedingt auf die Nase binden.«

Man brachte uns zu einer Suite im zweiten Stock. Zwei Schlafzimmer mündeten in einen riesigen Salon mit weißen Sofas und einem riesigen Calla-Strauß. Flügeltüren führten auf den Balkon mit Blick auf den Rasen, der zu dem berühmten Pool hin abfiel, den ich schon in so vielen Zeitschriften gesehen hatte. Dahinter, auf der rechten Seite, wenn man Richtung Cannes schaute, sah man riesige Yachten, die sich vor dem alten Hafen drängten. Hier schien überhaupt alles riesig zu sein.

Noch unter diesen Giga-Yachten stach eine ganz besonders heraus, die ihren riesigen Rumpf übers Wasser erhob wie ein Riesenkrake. Auch die hatte ich bereits auf Fotos gesehen. Michail Balensky, »The Man from the Stan«, wie ihn die englischen Zeitungen nannten, war ein usbekischer Großindustrieller, dessen Karriere sich selbst im nüchternsten Fall wie ein Comic las. Er hatte mit Erdölförderung begonnen, sein Geschäft dann auf Waffen erweitert, aber da er fand, dass es nicht genug Kriege gab, um ihm ausreichend Profit zu bescheren, hatte er beschlossen, selbst ein paar Kriege anzuzetteln. Er hatte ein paar unzufriedene Rebellen in einem kleinen Land gesponsert, von dem wir nichts wussten, hatte beide Seiten mit Waffen ausgerüstet und sich dann zurückgelehnt und zugeschaut, wie sie es unter sich ausmachten. Dann hatte er alles aufgekauft, was in den Händen der Regierung gelandet war, die zu errichten er geholfen hatte. Sehr effizient. Das lag mittlerweile zwei Jahrzehnte zurück – heute erschien Balensky auf Galas mit Staatsoberhäuptern, tauchte auf dem Met Ball oder der Serpentine Sommerparty auf oder wurde fotografiert, wie er ein paar Millionen für den letzten karitativen Schrei irgendeines blöden Philanthropen ausschüttete. Schon erstaunlich, was man alles lernen kann, wenn man regelmäßig die *Hello!* liest.

»Mademoiselle?«

Der Page holte mich diskret aus meiner Riviera-Träumerei. Ich hatte einen Zehn-Euro-Schein bereits gefaltet in der Hand und gab ihm nun sein Trinkgeld. Dann bat ich ihn, unsere Taschen ins linke Schlafzimmer zu bringen und die von Monsieur ins rechte. Was auch immer James sich so vorstellen mochte, ich hatte nicht vor, das Bett mit ihm zu teilen. Für den Fall, dass er irgendetwas zu sagen hatte, trat ich auf den Balkon, wandte ihm den Rücken zu und betrachtete eifrig die Aussicht. Ich spürte, wie er hinter mich trat und nach meiner Hand griff.

»Zufrieden, Schatz?«

Schatz. Du liebe Güte.

»Es ist wunderschön«, sagte ich zögernd.

»Ich hab dir das hier gekauft«, fügte er hinzu, reichte mir eine knittrige schwarze Plastiktüte und bedachte mich mit einem Grinsen, das er anscheinend für schelmisch hielt. »Da kannst du reinschlüpfen. Später.«

Ich überlegte, was für Abscheulichkeiten in dieser Tüte stecken mochten, aber es gelang mir, mich auf Zehenspitzen zu stellen und ihm ein kleines Küsschen auf die feuchtkalte Schwarte seiner Wange zu geben.

»Danke, Schatz. Das ist so aufmerksam von dir.«

»Ich dachte mir, wir essen am Pool unseren Lunch und gehen dann ein bisschen zum Shoppen nach Cannes. Das wird euch Mädels gefallen, habe ich mir überlegt.«

»Super. Ich zieh mich bloß schnell um.«

Mercedes wirbelte durchs Badezimmer und bewunderte die Bulgari-Pflegeprodukte.

»O Gott, dieses Badezimmer ist größer als meine ganze Wohnung!«

»Such lieber die Mini-Bar«, zischte ich ihr zu. »Ich brauch einen Drink.«

James erschien zum Lunch am Eden Roc, dem Hotelpool über den Klippen, mit einer riesigen knallbunten Vilebrequin-Badehose unter einem weißen Hotelbademantel, der eingeschüchtert rechts und links von seinem milchweißen Wanst herabhing. Durch meine Sonnenbrille sah ich zwei blonde Kinder im Wasser, die mit dem Finger auf uns zeigten und kicherten, bis ihr Kindermädchen sie zum Schweigen brachte. Wir bestellten uns Hummersalat und Perrier. James holte sich mit der Gabel ganze Butterbrocken von dem kleinen Eisbett, klatschte sie auf sein Brötchen und schob sich dann alles auf einmal in den Mund. Eine kleine Krümelparade wanderte die Falten seines Kinns entlang und blieb in der grauen Haarmatte auf seiner Brust hängen. Er erinnerte an einen animierten Lucian Freud, aber das machte den Anblick auch nicht erträglicher. Während Mercedes in ihrem Salat stocherte und mit ihrem Handy herumspielte (ich musste ihr noch sagen, dass man sein Messer nicht wie einen Stift hielt), bat ich James, mir noch einmal von seinen offensichtlich erfundenen Zeiten als Riviera-Playboy zu erzählen, und tat so, als wäre ich von seinen Geschichten fasziniert: wie er im Jimmy'z mit Elizabeth Taylor getanzt und mit Dionne Warwick am Golfe Juan gefeiert hatte. Mir wurde klar, dass er gar nicht versuchte, mich zu überzeugen, was für ein toller Hecht er war. Er glaubte allen Ernstes, dass er wirklich einer war.

Nach dem Essen wurden wir zur Croisette gefahren. Am Strand unterhalb des Carlton Hotels planschte eine Gruppe Frauen in Burkas kläglich im flachen Wasser. Der Himmel hatte sich zugezogen, die Luftfeuchtigkeit war unerträglich, und James war gereizt. Er teilte dem Fahrer unhöflich mit, dass er wisse, wo man am besten parken könne, beschimpfte ihn dann aber in seinem Pidgin-Französisch, als wir dreimal um den Block fahren mussten. Ich glaubte nicht, dass seine Geduld für ausgedehntes Shopping reichen würde, also schlug ich vor, einfach vor der Chanel-Boutique zu halten und das Auto warten zu lassen. Ich ging als Erste in den Laden und bat die Verkäuferin, ob sie einen Stuhl bringen könne, während Mercedes und ich uns die Taschen ansahen. Erst wirkte sie etwas pikiert über die Zumutung, solche Lakaiendienste zu verrichten. Doch dann sah sie James an der Tür stehen.

»*Tout de suite, madame.*«

Ich wusste, was ich wollte. Die klassische abgesteppte Schultertasche aus schwarzem Leder, mit dem Leder-Goldketten-Riemen. Mercedes war hin und her gerissen und schaute einen Ständer mit Tweedmänteln durch, die gar nicht zur Saison passten. Sie waren schön, und ich hätte zu gern einen anprobiert, um das Seidenfutter auf den nackten Armen zu spüren, die Bewegung der winzigen Goldkette, die in den Saum eingearbeitet war. Doch langsam hatte James seine Rolle als Sugardaddy anscheinend ein bisschen satt.

»Welche Tasche möchtest du, Mercedes?«

»Die große.«

Es schien Ewigkeiten zu dauern, bis die Verkäuferin die Taschen in Papier gewickelt und in schwarze Staubbeutel aus Baumwolle gepackt hatte, die mit den Chanel-Cs bedruckt waren, um sie zu guter Letzt in wunderbar edle Papiertragetaschen mit Kordel zu stecken. Mittlerweile war ich dahintergekommen, woher James' reizbares Temperament rührte: Er fühlte sich ständig erschöpft und bedrängt, weil er so wahnsinnig fett war, aber er konnte sich nicht eingestehen, dass er dafür nicht seine Umwelt verantwortlich machen konnte, sondern dass das seine eigene Schuld war. Trotzdem reichte er tapfer seine Amex über den Tresen, während Mercedes und ich so taten, als würden wir uns für die Schals interessieren, damit wir unsere Blicke diskret von der Kasse abwenden konnten. Ziel erreicht. Doch als James meinen zugegebenermaßen ziemlich grausamen Vorschlag ablehnte, wir könnten durch die steilen kopfsteingepflasterten Straßen in der Altstadt bummeln, statt zur Siesta ins Hotel zurückzufahren, wurde mir klar, dass ich mir das alles verdienen musste.

Als wir in die Suite zurückkamen, schob ich Mercedes in unser Zimmer.

»Warum nimmst du nicht eine schöne Dusche zum Entspannen, Schatz?«, flötete ich James über die Schulter zu. Zumindest blieb mir dann dieser ganze dreckige Schweiß erspart.

»Ich hasse dich«, sagte ich, als sie ihre Sachen zusammenpackte, um wieder an den Pool zu gehen.

»Keine Sorge, der will nur ein bisschen kuscheln. Egal, schau mal.«

Sie zeigte mir ein paar Pillendöschen in ihrer übervollen Kulturtasche.

»Was ist das?«

»Nichts Besonderes. Xanax. Ein paar Valium.«

»Dann gib her.«

»Nicht für dich – für ihn.«

»Versteh ich nicht.«

»Ach, komm schon, wir jubeln ihm einen Drink mit ein paar Pillen unter. Ich will doch nicht den ganzen Abend mit diesem fetten Wichser verbringen. Wir sind in Südfrankreich, Judy!«

»Lauren.«

»Ja, schon gut. Hör zu«, flüsterte sie, obwohl ich nebenan schon das Wasser laufen hörte. »Wir gehen zum Abendessen, ich zermahle ein paar von den Dingern hier, und du kannst sie ihm dann in seinen Drink kippen.«

»Er trinkt aber nicht.«

»Dann eben Mineralwasser mit Kohlensäure. Nach einer halben Stunde ist er ausgeschaltet. Wir können ausgehen, und er wird sich am Morgen wunderbar ausgeruht fühlen. Er wird es nie erfahren.«

»Er ist superfett, Mercedes. Ich bin mir nicht sicher, wie gut ein toter Freier kommt.«

»Stell dich nicht so an, die Dinger sind nicht stark. Ich nehm die ständig. Ich bereite in der Toilette am Pool alles vor. Oder hast du Lust, später noch eine Runde auf der Gummimatratze hinzulegen?«

»Sei nicht gemein. Du musst für diese Reise keinen Finger krumm machen.«

»Ich weiß. Ich sag ja nur, warum solltest du dich nicht auch ein bisschen amüsieren dabei? Wir gehen da runter, wo die ganzen großen Yachten liegen. Komm, das wird lustig.«

Vielleicht war es die sorglose Atmosphäre der Riviera, aber mir war schon viel vergnügter zumute. Scheiß drauf. Selbst wenn James uns auf die Schliche kam, er konnte auch bloß wütend werden und uns mit jeweils einer Handtasche für zweitausend Pfund nach Hause schicken, was kein schlechter Schnitt war für einen einzigen Tag. Es würde sich schon wieder etwas anderes finden.

»Okay, dann mach«, sagte ich. »Aber sei vorsichtig. Lies lieber noch mal den Beipackzettel.«

»Na, dann zieh doch schon mal deine Ausgehklamotten an. Los, Mädels, runter mit den Höschen!«

Während Mercedes davontänzelte, untersuchte ich den Inhalt von James' kleiner Tüte. Sie enthielt einen Slip ouvert aus PVC, ein Netzmieder, das wie ein Korsett geschnürt wurde und die Brustwarzen freiließ, und schwarze halterlose Strümpfe mit PVC-Bordüre. Schrottiges Zeug, die Art, wie sie in Sex-Shops in Soho verkauft wird. Ich zog die Sachen an, wusch mir die Möse, verrieb einen Tropfen Monoi-Öl auf meinem Schamhaarstreifen und zwischen meinen Hinterbacken. Nachdem ich schwarze Stiletto-Sandalen angezogen und mein Haar kunstvoll zerzaust hatte, warf ich einen Blick in den Spiegel mit dem opulenten Marmorbadezimmer hinter mir. Bitte sehr, wenn er eine Billignutte wollte … Es hätte auch viel schlimmer kommen können, dachte ich mir. Wenn ich die Augen zukniff, konnte ich mir fast einreden, dass es eher nach Cabaret als nach Straßenstrich aussah. »Mama glaubt, ich leb im Kloster, in einem abgeschied'nen Kloster, tief im Süden Frankreichs«, sang ich leise und versuchte ein langsames, unersättliches Lächeln. Gut. Sehr gut.

Ich stolzierte durch den Salon und klopfte an James' Schlafzimmertür.

»Ich bin bereit, Schatz«, schnurrte ich.

»Komm rein.«

Das Zimmer war leer. Aus dem Badezimmer hörte ich einen explosiven Schiss platschen, gefolgt von einem Sperrfeuer aus blubbernden Fürzen. Ich blieb auf der Schwelle stehen. O Gott. Wenig später wurde gespült, und James kam heraus, gefolgt von einem dampfigen Gestank und Penhaligons's Limettenextrakt.

»Hab ein bisschen die flotte Lotte«, sagte er in anklagendem Ton. Warum konnte er seine Fäule nicht für sich behalten? Er war jetzt nackt unter seinem offen stehenden Bademantel. Als er mich anschaute, breitete sich langsam ein anzügliches Grinsen auf seinem Gesicht aus. Doch er zögerte noch. In dem Moment wurde mir klar, dass er so was noch nie getan hatte. Ich fühlte mich gleich viel selbstbewusster und machte einen Schritt auf ihn zu. Ich schloss die Augen und ließ die Fingerspitzen über das gleiten, was bei anderen das Kinn gewesen wäre, und dann die Kehle hinunter und über die Hügel seiner Brust.

»Na«, hauchte ich, »was willst du jetzt mit mir machen, hm?«

Stille. Ich machte mich auf einen Kuss gefasst und warf unter halb geschlossenen Lidern einen kurzen Blick hervor.

»James ist ein böser Junge gewesen.« Ich schlug die Augen auf. Er zog einen Schmollmund, und mit seinem fetten Gesicht sah er auf einmal aus wie ein aufgeblasenes Kleinkind.

»James ist ein böser Junge gewesen und möchte von seiner Herrin bestraft werden.«

Ich hätte vor Vergnügen am liebsten laut aufgelacht.

»Dann leg dich aufs Bett, aber *sofort.*«

Ich hielt die Luft an und huschte ins Bad, um den Gürtel aus dem zweiten Bademantel zu nehmen. James hatte sich auf dem Bett ausgestreckt – was sogar diese Hightech-Matratze vor erhebliche Herausforderungen stellte. Als ich ihm die Arme über den Kopf zog und seine Handgelenke aneinanderfesselte, warf ich einen kurzen Blick über den riesigen gefleckten Bauch. Musste ich am Ende wirklich eine Fettschürze hochheben, um an seinen Schwanz zu kommen? O Gott. Ich hatte nicht viel, womit ich improvisieren konnte, also arbeitete ich mein Drehbuch aus, während ich den Gürtel aus seiner Hose zog, die er über einen Stuhl gehängt hatte. Ich hielt die Schnalle fest, wickelte mir das Leder dreimal um die Hand und schluckte, als ich ans Bett trat. Dreitausend Pfund. Die Gunst von ein paar Monaten. Zugegeben, ich hatte noch nie so etwas Ekliges wie das hier in meine Nähe gelassen, aber ich sagte mir einfach, dass nachts alle Katzen grau sind.

»Dreh dich um!«

Er rollte sich auf die Seite. Weiter ging es nicht, sonst hätte man ein Loch ins Bett schneiden müssen. Sein Arsch sah aus wie billige Hühner aus der Legebatterie. Ich musste mich konzentrieren, sonst würde ich entweder loslachen oder mich übergeben. Ich strich mit dem improvisierten Dreschflegel über eine runzlige Hinterbacke.

»James hat eine ordentliche Tracht Prügel verdient. Ich hab genau gesehen, wie er den Mädchen am Pool nachgeschaut hat. Ich war sehr eifersüchtig. Böser, böser Junge!« Bei jedem »böse« versetzte ich ihm einen Klaps, um herauszufinden, wie fest er geschlagen werden wollte.

»Ja, Herrin, ich war ein böser Junge.«

»Und du verdienst deine Strafe, nicht wahr?«

»Ja.«

Diesmal etwas fester.

»Ja *was*?«

»Ja, Herrin.«

Wieder fester, genug, um einen roten Striemen zu hinterlassen. Er seufzte. Ich auch.

Ich machte noch eine Weile so weiter, aber ich konnte beim besten Willen nicht einschätzen, ob er erregt war. Sein Gesicht war vom Mittagessen in der Sonne sowieso dunkelrot. Also rollte ich ihn wieder auf den Rücken, schnürte das Mieder auf, um ihm einen Blick auf meine Titten zu gewähren, und kroch um ihn herum, bis mein Gesicht direkt über seinem Schritt war. Dabei reckte ich den Hintern in die Höhe, sodass er meine Möse durch den Schlitz in meinem Slip sehen konnte. Sein Schwanz war winzig, ein Fünf-Zentimeter-Stummel, der keck aus einem Fleischkissen hochragte. Ich hatte mir ein Kondom in die Sohle meiner Sandalen gesteckt, aber ich konnte mir nicht vorstellen, wie ich ihm das Ding anlegen sollte, geschweige denn, wie ich ihn in mich hätte hineinpraktizieren können. Gott sei Dank, aber irgendwie musste ich ihn jetzt trotzdem kommen lassen.

»Hast du es verdient zu kommen, du böser Junge?«

»Ja, bitte, bitte.«

Klatsch.

»Bitte *was*?«

»Bitte, Herrin.«

»Und was willst du?«

Er verzog sein Gesicht wieder wie ein kleines Kind, und nun lispelte er auch noch dazu, was ich gleich noch viel ekliger fand.

»Jamesss will ssseinen Pudding.«

Sexuell hatte ich schon so einiges mitgemacht. Das meiste davon hatte mir gefallen, manches auch nicht, aber ich hatte mich trotzdem dazu gezwungen, teils aus Neugier, teils weil ich wissen wollte, was ich alles aushalten konnte. Mädchen und Jungen und Dreier und Gruppensex, manchmal hatte ich Angst gehabt, und manchmal hatte man mir wehgetan, aber es war die einzige wirkliche Macht, die ich jemals besessen hatte, und ich wollte alle Grenzen austesten. Jedes unangenehme Erlebnis war nur eine weitere Lackschicht auf der Emaille meiner Stärke geworden, und dies hier war eben die nächste. Völlig nichtig. Ich schob mein Haar aus dem Gesicht und nahm das Ding in den Mund, und er kam nach ungefähr zwanzig Sekunden, ein minimales schleimiges Getröpfel, das ich schnell schluckte wie Medizin. Klingeling, machte die Kasse.

In meinem Badezimmer riss ich mir die blöde Wäsche vom Leib und duschte kurz. Ich überlegte einen Augenblick, wie ich mich jetzt fühlen sollte. Ich fühlte überhaupt nichts, ich hatte bloß Lust, ein paar Bahnen zu schwimmen, also ging ich runter und tat es.

James bestand darauf, dass wir zum Abendessen alle in ein Lokal namens Tétou gingen. Er behauptete, das sei das einzige Restaurant in Südfrankreich, in dem man anständige Bouillabaisse essen konnte.

»Iih, Fischsuppe«, murmelte Mercedes. »Nimm bloß nichts von der Knoblauchpaste, sonst stinken wir.«

Während der Diener uns die Tür aufhielt, schlüpfte ich in das Restaurant, das im Grunde nur eine Strandhütte mit Glaswänden war, und warf einen raschen Blick auf die Stühle. Ich wollte James unbedingt die gute Laune bewahren, die er seit unserem kleinen Schäferstündchen genoss.

»Monsieur wird wohl einen anderen Stuhl brauchen«, flüsterte ich einem Kellner schnell auf Französisch zu. »Er ist sehr … robust.«

Der Kellner schaute mich befremdet an, doch bis James ins Lokal gewatschelt war, hatte man einen Stuhl ohne Lehne aufgetrieben. Mercedes war begeistert. Wir hatten beide viel Zeit darauf verwendet, unsere Outfits auszusuchen. Sie trug eines ihrer hautengen Outfits, die einfach nur nach fünftklassigem Léger aussahen, ich ein sehr schlichtes limettengrünes Seiden-Shiftkleid mit einem kindlichen weichen Tunikaschnitt, der nur wenige Zentimeter unter meinem Slip endete, und dazu Fünfzehn-Zentimeter-Plateaus von Zanotti aus Büffelwildleder. Ich bemerkte befriedigt, wie die Gäste rundherum kurz verstummten, als wir uns hinsetzten. Allerdings bezweifelte ich, dass irgendjemand annahm, James könnte hier seine Nichten ausführen, um ihren Abschluss am Institut für Höhere Töchter zu feiern. Mit schelmischem Grinsen schlug James Champagner vor, und es wurde eine Flasche Krug serviert.

»Na komm, James«, sagte Mercedes, »schlag mal so richtig über die Stränge und nimm einen Schluck!«

James' Hängebacken schienen selbsttätig zu glucksen, als er uns sein Glas hinhielt.

»Na, warum nicht? Nur dieses eine Mal.«

Die Bouillabaisse kam in zwei Schüsseln, einmal die intensive Schellfischbrühe mit Croutons und Rouille, dann eine weiße Terrine mit Fisch. Die Safransoße sah köstlich aus, aber Mercedes hatte natürlich recht mit dem Knoblauch.

Es war wirklich ein ziemlich vergnügtes Dinner. Ich hatte Mercedes gebeten, ihr verdammtes Handy wegzustecken, und sie hörte aufmerksam der dritten Runde von James' Anekdoten zu, lachte immer an den richtigen Stellen und sorgte mit ihrem Geschick unaufdringlich dafür, dass immer ein paar Fingerbreit Blubberwasser in seinem Glas waren. Als die Teller abgeräumt wurden und man uns die Dessertkarte reichte, entschuldigte sich James.

»Krieg grade wieder ein bisschen Durchfall«, gestand er.

Ich merkte, wie sich meine eigenen Eingeweide zusammenzogen. Was war eigentlich *los* mit dem Mann? Wir schauten beide zur Seite, als er zwischen den Tischen durchstampfte und sich lautstark nach *la toilette* erkundigte.

»Schnell«, sagte Mercedes. »Beweg deine Serviette, ich hab das Zeug hier.« Sie hatte ein kleines Briefchen in der Hand, das sie aus einem Briefpapierbogen des Hôtel du Cap gefaltet hatte. Sie kippte es in sein Glas wie ein jakobinischer Schurke, während ich *tarte tropézienne* für drei bestellte.

Wie ich vorhergesehen hatte, lehnte James mein Angebot ab, einen romantischen Strandspaziergang zu unternehmen, und der wartende Wagen brachte uns zurück ins Hotel. Wir könnten doch noch einen Drink auf der Terrasse nehmen, schlug ich vor, um die wunderbare Aussicht zu genießen. Es war nur eine kurze Fahrt, doch James' Kopf rollte schon nach fünf Minuten auf seine Schulter wie ein riesiger Kohlkopf. Dazu gab er lautes, schleimiges Schnarchen von sich. Ich erhaschte den Blick des Fahrers im Rückspiegel.

»Vielleicht könnten Sie warten, während wir Monsieur in sein Zimmer helfen? Er hat vielleicht ein bisschen zu viel Champagner erwischt …«

Das teure Geräusch der Autoreifen auf der Kiesauffahrt zum Hôtel du Cap weckte James auf. Natürlich tat er so, als hätte er gar nicht geschlafen, aber er fügte hinzu, dass er sich vielleicht doch lieber hinlegen wollte. Ich folgte ihm dienstbeflissen zur Suite und machte mich auf einen zärtlichen Gute-Nacht-Kuss gefasst, doch er schlurfte sofort zum Bett. Ich hörte ihn noch ein paar Minuten rumoren, dann verschwand der Lichtstreifen unter der Tür, und es herrschte Stille. Langsam zählte ich zweimal bis sechzig, dann setzte das Schnarchen wieder ein.

Mercedes wollte ins Jimmy'z gehen, den berühmten Nachtclub am Hafen von Cannes, aber es war noch zu früh, und außerdem hatte ich das Gefühl, dass es dort langweilig sein könnte. Ich bat den Fahrer, uns irgendwo hinzufahren, wo es *décontracté* zuging, und er lenkte das Auto Richtung Antibes, weg von der Küste und ungefähr eine Viertelstunde lang in die Hügel, bis zu einem niedrigen Steingebäude im Ibiza-Stil, ganz in Weiß und Silber, mit einer riesigen Terrasse und einer Handvoll Türstehern in schwarzen Anzügen. Vor dem Haus parkten zwei Ferraris, als wir vorfuhren.

»Sieht doch schon mal ganz gut aus, oder?«, meinte Mercedes, und auf einmal musste ich loskichern. Ich hatte noch nie jemand gehabt, mit dem ich so was zusammen machen konnte, und ich war aufgekratzt und fühlte richtige Zuneigung zu ihr. Ich sagte dem Fahrer, er könne losfahren, wir würden uns dann schon bei den Türstehern ein Taxi bestellen.

»Na los, Mädel«, sagte ich mit einer Stimme, die ich seit einem Jahrzehnt nicht mehr benutzt hatte. »Jetzt werden wir uns mal richtig amüsieren.«

Der Türsteher musterte uns kurz von oben bis unten und hakte dann die überflüssige Samtkordel auf.

»*Bonsoir, mesdames.*«

Wir nahmen einen Tisch auf der Terrasse und bestellten uns einen Kir Royal. Ein paar Gruppen mit älteren Euro-Neureichen, komplett aufgeknöpfte weiße Hemden und riesige Armbanduhren, eine Gruppe blasser russischer Nutten und mehrere junge Paare. Als ich überlegte, ob wohl Balensky höchstpersönlich hier auftauchen würde, wurden uns plötzlich zwei Schalen Champagner serviert.

»Mit den besten Grüßen von den beiden Gentlemen«, verkündete der Kellner feierlich.

Ich folgte seinem Blick und sah zwei junge Araber mit absurden Sonnenbrillen, die uns zunickten.

»Die lassen wir zurückgehen«, flüsterte ich Mercedes zu. »Wir sind schließlich keine Prostituierten.«

»Sprich bitte nur für dich, Schätzchen.«

»Blöde Zicke.«

Wir tranken drei Kir, während sich der Club langsam füllte, dann gingen wir hinein und auf die Tanzfläche. Ich beobachtete, wie die Männer uns beobachteten. Ich glaube, diesen Moment mag ich am liebsten, das Flirten, das Aussuchen. Soll ich dich nehmen oder dich oder dich? Wir wackelten eine Weile ziemlich halbherzig herum, während wir unsere Entscheidung trafen.

»Wie wär's mit denen?«

»Zu alt.«

»Und die da?«

»Zu fett. Die sind doch so was von fett.«

Wir brachen vor Lachen fast zusammen. Es kam mir vor, als hätte ich noch nie so etwas Lustiges gehört.

»Oder die da?«

»Vielversprechend.«

Mercedes klimperte wie wild mit ihren falschen Wimpern zum etwas erhöhten VIP-Bereich. Dort saßen zwei Männer vor einem eisgefüllten Eimer mit Wodka. Beide tippten auf ihren Handys herum, während ein Kellner eine Platte Sushi hinstellte. Sie waren jung und sahen ganz vorzeigbar aus, obwohl sie zu weit entfernt waren, als dass wir Armbanduhren und Schuhe hätten abchecken können.

»Na dann, mach doch.«

»Ich geh hin und sag Hallo.«

Ich hielt sie fest. »Das kannst du nicht machen! Ich schäme mich in Grund und Boden!« So sollte sich das anfühlen, wenn man ein Mädchen war, oder? »Wir setzen uns hin und warten, bis sie zu uns kommen.«

»Und wenn sie nicht kommen? Was, wenn jemand anders schneller ist?«

»Die werden schon kommen. Wart's ab.«

Eine Stunde später saßen wir dann irgendwie in einem Porsche Cabrio, das in wahnwitzigem Tempo zum alten Hafen von Antibes hinunterfuhr, während der Dom Pérignon auf meinem gelben Kleid trocknete und Mercedes wie wild mit einem der beiden Männer auf dem Rücksitz knutschte. Alle rauchten, und ein kleiner pummeliger Kerl, dessen Name niemand kannte, schniefte im Kofferraum Koks von einer Guerlain-Puderdose.

»Ich will nach Saint-Tropez«, schrie Mercedes, als sie einmal kurz den Kopf hob.

»Und ich will die Picassos sehen!«, schrie ich zurück. Der eine der beiden Typen hatte behauptet, er habe ein paar echte Picassos an Bord seiner Yacht.

Wir kurvten mit einem Affenzahn über das Kopfsteinpflaster in der Altstadt und hätten beinahe einen müden Paparazzo überfahren, der am Hafenbecken kniete. Der Pummelige machte sich aus dem Staub, und Mercedes wurde über eine Gangway auf eine Yacht getragen, während ihre Beine hin und her schwangen wie bei einem Käfer.

»Zieh die Schuhe aus!«, rief ich ihr nach.

»Verdammt, Lauren«, quietschte sie, »komm rein hier!«

Der Fahrer des Porsche und Besitzer der Yacht, die genauso hell und neu und glänzend war wie sein Geld, hieß Steve, und wäre ich eine russische Nutte gewesen, hätte er für mich nach dem ultimativen Weihnachtsbraten gerochen. Aber mir war aufgefallen, dass er weder den Wodka noch das Koks angerührt hatte, und während aus dem Off billige Pornogeräusche von Mercedes und seinem Freund kamen, machte er mir eine heiße Schokolade, und wir sahen uns seine drei Picassos an, die ziemlich gut waren. Dabei erzählte er mir von seiner Sammlung zeitgenössischer Kunst, denn er sammelte selbstverständlich zeitgenössische Kunst. Irgendwann tauchten Mercedes und der andere Typ wieder auf, und wir zogen uns alle aus und stiegen in Steves heißen Whirlpool auf dem Deck der riesigen Yacht. Wir tranken noch mehr Dom, und Steve versuchte sich den Anschein zu geben, als wäre es ein glücklicher Abend. Vielleicht war es einer. Vielleicht bedeutet Glücklichsein ja, ausnahmsweise mal nicht dem Geld hinterherzugeiern.

Gegen drei Uhr morgens torkelten wir ins Hôtel du Cap. Wir trugen unsere Schuhe in der Hand, während wir mit schmerzverzerrten Gesichtern über den Kiesweg liefen und vorbei am vollkommen ungerührten Nachtportier. Sobald wir vorsichtig die Tür unserer Suite geöffnet hatten, bildeten wir uns ein, wir müssten in unser Schlafzimmer robben, aber Mercedes stieß mit der Schulter den Tisch um, als sie einen ungeschickten Purzelbaum machte, und riss dabei die Barockvase mit den Lilien herunter, mit einem Heidenkrach, den man garantiert bis Saint-Tropez hören konnte. Wir erstarrten, aber außer unserem schweren Atmen war nichts zu hören. Ein paar Sekunden hatte ich das Gefühl, ich hätte einen Ballon geschluckt, doch James rührte sich gar nicht hinter seiner Tür. Man hörte ihn nicht mal schnarchen. Sodass wir nur noch hilflos gackern konnten, als wir endlich sicher in unserem Bett lagen. Ich kann mich nicht entsinnen, jemals zuvor kichernd eingeschlafen zu sein.

Gegen neun Uhr weckte mich ein blendend weißer Sonnenstrahl, der durch einen Spalt zwischen den schweren Vorhängen fiel. Ich schlüpfte unter meiner Bettdecke hervor und warf einen Blick ins Wohnzimmer. Die Lilien waren wie von Zauberhand ausgetauscht worden, und die *Times* lag auf dem Tisch, aber ansonsten gab es kein Anzeichen von Leben. James musste immer noch schlafen. Ich tastete in meiner Tasche nach ein paar Ibuprofen und schleppte mich unter die Dusche, wo ich das Wasser über das Make-up von gestern Abend laufen ließ. Jetzt galt es nur noch, den heutigen Tag zu überstehen – vielleicht konnte ich James ja zu einem Besuch des Picasso-Museums in Antibes überreden? Er würde es genießen, sich kultiviert vorzukommen. Nach gestern Nacht tat er mir fast ein bisschen leid. Ich wickelte mich in ein riesiges Handtuch und weckte Mercedes.

»Komm, er ist noch nicht wach. Wir legen ihm einen Zettel hin und besorgen uns unten ein kleines Frühstück.«

Wir warfen die Bademäntel über unsere Bikinis, und mit Sonnenbrillen und Kristallgläsern voll von süßem, frisch gepresstem Orangensaft fühlte sich alles gleich wieder großartig an. Ich fand, dass es rücksichtsvoller aussah, wenn ich Frühstück für drei bestellte, aber obwohl wir uns mit unseren köstlichen warmen Croissants und den winzigen Einmachgläsern mit Quittengelee und Feigenmarmelade alle Zeit der Welt ließen, tauchte James nicht auf. Während ich zusah, wie die anderen Gäste frühstückten und die Hotelgärtner in ihren roten Jacken die Kieswege harkten und das Gras quasi polierten, hätte ich ihn beinahe vergessen, als wären wir ganz alleine hier. Und das war auch großartig. Mercedes nahm ihre Sonnenbrille halb ab und duckte sich etwas vor der starken Sonne.

»Glaubst du, es geht ihm gut?«

»Bestimmt. Vielleicht hat er sich sein Frühstück aufs Zimmer bringen lassen.« Obwohl wir ihm einen Zettel hingelegt hatten und er schon der Typ zu sein schien, der zumindest meine Gesellschaft ganz ausschöpfen wollte.

»Ich lauf mal kurz hoch und schau nach«, bot Mercedes an.

Als sie zurückkam, hatte sie zwei von den hoteleigenen monogrammbestickten Handtüchern unterm Arm.

»Ich hab geklopft, aber er hat nicht geantwortet. Komm, wir gehen schwimmen!«

9. Kapitel

Als James nicht zum Mittagessen erschien, wusste ich, dass irgendwas nicht stimmte. Nachdem Mercedes ihr Bikinitop hinten aufgemacht hatte, war sie sofort wieder in der Sonne eingeschlafen. Ich hatte mir die Zeit mit der Lektüre einer Chagall-Biografie vertrieben, die ich mitgebracht hatte für den Fall, dass wir Gelegenheit hatten, nach Saint-Paul de Vence hochzufahren.

Um halb eins begann ich mir Sorgen zu machen, und obwohl ich versuchte, mich noch ein paar Minuten auf mein Buch zu konzentrieren, wusste ich, dass etwas faul war. Wenn er nun krank war? Er hatte sich ja die ganze Zeit über seine grässliche Diarrhö ausgelassen. Vielleicht benötigte er einen Arzt? Ärger war das Letzte, was wir gebrauchen konnten. Ich band mir den Bademantel zu und ging über den Rasen nach drinnen, und dort war ich zu ungeduldig, um auf den Lift zu warten. Im zweiten Stock lief ich den Korridor entlang, murmelte »*Désolée*«, als ich an einem Zimmermädchen vorbeikam, das sich über seinen Staubsauger beugte. Ich ging direkt in James' Zimmer, und sobald ich ihn sah, wusste ich Bescheid.

Ich hatte noch nie zuvor eine Leiche gesehen. Aber diese leere Unbeweglichkeit des Fleisches, die seltsame Hohlheit der Gesichtszüge signalisierte auf den ersten Blick, dass in diesem Körper kein Leben mehr war. James sah nicht aus, als würde er schlafen. Er sah einfach nur tot aus. Sein riesiger Körper auf dem weißen Bettzeug war mit einem Baumwollnachthemd bedeckt. Mit seinen schwartigen Füßen mit den dicken Zehennägeln ähnelte er einem grotesken gealterten *putto*. Ich wusste Bescheid, aber ich machte trotzdem noch ein paar Dinge, die ich aus Filmen gelernt hatte – ich holte ein Kompaktrouge aus meinem Schminktäschchen und hielt den aufgeklappten Spiegel vorsichtig über sein Gesicht. Nichts. Ich brachte es nicht über mich zu versuchen, ihm die Augen zu öffnen, aber ich hob zum Schluss noch einmal vorsichtig seinen schinkenartigen Arm an und versuchte, einen Puls zu ertasten.

»James?«, zischte ich ihm eindringlich zu und versuchte den Schrei zu unterdrücken, der in mir aufsteigen wollte. »James!« Nichts.

Ich ging um das Bett herum, um nach dem Telefon zu greifen und die Rezeption anzurufen, doch dann riss ich mich zusammen. Mir war schwindlig, und ich war nahe daran, mich zu übergeben, aber ich konnte es mir jetzt nicht leisten, die Kontrolle zu verlieren. Er hatte getrunken – normalerweise trank er nie, vielleicht vertrug er es ja wirklich nicht. Ich atmete tief und zitternd ein. Ich sah alles schon vor mir: das flinke, diskrete Personal, den Notarzt, das Polizeirevier. Wenn sie eine Autopsie vornahmen, würden sie den blöden Tranquilizer-Cocktail feststellen, den Mercedes ihm verabreicht hatte, und schon war es Totschlag. Ich sah die Zeitungen vor mir, unsere Namen, das Gesicht meiner Mutter. Die unvorstellbare Möglichkeit einer Gefängnisstrafe. Plötzlich hörte ich das Staubsaugergeräusch näher kommen. Das Zimmermädchen war unterwegs, um auch dieses Zimmer sauber zu machen. Ich lief zur Tür der Suite, fummelte mit den Schildern für die Türklinke herum, ließ sie alle fallen und tastete nach dem »Bitte nicht stören«-Schild. In einem Hotel wie diesem würde uns das einen Aufschub von einigen Stunden geben. Ich ließ mich auf eins der weißen Sofas sinken. Atmen, Judith. Nachdenken.

Ich hatte unsere Pässe nie an die Rezeption geschickt, ich hatte es einfach vergessen. Auf die Frühstücksrechnung hatte ich ein LJ gekritzelt, irgendwelche fiktiven Initialen. Wir hatten einander bei unseren Clubnamen gerufen und die meiste Zeit Sonnenbrillen aufgehabt. Das Personal hatte uns zwar kommen und gehen sehen, aber wir waren hier in Südfrankreich – sie würden einfach davon ausgehen, dass wir Prostituierte waren, die sich jemand ein Wochenende lang für einen Dreier gebucht hatte. Wenn wir es hier rausschafften, würde es höchstens zu einer Personenbeschreibung reichen, und es handelte sich auch noch um ein großes Hotel, in dem das Personal vermutlich angehalten war, nicht so genau hinzuschauen. Fingerabdrücke? Ich hatte wirklich keine Vorstellung davon, wie das funktionierte, aber ich hatte keine Vorstrafen und Leanne auch nicht, soviel ich wusste. Gab es da nicht irgendein Büro, in dem das alles gespeichert war, eine internationale Hightech-Datenbank?

Ich hatte öfter in den medizinischen Lehrbüchern meiner Mitbewohnerinnen geblättert, aber ich war nicht sicher, ob es irgendwelche sichtbaren Anzeichen für plötzlichen Herztod gab. Er war übergewichtig, es war heiß, und wir hatten Sex gehabt – lag die Schlussfolgerung da nicht nahe? Ich dankte Gott dafür, dass nette Mädchen immer schlucken – von mir würden sich nicht allzu viele Spuren auf der Bettwäsche finden lassen. Bis jemand auf den Gedanken verfiel, dass hinter diesem Tod mehr stecken könnte, wären wir schon längst wieder in unser altes Leben zurückgekehrt. Und wenn jemand kam, um genauer hinzusehen …

Der Nachtportier hatte uns letzte Nacht heimkommen sehen. Wir konnten behaupten, dass wir uns mit unserem Freier einen Spaß erlaubt hätten, das Ding aber am Ende doch nicht ganz hätten durchziehen können. Zwei alberne Mädchen, die einen Ausflug mit einem alten Mann machten. Wir konnten sagen, dass James sauer gewesen sei, als wir ihm den versprochenen Sex nicht gewährten, er habe uns gesagt, wir könnten gleich heute wieder heimfahren, und deshalb seien wir ohne ihn zum Feiern in die Stadt gegangen. Und wir hätten uns nicht verabschiedet, weil wir gedacht hätten, dass er wütend sei. Und schlafe. Das klang doch plausibel.

Ich holte mein Handy aus der Bademanteltasche und simste Leanne, dass sie sofort hochkommen solle. Mein Daumen glitt fettig über das Display. Er hatte eine Frau – Veronica. Sie würden sie mithilfe seines Passes auftreiben. Vielleicht wollte sie die Sache ja ganz diskret abhandeln, um einen Skandal zu vermeiden. Bestimmt hatte sie sowieso erwartet, dass er in nicht allzu ferner Zukunft einen Herzinfarkt erleiden würde.

Mein Telefon summte. Leanne war an der Tür. Ich öffnete und zog sie in die Suite.

»Setz dich hin. Sag kein Wort und schrei um Gottes willen nicht. Er ist tot. Kein Witz, kein Irrtum. Was auch immer du ihm da gegeben hast – es war zu viel. Er ist da drin.«

Ich hatte vorher noch nie gesehen, wie jemand kreidebleich wird – ein Teil von mir beobachtete interessiert, wie das Blut aus ihrem Gesicht wich, sodass sie unter ihrer Sonnenbräune ganz grünlich wurde. Ich ging ins Bad, holte eins von den feinen Leinenhandtüchern, die neben dem Bidet hingen, wickelte es um meine Hand und holte ihr eines von den Kognakfläschchen aus der Minibar. Ohne Glas.

»Trink das.«

Gehorsam trank sie den Inhalt in einem Zug aus, dann begann sie zu schluchzen und vergrub das Gesicht in den Ärmeln ihres Bademantels. Ich nahm ihr die Flasche aus der Hand und tappte zu James' Schlafzimmer hinüber. Das Ding auf dem Bett schaute ich gar nicht an, ich stellte nur das leere Fläschchen auf den Nachttisch. Konnte nicht schaden, nachdem er ja sowieso Alkohol im Blut hatte.

Ich versuchte, meine Stimme so sanft wie möglich klingen zu lassen.

»Leanne, das ist übel. Richtig übel. Wir können das niemandem erzählen, verstehst du? Wenn wir das tun, ist es ein Verbrechen, obwohl wir nichts Böses vorhatten. Wir würden ins Gefängnis kommen. Bitte sag, dass du mich verstanden hast.«

Sie nickte. Sie sah so unglaublich jung aus.

»Ich krieg das gemanagt. Bist du damit einverstanden, dass ich das hier manage?«

Wieder nickte sie, verzweifelt und dankbar. Ich konnte es selbst kaum glauben, aber jetzt konnten wir uns nur noch auf meinen Instinkt verlassen. Ich musste einfach so schnell handeln, wie ich dachte. Leanne begann nach Luft zu schnappen, der Schluckauf in ihrer Kehle bewegte sich auf einen hysterischen Anfall zu. Ich packte sie fest bei den Armen.

»Schau mich an. Leanne, schau mich an! Hör auf damit. Atme tief durch. Komm, hol einfach tief Luft. Und noch mal. Genau so, komm schon. Besser?«

Sie nickte wieder.

»Gut. Jetzt tust du einfach nur das, was ich dir sage. Sie wissen nicht, wer wir sind – das wird alles gut gehen. Hör zu! Es wird alles gut gehen. Zieh dich an, irgendwas Anständiges und Schickes. Pack deine Tasche. Räum das Badezimmer ganz leer, kein Make-up, keine Fläschchen, nichts darf hierbleiben.« Ich glaubte zwar nicht, dass das wichtig war, aber sie würde ruhiger bleiben, wenn sie etwas hatte, worauf sie sich konzentrieren konnte. Sie schlurfte in unser Schlafzimmer wie ein Krankenhauspatient.

Ich ging zurück zu James. Solange ich den Blick abgewandt hielt, war alles gut, trotzdem befiel mich eine mulmige Angst, dass eine von diesen fetten toten Händen auf einmal nach mir greifen würde. Als ich mich im Zimmer umsah, sah ich sein marineblaues Jackett auf dem Stuhl hängen. Ich wickelte meine Hand wieder in das Handtuch, griff in seine Taschen und holte sein Handy heraus, das allerdings abgeschaltet war. Umso besser. Außerdem fand ich eine Brieftasche mit Kreditkarten, Führerschein und ein paar Fünfzig-Euro-Scheinen und außerdem einen silbernen Geldclip von Tiffany. Wahrscheinlich ein Geschenk von Veronica. Ich nahm das Bargeld heraus. Das meiste waren rosa Fünfhundert-Euro-Scheine, dazwischen ein paar gelbe Zweihunderter. Ich zählte es ungläubig, dann zählte ich noch mal nach.

Plötzlich fiel es mir wieder ein: Wir waren hier im Eden Roc, und dieses Hotel war bekannt dafür, nur Bargeld zu nehmen. Ich konnte mich entsinnen, dass ich einmal in einer ziemlich vulgären Restaurantrezension gelesen hatte, wie sich jemand damit gebrüstet hatte. Weiß Gott, wie viel eine Suite hier kostete, aber James hatte offenbar das ganze Geld für die Rechnung abgehoben, plus den Betrag, den er mir versprochen hatte. Es waren etwas über zehntausend Euro. Ich nahm zwei von den Fünfzigern aus der Brieftasche, gab noch einen Zweihunderter dazu und schob alles in den Geldclip, den ich wieder ins Jackett steckte. Eine verrückte Sekunde lang überlegte ich, ob ich ihm seine riesige goldene Rolex abnehmen sollte, aber das wäre einfach nur dumm gewesen. Das restliche Geld rollte ich fest zusammen und schob es in meine Bademanteltasche.

Leanne saß geduldig auf dem Bett. Sie hatte ihre Jeans und ein graues T-Shirt an und starrte auf ihre Füße, die in Plateauwedges steckten. Ich warf ihr meine beige Alaïa-Jacke zu. Es war ein Opfer, aber ich dachte mir, dass ich mir jetzt ja eine neue kaufen konnte.

»Zieh die an und deine Sonnenbrille. Es wird nicht lang dauern.« Sie versuchte es, aber sie fing an zu zittern und bekam ihre Arme nicht in die engen Ärmel.

»Wenn du mir jetzt hysterisch wirst, schlag ich dich. Hör auf. Und sei mir einfach dankbar, dass ich so geistesgegenwärtig war, nicht die Polizei zu rufen.«

Ich wischte meine Sachen in meinen Weekender, inklusive der Billigreizwäsche, die ich am Vortag getragen hatte. High Heels, Make-up, Ladegerät fürs Handy, Bücher, Haarbürste, Notebook. Dann packte ich die Chanel-Taschen aus, stopfte unser übriges Gepäck in die großen Papiertragetaschen und legte die Staubbeutel mit dem Logo wieder obenauf. So sah es nicht so aus, als würden wir gerade das Hotel verlassen, sondern eher, als wollten wir einfach nur einen samstäglichen Shoppingbummel machen. Ich überlegte, um wie viel Uhr man hier wohl auscheckte. Wenn es erst morgen Mittag war oder meinetwegen schon um elf, hatten wir durch das »Bitte nicht stören«-Schild jede Menge Zeit gewonnen. Ich lief noch einmal zurück ins Wohnzimmer. Der Zettel, den ich geschrieben hatte – ein fröhliches »Sind beim Schwimmen! Wir sehen uns unten, Schatz x« – hing noch an dem Eden-Roc-Notizblock. Ich riss das Blatt ab und vorsichtshalber auch noch das darunter, für den Fall, dass der Stift durchgedrückt hatte. Ich knüllte das Papier zusammen und schob es in meine Jackentasche.

»Gut, dann gehen wir jetzt. Schalt dein Handy aus. Wenn wir in der Lobby sind, fängst du an, SMS zu schreiben und schaust dabei die ganze Zeit aufs Display. Und bloß nicht hektisch wirken.«

Das Zimmermädchen war immer noch mit dem Staubsauger auf unserem Stockwerk beschäftigt. Ich dachte, ich müsste mich übergeben, als sie mich ansprach.

»Voulez-vous que je fasse la chambre, madame?«

Ich brachte ein lässiges Lächeln zustande. Sie war nicht viel älter als ich, aber ihr Gesicht war fahl und vernarbt. Ich schätzte, dass sie nicht allzu viel Riviera-Sonne abbekam.

»Pas pour l'instant, non merci.«

Wir gingen weiter, nahmen den Lift in die Lobby und traten hinaus auf die Auffahrt.

»*Vous avez besoin d'une voiture, mesdames?*«

Es war derselbe Page, dem ich gestern ein Trinkgeld gegeben hatte. Verdammt.

»*Non merci. Nous avons besoin de marcher!*« Ich hoffte, er hielt uns für englische Schlampen mit Restalkohol, die mit einem Fußmarsch ihren Kater bekämpfen wollten.

Dann gingen wir die Auffahrt hinunter. Leanne knickte mehrfach um. Das Hotel lag ein ganzes Stück außerhalb von Cannes, und eine Weile marschierten wir nur auf einer leeren Straße, die zu beiden Seiten von weißen Mauern und Sicherheitstoren gesäumt wurde. Wir kamen an mehreren grünen Plastikmülleimern auf Rädern vorbei, und bei einem hob ich den Deckel hoch und warf die zerrissenen Zettel hinein. Es war die heißeste Zeit des Tages, und die Schnüre meiner Einkaufstüte schnitten mir in die Finger. Ich hatte Kopfschmerzen und spürte einen Schweißfleck auf meinem Rücken. Leanne schlurfte schweigend neben mir her.

»Es ist alles in Ordnung, Leanne, es wird alles gut. Geh einfach weiter.«

Irgendwann machte die Straße eine Biegung zur Küste. Links oben konnten wir die Fenster des Hotels sehen, die sich hinter den Palmwedeln ausnahmen wie die langbewimperten Augen eines Showgirls. Die Bucht war voll mit Jet-Skis und Segelbooten, weiter draußen sah man die Fähre zur Insel Sainte-Marguerite. Wir hielten bei der ersten kleinen Bar, wo ich zwei Oranginas bestellte und den Kellner höflich, aber nicht zu korrekt fragte, ob er uns vielleicht ein Taxi zum Flughafen in Nizza bestellen könnte. Es gab zwar ein bisschen französisches Gemaule, aber als ich unsere Getränke bezahlte, hielt ein weißer Mercedes vor der Bar.

Leanne stierte ausdruckslos aus dem Taxifenster. Ich erinnerte mich an ihre obszönen Provokationen in der National Gallery und verspürte einen Hauch von Schadenfreude. Na, wer musste sich jetzt auf die gute alte Rashleigh verlassen? Vielleicht lag es an der unterwürfigen Art, in der sie den Kopf gesenkt hielt, aber auf einmal fiel mir der Freitag ein, an dem die Gerichtsvollzieher gekommen waren.

Meine Mutter war keine Trinkerin. Meistens konnte sie den Job behalten, den sie gerade hatte, meistens stand sie morgens auf. Aber manchmal wurde einfach alles zu viel für sie, und dann trank sie. Nicht freudig oder unbekümmert, sondern sie trank sich gleichmäßig ins gnädige Vergessen. Was tatsächlich eine absolut verständliche Reaktion auf ihr Leben gewesen wäre. Ich weiß noch, dass ich sie gerade ins Bett gelegt hatte, als es klingelte, dass ich sie sorgfältig mit ihrem rosa Chenille-Bettüberwurf zugedeckt hatte, mit einer Tasse Tee und einem Plastikeimer auf dem Nachttisch, für den Fall, dass sich das Zimmer um sie zu drehen begann, wenn sie die Augen schloss. Ich muss ungefähr elf gewesen sein.

»Wer ist das, Mama?«

Sie konnte nicht mehr richtig sprechen, aber irgendwann brachte sie heraus, dass es wohl um die Ratenzahlungen für den Fernseher ging. Sie hatte seit Monaten nichts mehr gezahlt, jetzt hatte das Geschäft die Sache offenbar an eine Inkassofirma weitergegeben.

»Soll ich mich drum kümmern, Mama? Ich kümmer mich drum.«

»Danke, mein Schatz«, war alles, was sie hervorbrachte.

Ich machte die Tür in meiner Schuluniform auf. Ich probierte es mit dem Einwand, dass ich allein zu Hause sei und sie deswegen nicht hereinlassen könne. Die Männer waren nicht böse, obwohl sie gekleidet waren wie Türsteher. Sie versuchten nur, ihren Lebensunterhalt zu verdienen, wie wir alle. Sie entschuldigten sich sogar, als sie den Fernseher aus der Küche trugen. Es blieben uns also nur der Kühlschrank und der Herd und der Tisch und das Sofa. Damals fand ich Einbauküchen total schnöselig – wir hatten jedenfalls keine. Sie kamen noch einmal zurück, um auch den Kühlschrank abzuholen. Dabei waren sie so nett, vorher das Essen herauszunehmen. Und das machten sie sogar ziemlich rücksichtsvoll, sie legten das Brot und die Marmelade und den Wodka behutsam aufs Sofa. Einer von ihnen kam mit einer Packung gefrorenem Mais zurück, die er noch im Gefrierfach gefunden hatte. Ich kann gar nicht beschreiben, wie einsam der Raum aussah. Die Nachbarn waren aus ihren Wohnungen gekommen, um zu gaffen. Morgen würden es alle wissen. Ich gaffte zurück, zitterte in meiner Polyester-Schulbluse und bemühte mich um ein stolzes Gesicht. Ich war froh, dass Mama zu betäubt war, um all das mitzukriegen, denn sie hätte am Ende noch eine Szene veranstaltet, über die dann noch mehr getratscht worden wäre. So etwas durfte nicht wieder passieren, dachte ich damals. So etwas wollte ich nie, nie wieder erleben.

Aber dies war auch nicht der passende Moment für Nostalgie.

»Sprich«, sagte ich zu Leanne. »Erzähl mir von letzter Nacht.«

Es gelang mir, sie am Reden zu halten, und wir lachten ab und zu vergnügt, als würden wir unsere Abenteuer Revue passieren lassen. Falls sich der Fahrer an uns erinnerte, wollte ich, dass er uns ganz fröhlich und normal im Gedächtnis behielt. Als wir am Flughafen ausstiegen, versuchte er gar nicht zu verbergen, dass er uns übers Ohr haute, also war ich ein bisschen kühl zu ihm, während ich den verlangten Betrag zahlte.

»So«, sagte ich, als wir im kühlen Check-in-Bereich waren. Ich schob Leanne einen der zusammengerollten Fünfhundert-Euro-Scheine in die Hand. »Nimm das, geh zum British-Airways-Schalter und kauf dir ein einfaches Ticket nach London. Heute ist Samstag, sie werden auf jeden Fall freie Plätze haben. Wenn du zu Hause bist, schreib mir keine SMS und ruf mich auch nicht an. Ich werde dir schreiben und Entwarnung geben, wenn alles okay ist. Ich komme nicht zurück in den Club, und wenn jemand fragt, sag einfach, dass du glaubst, ich hätte jemand kennengelernt, mit dem ich in Urlaub gefahren bin. Nach Ibiza. Du glaubst, ich bin auf Ibiza. Verstehst du?«

»Judy, ich kann das alles noch gar nicht begreifen.«

»Versuch's gar nicht erst.« Ich umarmte sie, als wären wir einfach nur zwei Freundinnen, die sich voneinander verabschieden. »Du wirst keine Probleme bekommen.«

»Aber was ist mit dir?«

»Um mich mach dir mal keine Sorgen.« Als ob sie das tun würde. Ihre gierigen nackten Augen scannten bereits die Abflugschalter ab und suchten nach dem BA-Schild. »Wenn du nach Hause kommst, verhalte dich normal, total normal. Du wirst vergessen, was hier passiert ist, okay?« Dann ging ich rasch davon, bevor sie noch etwas sagen konnte.

Ich nahm mir ein Taxi ins Stadtzentrum von Cannes, ließ mich am Hafen absetzen, organisierte mir einen Stadtplan für Touristen und suchte mir den Weg zum Bahnhof heraus. Unterwegs rissen die Kordeln der Papiertragetasche aus, sodass ich sie auf dem Arm tragen musste wie ein störrisches kleines Kind. In vierzig Minuten ging ein Zug nach Ventimiglia. Ich dachte an die Grenzpolizei und fragte mich, ob ich versuchen sollte, das Britische Konsulat ausfindig zu machen und mich der Gnade eines netten jungen Mannes aus dem diplomatischen Korps anheimzugeben, doch dann hielt ich mir das Bild von James' Leiche vor Augen, die immer noch hinter geschlossenen Fensterläden im Schlafzimmer lag, eingehüllt in den Begräbnisduft der Lilien.

Ich hatte Zeit. Ich kaufte mir eine Ausgabe der *Gala*, eine Flasche Evian und eine Schachtel Marlboro Lights und setzte mich mit der aufgeschlagenen Zeitschrift auf dem Schoß auf eine Bank, rauchte Kette und versteckte mich hinter meiner Sonnenbrille. Ich hatte keinen Plan, aber ich hatte neuntausend Euro und war auf dem Weg nach Italien.

10. Kapitel

Bis der Zug die Grenze überquerte, gestattete ich mir keinen Gedanken. Ich nahm kleine Schlucke von meinem Mineralwasser und versuchte so auszusehen, als würde ich mich für französische Reality-TV-Stars interessieren, die ich nicht kannte. Dann starrte ich in meine Chagall-Biografie und musste mich selbst ermahnen, ab und zu umzublättern. Vor dem Fenster zogen ehemals bezaubernde Bergdörfer vorbei, im Wechsel mit Autobahnen und neu erbauten Villen zwischen riesigen Gewächshäusern. In Ventimiglia stieg ich um in den Zug nach Genua, und auf einmal war ich so richtig in Italien. In diesem Land war ich zuletzt im Rahmen meines einmonatigen Stipendienaufenthalts in Rom gewesen, und ich konnte mich noch an dieses Gefühl erinnern – wie sich das Licht veränderte und das Geplapper der Sprache mich einhüllte. Der Waggon war jetzt voll von jungen Männern mit riesigen Armbanduhren und noch riesigeren Sonnenbrillen, die absolut schwul ausgesehen hätten, wäre da nicht diese unbeschreibliche italienische Selbstsicherheit gewesen, daneben gepflegte Frauen mit guten Lederschuhen und zu viel Goldschmuck sowie ein amerikanisches Paar mit Rucksäcken und Reiseführern und grauenvollen Sandalen. In Genua stieg ich abermals um. Ich hatte schon immer nach Portofino fahren wollen, aber dort hielt anscheinend kein Zug, wie mir ein Bahnangestellter auf Italienisch erklärte, der fuhr nur bis Santa Margherita. Von dort musste man einen Bus oder ein Taxi nehmen. Bis jetzt hatte mich noch niemand nach meinem Pass gefragt, aber ich wusste, dass ich einen vorzeigen musste, wenn ich mir ein Hotelzimmer nehmen wollte. Ich dachte über die Spur nach: Judith Rashleigh landet am Flughafen von Nizza – wir waren nicht zusammen mit James angekommen – und taucht ein paar Tage später in Portofino auf. Wie könnte man sie mit einem toten Mann in Verbindung bringen, der wahrscheinlich immer noch in der duftenden Dunkelheit des Eden Roc lag? Gar nicht. Ich musste es riskieren. Oder eben am Strand schlafen.

Santa Margherita sah idyllisch aus, die Art von Ort, in dem Audrey Hepburn Urlaub machen könnte, dachte ich. Große alte Häuser in Gelb und Ocker rahmten eine doppelte Bucht ein. Im Hafen schaukelten Riesenyachten neben hölzernen Fischerbooten auf dem Wasser. Die Luft roch nach Gardenien und Ozon, selbst die Kinder, die am Strand herumliefen, sahen schick aus in ihren ordentlichen Leinenhängerchen und Shorts. Weit und breit nicht ein hässliches paillettenbesetztes T-Shirt. Als ich die graue Schiefertreppe vom Bahnhof bis ans Wasser gegangen war, hatte ich die Nase wirklich voll von meiner kaputten Chanel-Tüte. Portofino konnte warten. Ich brauchte erst mal eine Dusche und frische Kleidung. Gleich an der ersten Biegung der Bucht gab es mehrere Hotels, gegenüber von dem öffentlichen Strand und einem privaten Badestrand mit rot-weiß gestreiften Sonnenschirmen und Sonnenliegen, die in präzisen italienischen Reihen aufgestellt waren. Ich überlegte nicht, sondern ging einfach ins nächstbeste Hotel und fragte nach einem Zimmer. Ich sprach Englisch, weil ich dachte, dass ich mich so weniger verdächtig machte. Als mich die Frau an der Rezeption um meine Kreditkarte bat, sagte ich ganz schnell etwas ganz Kompliziertes, was sie gar nicht kapieren sollte, und wedelte fröhlich mit ein paar Zweihundert-Euro-Scheinen. Sie ließ mich zwei Nächte im Voraus bezahlen und bat mich um meinen Pass. Während sie umständlich sämtliche Details in ihren Computer eingab, hatte ich dasselbe Gefühl wie in der Bank gegen Ende des Monats, und ich versuchte, die ganze Zeit freundlich weiterzulächeln. Sie griff zum Telefon. Du liebe Güte, rief sie jetzt am Ende die *carabinieri*? Keine Panik, keine Panik. Ich konnte meine Taschen innerhalb von Sekunden fallen lassen und davonrennen, die zusammengerollten Geldscheine hatte ich in der Tasche. Direkt vor der Tür war ein Taxistand. Dort stand ein Audi im Leerlauf, dessen Fahrer aus dem Fenster rauchte. Ich musste mich bemühen, ruhig weiterzuatmen und dem Impuls in meinen Muskeln zu widerstehen, zu diesem Auto zu sprinten.

Es war nur das Housekeeping. Sie rief das Housekeeping an, um sich zu vergewissern, dass das Zimmer sauber war. Dann reichte sie mir einen altmodischen Schlüssel mit einem schweren Messinganhänger und wünschte mir einen angenehmen Aufenthalt. Ich bedeutete ihr mit einer Geste, dass ich mein Gepäck selbst hochtragen konnte. Sobald ich in meinem Zimmer war, ließ ich mein Zeug aufs Bett fallen, machte das Fenster auf und ignorierte das »No Smoking«-Schild. Überrascht stellte ich fest, dass die Sonne schon tief über der Landzunge stand und lila Bänder auf die Wellen zeichnete. Ich war den ganzen Tag auf Reisen gewesen. Nein, ich war auf der Flucht.

Auf einmal blähten sich die blassrosa Vorhänge in der Meeresbrise. Ich zuckte zusammen und schnappte hörbar nach Luft. Eine Sekunde lang sah es so aus, als würde der Stoff zwei aufgedunsene Arme bilden, die nach mir griffen. Ich erstarrte, und mein Herz klopfte so laut, dass es sogar das regelmäßige Geräusch der Brandung übertönte. Dann musste ich in mich hineinkichern. James mochte ja ausgesehen haben wie ein Michelinmännchen, aber er war weg. Ich hatte 8470 Euro in bar, keinen Job und einen toten Kunden, den ich in einem anderen Land hinter mir gelassen hatte. Ich überlegte kurz, ob ich

Leanne eine SMS schreiben sollte, entschied mich aber dagegen. Ich würde mir morgen ein neues Handy besorgen, die Nummern übertragen und das alte ins Hafenbecken werfen. Ich zog an meiner Zigarette und wartete darauf, dass die Angst zurückkam. Aber das tat sie nicht. Ich war in Italien, es war Hochsommer, und zum ersten Mal in meinem ganzen Leben war ich frei und musste mir für die nächste Zeit keine Sorgen ums Geld machen. Ich erwog eine kleine Feier, sagte mir aber dann, dass ich es lieber ruhig angehen lassen sollte. Doch das zufriedene Grinsen konnte ich nicht unterdrücken. Zum ersten Mal musste ich mich nicht flachlegen lassen, um mich unantastbar zu fühlen.

Ich duschte und zog mich um, ging am Hafen spazieren, trank ein bescheidenes Glas Weißwein vor einer Bar, rauchte, las mein Buch und beobachtete meine Umgebung. Ich hatte vergessen, was für eine Wirkung Italien auf die Engländer hat. Wie gut aussehend die Leute sind, wie charmant die Kellner, wie lecker das Essen. Das Leben scheint wirklich *bella* zu sein. Nachdem ich *trofie* mit echtem, leuchtend grünem Pesto, Kartoffelscheiben und grünen Bohnen gegessen hatte, ging ich zurück zum Hotel. Keine Nachrichten auf meinem Handy. Ich zog mich aus, legte mich zwischen gestärkte blassrosa Laken und schlief ganz wunderbar.

Am nächsten Morgen suchte ich mir den Weg zum Hauptplatz, der sich in unregelmäßiger Form um die weiße Fassade einer Barockkirche schmiegte. An ein paar Ständen wurden Basilikumbündel verkauft und dicke, runde Tomaten aufgestapelt. Ältere Frauen mit Nylonkitteln und Einkaufsnetzen, ganz offenbar Einheimische, stocherten in der Auslage, während andere, offensichtlich Sommergäste, diskret wohlhabend, sich zwischen zwei Cafés ihre Ciaos zuriefen. Ich kaufte mir die *Nice Matin* und *La Repubblica* am Zeitschriftenkiosk. Die einen Tag alten englischen Zeitungen schaute ich mir gar nicht erst an. Nachdem ich mir einen Cappuccino und ein Brioche *con marmellata* bestellt hatte, blätterte ich sie sorgfältig durch, wobei ich die Spalten nach einer kurzen Erwähnung des Eden Roc und der Entdeckung einer englischen Leiche abscannte. Nichts. Die Marmelade in meinem köstlichen Brioche schmeckte nach Aprikose, war noch warm, und der Barkeeper hatte ein Schokoladenherz auf die beige Haube meines Cappuccino gezeichnet: »*Per la bellissima signora.*«

Ich verbrachte den Morgen mit einem ausgedehnten, langsamen Bummel durch die vielen kleinen Boutiquen in Santa Margherita. Es war ein Reiseziel für reiche Leute, wie die verblüfften Gesichter der Passagiere des Kreuzfahrtschiffs verrieten, die für einen Tag hier an Land gingen: Es mochte malerisch und altmodisch aussehen, aber die Preise waren Mailand im einundzwanzigsten Jahrhundert. Trotzdem, der Tag war so schön, dass man sich gegen das Universum versündigt hätte, wenn man jetzt schon mit dem Sparen begonnen hätte. Ich kaufte ein paar Bikinis, einen breitkrempigen Strohhut mit einem breiten schwarzen Band, bei dessen Anblick ich einfach lächeln musste, ein Paar feine karamellfarbene Ballerinas bei einem Schuster, der in seinem dunklen, nach Leder riechenden Laden meine Größe aus einem Stapel von Schachteln herausangelte, und zuletzt verschwendete ich noch ein Sümmchen auf ein unwiderstehlich charmantes Miu-Miu-Sommerkleid, orange Blumen auf weißem Grund. Es war trägerlos und hatte einen ausgestellten Fünfzigerjahre-Rock, der meine Taille schmaler aussehen ließ. Die italienische Judith war anscheinend viel prüder als ihre englische Cousine. Ich wollte nicht zu viel darüber nachdenken, was ich tun sollte.

Nachdem ich eine Nacht darüber geschlafen hatte, kam mir die grauenvolle Reise aus Frankreich vor wie ein böser Traum. Ich hatte zunächst nur daran gedacht, wie ich am besten aus

Cannes wegkommen konnte, doch allmählich brauchte ich einen Plan. Aber die Stadt war so hübsch, eine Pastellzeichnung aus Jasmin und Sonnenschein, dass Vernunft nicht mehr besonders attraktiv erschien.

Vielleicht war Italien ja für eine Weile doch ganz vernünftig. Wenn ich in ein billigeres Hotel zog, konnte ich hier ein paar Wochen verbringen und hatte immer noch genug, um ein paar Monate zurechtzukommen, wenn ich nach London zurückging. Ein paar Fünfziger des guten alten James lagen auch noch auf meinem Sparkonto. Ich zögerte einen Moment, dann kaufte ich eine Prepaid-Karte in einer *tabaccheria* und hinterließ einer meiner Mitbewohnerinnen eine Nachricht auf ihrer Mailbox. Ich hatte ihnen nicht gesagt, dass ich verreisen würde, und obgleich ich mir keine Sekunde lang Illusionen machte, dass sie das irgendwie berührte, würden sie es nach einer Weile vielleicht doch seltsam finden. Meine Miete bezahlte ich vierteljährlich, da gab es also keinen Grund zur Sorge. Ich sprach auf die Mailbox, dass ich ein paar Freunde im Ausland besuchen wolle und möglicherweise noch ein paar Wochen wegbleiben werde. Dann verlieh ich meiner Hoffnung Ausdruck, dass ihre Prüfungen am Ende des Sommersemesters gut gelaufen seien. In einer Nebenstraße in einiger Entfernung zum Hafen, wo die schicken Restaurants den Immobilienagenturen und Elektrogeschäften wichen, fand ich einen Handyladen und kaufte mir Ersatz. Ich holte mir das WLAN-Passwort vom Hotel und checkte mit dem neuen Handy kurz die Onlinemeldungen der englischen Zeitungen. Immer noch nichts. Am Nachmittag ging ich an den öffentlichen Strand, der größtenteils von Teenagern besucht wurde. Sie starrten mich an, doch ich ließ mich nicht stören. Dann duschte ich mir das Salz aus dem Haar, legte mein neues Kleid an und trug ein wenig Make-up auf – Wimperntusche, Lipgloss, einen Hauch von Rouge. Hübsch, aber nicht aufdringlich.

Ich wollte den Taxifahrer schon fragen, ob er mich veräppelte, als er erklärte, dass die fünf Kilometer weite Fahrt nach Portofino fünfzig Euro kosten sollte, doch er zog nur ein gelangweiltes Gesicht und sagte: »*Così.*« Ich nahm an, dass sie einfach ein Monopol hatten – die Art von Leuten, die im Splendido wohnen konnten, würden sich ihr Lebtag nicht in einen öffentlichen Bus setzen. Die Straße verlief zwischen dem Meer und den steil aufragenden Klippen und war so schmal, dass immer nur ein Fahrzeug passieren konnte. Wir blieben in der ligurischen Rushhour stecken, Porsche-Geländewagen und BMWs, am Steuer gereizt wirkende Mammas mit den unvermeidlichen Riesenbrillen, auf den Rücksitzen sandige Kinder und mollige, schwermütige Philippininnen. Der Taxifahrer fluchte und trommelte aufs Lenkrad, aber es war mir egal. Durchs Fenster konnte ich die Feigenbäume riechen, die über das tiefe smaragdgrüne Wasser kleiner felsiger Buchten hingen, und durch die Bäume erhaschte ich immer wieder einen Blick auf palastartig angelegte Villen aus dem neunzehnten Jahrhundert. Ich hatte mich über Portofino informiert, und es freute mich zu wissen, dass Leute, die solche Dinge wichtig fanden, behaupteten, dass man hier die besten Bellinis der Welt mixte, und nicht etwa in Harry's Bar in Venedig. Wirklich tragisch, meine kleinen Versuche, mir einen Status zu verschaffen.

Der Hauptplatz des winzigen Fischerdorfs war häufig in den Klatschzeitschriften im Gstaad Club abgebildet gewesen. Beyoncé, die eine Gangway herunterstakste, Leonardo DiCaprio, der finster unter seinem Baseballkäppi hervorlugte – doch die Fotos der Paparazzi hatten keinerlei Vorstellung davon vermittelt, wie klein der Ort war. Es gab nur eine einzige Straße, die zu einem Platz führte, der nicht viel größer war als ein Tennisplatz – allerdings einer, der von Dior- und Kaschmir-Boutiquen umgeben war. Ich überquerte den Platz, betrat das Café auf der linken Seite und bestellte mir einen Bellini bei einem Kellner mit silbernen Haaren, der aussah, als müsste er bei Central Casting registriert sein. Natürlich war das ein Klischee, aber im Grunde sah ganz Portofino aus wie ein einziges Klischee, nämlich so, wie man sich gemeinhin das *bel paese* vorstellte.

Er kam mit einem dicken Glas zurück, das mit rosa Pfirsichpüree gefüllt war, öffnete andächtig eine Halbliterflasche Veuve Cliquot und rührte den Champagner vorsichtig unter das Fruchtpüree. Kleine Tellerchen mit öligem Räucherschinken, Kapernbeeren, Crostini und daumennagelgroßen Parmesanbröckchen umgaben mein Glas. Ich nippte. Es schmeckte köstlich, und es war diese Art von Drink, den man schlucken konnte, bis man an der Wand zusammensackte. Doch ich ließ mir Zeit und beobachtete, wie die letzte Touristenfähre unter dem Aufblitzen japanischer Handykameras den Hafen verließ. Die Sonne schien immer noch hell, aber mittlerweile war ihr Licht sanfter und ließ den Himmel hinter der Landzunge westlich des Dorfes, auf der eine Zuckerbäckerkirche thronte, weicher aussehen. Ich leckte mir Salz und Pfirsichsaft von den Lippen, ein sinnliches Instagram. Ich wusste, dass ich eigentlich traurig über James' Schicksal sein sollte, aber ich vermochte es nicht, und sei es nur deswegen, weil es mich auf einem seltsamen Weg zu diesem Moment geführt hatte.

Ein elegantes Holzboot legte gerade an, eines der traditionellen Genueser Fischerboote, *gozzi* genannt, mit schicken marineblauen Kissen und einem weißen Sonnendach. Einige Touristen stiegen aus, ungefähr in meinem Alter, und bedankten sich laut beim Skipper. Der war nackt bis auf seine abgeschnittene Jeans und die Kapitänsmütze, unter der das unglaublich hellblonde Haar hervorschaute. Mir fiel ein, dass die Wikinger vor langer Zeit an diesen Küsten entlanggesegelt waren und dass blonde, blauäugige Italiener hier oder auch auf Sizilien keine Seltenheit waren. Die vier Männer und zwei

Frauen faszinierten mich. Sie bewegten sich in einer entspannten, aber doch besitzergreifenden Art, als wäre es nichts Besonderes, in Portofino zu sein, und als wäre ihnen gar nicht bewusst, dass dies der Zufluchtsort war, von dem so manche Pendler in ihren beengten Vorortszügen träumten. Die jungen Leute setzten sich an einen Tisch in meiner Nähe und steckten sich Zigaretten an, bestellten Drinks und begannen zu telefonieren. Soweit ich es aufschnappen konnte, ging es bei den Gesprächen darum, in wessen Haus man sich später zum Abendessen treffen sollte. Ich sah ihnen zu. Die Mädchen waren keine klassischen Schönheiten, hatten aber diesen Show-Pony-Glanz, der von Generationen von selbstbewusstem Geld herrührt, lange Beine und schmale Fesseln, glänzendes Haar, perfekte Zähne, kein Make-up. Eine hatte sich offenbar das Leinenhemd ihres Freundes mit dem diskreten Monogramm übers Bikinioberteil gezogen, die andere trug eine bestickte weiße Tunika und dazu ein Paar grüne Wildleder-Manolos, flach und ziemlich verschrammt. Ich wusste, dass sie mindestens fünfhundert Euro gekostet hatten. Es war mir peinlich, dass ich das bemerkte, weil ein Mädchen wie sie das natürlich nie merken würde. Die Männer waren sich alle furchtbar ähnlich – ihr dickes dunkles Haar fiel ihnen auf die Kragen, sie waren alle breitschultrig und schlank, als hätten sie ihr Lebtag nichts anderes getan als Skifahren, Schwimmen und Tennisspielen, obwohl das wahrscheinlich nicht stimmte. Sie wirkten irgendwie unangestrengt, fand ich. Im Vergleich zu Leanne und mir in unseren feinen Riviera-Klamotten hatten sie einfach dieses Flair von Dazugehörigkeit, das man nicht kaufen konnte, und wenn man noch so teuer shoppen ging. So sahen richtig reiche Leute aus, dachte ich. Als müssten sie sich niemals anstrengen.

Ich trank aus und beobachtete sie, bis sie gingen. Das Mädchen im Männerhemd ging in ein Haus auf der anderen Seite des Hauptplatzes, und wenige Minuten später erschien sie auf einer Terrasse über der Dior-Boutique und sprach mit einem Hausmädchen in blassrosa Uniform. Vielleicht würde das Abendessen in ihrem Haus stattfinden – nicht, dass sie dafür hätte einkaufen müssen oder es kochen oder hinterher aufräumen. Meine Gedanken gefielen mir nicht, sie hatten etwas Bitteres. Ich war es einfach zu sehr gewöhnt, außerhalb zu stehen und zuzuschauen. Die Bar füllte sich jetzt langsam, ein paar übertrieben aufgerüschte amerikanische Paare, vielleicht Gäste des Splendido auf dem obersten Punkt des Hügels, die für einen *aperitivo* heruntergeschlendert waren. Ich überlegte, ob ich mir noch einen Drink bestellen sollte, aber die Rechnung auf der winzigen Untertasse belief sich bereits auf vierzig Euro. Vielleicht konnte ich ja auf dem extra angelegten Fußweg nach Santa zurückgehen. Ich legte zwei Scheine und ein paar Münzen auf den Tisch und stand auf.

An der rechten Seite des Hafenbeckens lagen drei Schiffe, so absurd riesig, dass sie aussahen wie Wale im Goldfischglas. Vom größten ließen zwei Besatzungsmitglieder in weißen Bermudas und glänzenden Ledergürteln gerade eine Gangway herunter. Die Linien des Rumpfes und der Glanz des Lacks, der an gummierte Kohle erinnerte, verliehen dem Schiff ein fast militärisches Flair, als könnte es zwischen den Wellen verschwinden, um einen James-Bond-Bösewicht in seinen Unterschlupf unter dem Meer zu bringen. Es war hässlich, aber definitiv beeindruckend. Nach einer Weile erschienen zwei klobige Paar Nikes, gefolgt von Beinen in Levi's und knallbunten Poloshirts mit riesigen Logos. Ihre beiden Besitzer hielten sich die Handys ans Ohr und schienen gleichgültig für ihre Umgebung zu sein. Ich fragte mich, ob sie überhaupt wussten, wo sie waren. Dann sah ich noch einmal genauer hin und stellte fest, dass einer von ihnen Steve war. Steve, auf dessen Boot ich vor zwei Nächten in Antibes gewesen war.

Und dann schaltete etwas in mir um. Meine verträumte,

schläfrige Stimmung lud sich jäh mit einem so heftigen Adrenalinkick auf, dass ich dachte, die ganze Piazza müsste es merken. Die weichen Farben des Platzes flammten in tropischen Farben auf, während ich die Männer näher kommen sah. Mein Gehirn erwachte zum Leben, weil ich auf einmal erkannt hatte, was ich tun konnte. Ich holte tief Luft und stand langsam auf. So war das doch bei reichen Leuten, oder? Sie liefen sich ständig über den Weg, in St. Moritz, in Mégève, auf Elba oder Pantelleria. Ich musste mich verhalten, als wäre ich eine von ihnen, sorglos, lässig. Ich steckte meine Sonnenbrille in die Tasche. Sie steuerten auf das Restaurant mit der grünen Markise zu, das direkt am Hafen lag. Puny, auch so ein berühmtes Lokal, von dem ich gelesen hatte. Ich passte meine Schritte so an, dass ich diagonal an ihnen vorbeiging, und ich ließ meinen Tellerrock schwingen, dass er Steve beinahe am Bein streifte. Er tippte immer noch auf seinem Handy herum. Ich drehte mich um und fing einen Blick von ihm auf.

»Steve!«

Er sah mich an, und ich merkte, wie er versuchte, mich einzuordnen. Selbstsicher trat ich auf ihn zu und küsste ihn auf beide Wangen. »Lauren. Wir haben in Antibes einen Abend zusammen verbracht.«

»Genau, Lauren. Na, wie geht's?«

Zumindest schien er mich wirklich wiederzuerkennen. Ich begrüßte auch Leannes Jacuzzi-Lover, der Tristan hieß, wie sich herausstellte. Hätte ich ihm gar nicht zugetraut.

Einen Moment blieben wir verlegen so stehen. Small Talk war offensichtlich nicht Steves Stärke, aber ich konnte diese Gelegenheit nicht vorübergehen lassen. Steve wusste es noch nicht, aber ich hatte ihn auserwählt, meinen Sir Lancelot zu spielen.

»War toll vorgestern Abend, oder?«

»Ja, echt toll.«

O Gott, so konnten wir noch hundert Jahre hier rumstehen.

»Meine Freundin – das heißt, im Grunde ist sie mehr eine Bekannte – ist schon in die Stadt zurückgefahren. Ich wohne bei Freunden, da drüben.« Ich deutete vage auf die villengesprenkelten Hügel. »Aber die sind schon alle nach Korsika gefahren, ich fahr morgen auch nach Hause.«

»Wir sind gerade erst angekommen. Wir wollten mit dem Boot die Küste entlangfahren – nach Sardinien«, erzählte Steve.

Ich tat so, als hätte er mir das nicht schon neulich bei einer Tasse Schokolade erzählt.

»Heute Abend schon was vor?« Ich versuchte, kokett zu wirken, aber nicht zu verzweifelt, obwohl ich sie unter dem Cheerleaderjubel der Hochglanz-Crew beide gleichzeitig rangelassen hätte, wenn ich dadurch nur auf ihre Yacht kam. Boote überqueren Grenzen auf eine Art, die Leichen einfach verwehrt bleibt.

»Wir treffen uns nur mit ein paar Leuten. Warum isst du nicht mit uns zu Abend?«

Nicht zu eilig, Judith.

»Na ja, ich hab meine Sachen noch drüben auf Santa.«

»Die kannst du doch später abholen.«

Ziel erreicht.

»Stimmt eigentlich. Na dann, vielen Dank, ich nehm die Einladung gerne an.«

Steve bestellte eine Magnumflasche 95er Dom, was mich in einem anderen Leben vielleicht beeindruckt hätte. Zwei ältere Männer mit mahagonigebräunter Brust und mürrischen estnischen Geliebten tauchten auf, und wir orderten ein paar Antipasti mit Baby-Oktopus, die außer mir niemand anrührte, und dann bestellte Steve noch zwei Flaschen limettengrünen Vermentino. Schließlich gesellte sich eine Gruppe von Mailänder Bankern dazu, die gerade aus Forte dei Marmi kamen, und einer von ihnen hörte mal kurz auf, ehrerbietig vor Steve zu katzbuckeln, um mich mit seinem Oldtimer-Alfa nach Santa zu fahren, damit ich meine Taschen holen konnte.

Dann mussten wir zu einer schwimmenden Bar bei Paraggi, wo die Estinnen einen etwas uninspirierten Pole Dance hinlegten, und alle bestellten Sushi, das wiederum keiner aß, und dann ging es zurück auf die Yacht, wo es Cohibas und Koks im heißen Whirlpool gab, und Steve führte stolz sein Unterwasser-Soundsystem vor, mit dem man Rihanna auch noch hören konnte, wenn man auf dem Pool im Oberdeck schwamm, vorausgesetzt, man stand auf so was. Ich nahm jedes Glas, das man mir in die Hand drückte, trank jedoch keinen Tropfen – danke, Olly – und blieb in Steves Nähe, als eines der alten Walrösser mir aus dem sprudelnden Wasser die Hand hinstreckte. Irgendwann legte ich mich bescheiden in Steves riesiges Bett und war im Grunde bereit, meine Gegenleistung zu erbringen, wenn nötig. Doch er hielt nur meine Hand und drehte sich leise um, und dann ließ er mich auf der weichen, schwankenden Wiege der Wellen schlafen.

Am Morgen war er verschwunden. Ich setzte mich auf, war froh über meinen klaren Kopf und drückte mein Gesicht ans Bullauge. Meer und Himmel. Ja, verdammt. Ich hatte es geschafft. Auf dem Bett stand ein Tablett – Orangensaft, eine silberne Kaffeekanne, Rühreier und Toast unter einer silbernen Glocke, Obst, Joghurt, Croissants. Eine winzige Kristallvase mit einer einzelnen weißen Rose. Die heutigen Ausgaben der *Financial Times, Times, Daily Mail* – weil die jeder liest. Wahrscheinlich hatten Milliardäre ganz besondere Connections zur Presse. Keiner musste mit Nachrichten vorliebnehmen, die schon einen Tag alt waren. Ich überflog sie rasch – nichts. Meine Taschen waren ausgepackt, meine Schuhe säuberlich aufgestellt und vorne ordentlich ausgestopft worden, meine wenigen Kleider wirkten verloren auf den anthrazitfarbenen gepolsterten Seidenbügeln, an denen jeweils ein gestreiftes Leinensäckchen mit Rosenblättern hing. Ich duschte im Badezimmer, dessen Doppeldusche und Privatsauna das Eden Roc fast ein wenig kärglich aussehen ließen, steckte mein Haar hoch und zog ein schlichtes graues T-Shirt über den knappsten Bikini, den ich in Santa gekauft hatte. Steve stand in der Kabine, in Shorts und ohne Oberteil, und trank Kaffee aus einer riesigen Starbucks-Tasse, wobei er seine Blicke über eine ganze Reihe von blinkenden Monitoren wandern ließ. Geldströme. Durch die Glastüren, die an Deck führten, sah ich Tristan Hanteln stemmen.

»Hey, Babe.« Babe war schon mal gut. Ich war noch nicht sicher, wie ich diese Geschichte aufziehen sollte. Einerseits wollte ich nicht in dieselbe Schublade wie die estnischen Schlampen gesteckt werden, andererseits war ich aber durchaus die Sorte Frau, die von jetzt auf gleich mit einem mehr oder weniger fremden Mann auf sein Schiff ging. Die Sorte Frau, die für zwei Nächte in einem Hotel in Santa Margherita eincheckt und dann verschwindet, keine Pässe, keine Tickets, keine Grenzen. Ich legte ihm kurz die Hände auf die Schultern, roch seine saubere Haut und sein Rasierwasser und küsste ihn sanft auf seinen leicht zurückweichenden Haaransatz.

»Na, du.«

»Wir legen heute Abend in Porto Venere an.«

»Wir« war ebenfalls gut. Sehr gut.

»Wunderbar«, antwortete ich beiläufig, als würde ich meine Sommer immer damit verbringen, von einem exklusiven italienischen Urlaubsresort zum nächsten zu hüpfen. Innerlich drehte ich allerdings eine Ehrenrunde auf Deck und boxte mit den Fäusten in die Luft, um meinen Sieg zu feiern. Wie posiert man sich am besten für ein Selfie, wenn man gerade mit Totschlag davongekommen ist? Aber ich lerne schnell, sehr schnell, und ich wusste, ich konnte das hier nur durchziehen, wenn ich mir keine Sekunde lang anmerken ließ, dass ich keinen Schimmer hatte, was ich eigentlich tat. Also ging ich zum Sonnenbaden hinaus, bemerkte aber trotzdem, dass er meinen Hintern mit dem seitlich zugebundenen Bikinislip keines Blickes würdigte, als er schwungvoll durch die Türen verschwand.

Nach dem Lunch – gegrillter Fisch, *salsa verde* und Obst, das in noch mehr altem Kristall und dickem modernen Porzellan aufgetischt wurde, hellorange, mit dem Namenszug des Schiffes, *Mandarin* – führte Steve mich begeistert auf seiner Yacht herum. Ich inspizierte den Hubschrauberlandeplatz, hörte mir viel über den Schiffsrumpf an, der russischen Militärstandards genügte, besichtigte die ausklappbaren Balkone auf dem Sonnendeck, die Glasschiebewand der Kabine und die einfahrbare Gangway und stattete dann den Picassos noch einen Besuch ab. Die Besatzung glitt lautlos um Steve herum wie die Pilotfische um ihren Hai, mit der Art von erlernter Telepathie, die sich in einer stützenden Hand an einer Türschwelle oder einem mattierten Glas mit Armani-Mineralwasser äußerte, ohne dass er diese Wünsche jemals laut hätte aussprechen müssen. Steve stellte mir seinen Kapitän vor, Jan, einen ernst dreinblickenden Norweger, der Steves linkische Versuche, Kumpelhaftigkeit zu simulieren, mit einem professionellen Lächeln beantwortete.

»Zeig ihr mal die Lichter, Jan!«

Jans gebräunter Unterarm streifte meinen, als er sich vorbeugte, um auf den Schalter zu drücken. Ein sekundenlanges Aufblitzen eines erotischen Morse-Codes, aber das konnte warten. Pflichtschuldigst spähte ich nach vorne. Trotz der Sonne war der dunkle Rand der Wasserlinie auf einmal neonpink überglüht. Jan drückte einen weiteren Schalter, und die Beleuchtung arbeitete ein ganzes Feuerwerk von Orange, Kobaltblau, Violett und pulsierendem Diamantweiß ab. In der Nacht hätte das Ding ausgesehen wie ein Puff in Las Vegas.

»Toll, oder? Die hab ich gerade erst gekriegt.«

Sein Enthusiasmus hatte etwas bezaubernd Jungenhaftes,

obwohl man Jans Meinung zu dieser Art von Dekoration schon aus Genua hätte erkennen können. Wir besichtigten die Kabinen, die, abgesehen von dem Raum, den ich mir jetzt offenbar mit Steve teilte, überraschend eng waren. Als wir fertig waren, zeigte mir Steve sein neuestes Spielzeug: ein persönliches Planetarium im Steuerhaus.

»Das Ding hat Laser, mit denen kann man die Sternbilder am Himmel nachzeichnen.« Sogar die Sterne konnten hier also zu seinem Vergnügen neu arrangiert werden.

»Schade, dass ich das Teil nie in Aktion sehen werde«, sagte ich zögernd. »Es ist wahrscheinlich besser, wenn du mich heute Abend wieder absetzt.«

»Musst du irgendwohin?«

Ich schaute unter meinen gesenkten Augenlidern hervor. »Nichts Konkretes.«

»Warum bleibst du dann nicht? Du könntest mir doch Gesellschaft leisten.«

In seinen Augen lag nicht der geringste Flirt, also passte ich meinen Blick entsprechend an.

»Das wäre natürlich super. Danke. Sag mal, ist es okay, wenn ich meine Sachen in deiner Kabine lasse?«

»Kein Problem.«

Das hatten wir also auch geklärt.

2. DRINNEN

11. Kapitel

Irgendwo habe ich mal gelesen, dass die Leute sich viel weniger Sorgen darüber machen würden, was andere von ihnen denken, wenn sie sich mal darüber bewusst würden, wie selten sie selbst über andere nachdenken.

Aus einem Tag wurden drei, aus einer Woche wurden zwei, und ich kam damit durch, dass ich einfach gar nichts von mir erzählte. Steve war ganz und gar unneugierig und desinteressiert an allem, was nicht mit seinem Geschäft und seinem Besitz zu tun hatte, obwohl er offenbar weit genug gekommen war, um sich etwas anzueignen, was man soziale Funktionalität nennen könnte, nachdem er aus seinem Computer-Nerd-Keller herausgekrochen war. Soweit ich Steves minimalen Bemerkungen entnehmen konnte, war sein Kumpel Tristan, der gemietete Freund, offiziell bei einem von Steves Fonds angestellt, aber im Großen und Ganzen dazu da, mit der Besatzung zu kommunizieren, vor ihren Besuchen in den Clubs anzurufen, das Koks zu besorgen und die Beinahe-Models, denn das machte schließlich Spaß, oder? So vergnügte man sich, wenn man genug Geld hatte, um Abramowitsch alt aussehen zu lassen.

Aber manchmal, wenn Steve seine nukleare Amex zückte und auf einmal alle wegblickten, sah ich quer über die Tanzfläche oder den Dinnertisch, wie er den Kopf stumpf hin und her bewegte, wie ein verwirrter Tanzbär. Sexuell wurde ich nicht schlau aus ihm. In der ersten Nacht hatte ich angenommen, dass er einfach müde war, aber obwohl er mich »Baby« und »Schatz« nannte, versuchte er nie, mich auch nur zu küssen, abgesehen von unseren kleinen Begrüßungsküsschen. Ich schlief in seinem Bett, aber wir lagen brav nebeneinander wie Bruder und Schwester. Er versuchte nie etwas, und ich war nicht so dumm, die Initiative zu ergreifen, obwohl ich sorgfältig darauf achtete, jeden Abend beim Schlafengehen so auszusehen, als würde ich mir nichts mehr wünschen. Natürlich überlegte ich, ob er schwul war, ob der alte Tris vielleicht mehr als nur sein Majordomus war, aber das schien nicht der Fall zu sein. Tristan stürzte sich mit Freuden auf die Mädchen, die sich ihm an den Hals warfen. Nach einer Weile kam ich zu dem Schluss, dass Steve einfach asexuell war und dass seine Wünsche nicht weiter gingen, als ein hübsches Mädchen um sich zu haben. Vermutlich hatte er herausgefunden, dass man von ihm erwartete, Frauen aufzureißen, aus demselben Grund, warum er auch eine riesige Yacht und ein Flugzeug und vier Häuser und Gott weiß wie viele Autos besaß: weil er es konnte. So werden doch die Punkte gezählt, oder? Mir war klar, dass sich die Leute in Männern wie Steve täuschen, wenn sie sich vorstellen, dass sie sich für Geld interessieren – es ist ganz unmöglich, so reich zu werden, wenn man sich fürs Geld interessiert. Um mit dieser Art von Hedgefonds zu jonglieren, brauchte es echte Kerle, ernsthafte Kerle (und Steve äußerte sich mit wegwerfender Häme über andere, deren Hedgefonds nur fünf oder sechs Milliarden durch die Finanzlabyrinthe schleusten), denen Geld egal war. Das Einzige, was sie interessiert, ist das Spiel. Das verstand ich.

Je länger ich auf dem Schiff blieb, umso weiter entfernte ich mich von James' eiskaltem Körper, dem vorwurfsvoll blassen Gesicht. Ich versuchte, nicht zu oft an Leanne zu denken. Unser kurzer Moment der Komplizenschaft gehörte mittlerweile einer anderen Welt an, doch in vielerlei Hinsicht hätte ich auch wieder im Gstaad Club sein können. Auf der Strecke von Saint-Tropez bis nach Sizilien waren die Mädchen so allgegenwärtig wie Rosé und Bougainvillea. Ich hatte noch nie ein Mädchen getroffen, das nicht bereit gewesen wäre, sich zu verkaufen, wenn ein echter Milliardär im Raum war, und nach einer Weile begriff ich, dass meine Anwesenheit Steve quasi schützte. Ich achtete darauf, in Gesellschaft vage besitzergreifend aufzutreten, erwiderte Steves »Babes« und legte ihm ab und zu einen Arm um die Schultern. Das machte mich zum Objekt der Gereiztheit und Faszination der Mädchen, aber es hielt sie auf Distanz. Wenn ich beim Dinner neben Steve saß, hörte ich, wie sie wie Vorstadthausfrauen fröhlich über die hohen Kosten schnatterten, und manchmal wunderte ich mich, warum er ihnen nicht einfach einen Scheck über eine Million ausstellte, um sich ein bisschen Ruhe zu kaufen.

Tristans unermüdliches SMS-Schreiben schuf eine Art Faksimile eines Soziallebens – vom Barkeeper zum Restaurant, dann in den unvermeidlichen Club oder manchmal eine Party in einem Haus in den Hügeln oberhalb eines Resorts –, obwohl wir nie Leute trafen, die den *figli d'oro* ähnelten, die ich in Portofino beobachtet hatte. Die Männer machten in Hedgefonds oder Immobilien oder waren im Bankwesen tätig. Einmal fuhren wir in die Hügel der toskanischen Maremma, zum Lunch bei einem englischen Fernsehexperten mit einem entsetzlichen Toupet, der in den Neunzigerjahren oft in den Zeitungen gewesen war. Ihn umgab eine Gruppe von unglaublich selbstzufriedenen B-Promis, die die ganze Zeit versuchten, die Witze der anderen in einem Monsunregen von Namedropping zu ertränken. Jeder Mann, egal wie dick oder kahl er sein oder wie grässlich sein Atem nach Zigarren riechen mochte, hatte ein Mädchen am Arm. Ehefrauen nahm man nicht mit an die Riviera, und von den Mädchen erwartete man sicher keine brillante Konversation. Sie wichen ihren Männern nicht von der Seite, saßen neben ihnen, um ihnen das Essen zu schneiden und mit der Gabel in den Mund zu schieben, als wären sie Babys, sie sprachen nicht, wenn sie nicht angesprochen wurden, aber lachten vorsichtshalber über jedes Wort ihres Mannes, falls es womöglich komisch sein sollte. So schufen sie ein Kraftfeld um jedes Paar, in das keine andere Frau eindringen konnte. Beim Lunch des TV-Experten war die einzige Ausnahme eine erfolgreiche Komikerin, eine große, unansehnliche Frau, die mehrere renommierte Preise gewonnen hatte. Sie begann das Gespräch zu dominieren, bot sämtlichen Männern Paroli mit ihren geistreichen Witzen, verfiel aber nach und nach in verwirrtes, wütendes Schweigen, während der Rosé floss und ihre Kollegen nicht mal mehr so taten, als würden sie ihr zuhören. Sie tat mir leid, während die Gesichter immer röter wurden und der Lärmpegel am Tisch stieg und ihre einstmals zivilisierten, von der BBC geschätzten Kollegen sich in kreischende Neandertaler verwandelten, die ihren Harem begrabschten und es hemmungslos genossen, sie bei einem Spiel auszustechen, an dem sie nicht mal teilnehmen konnte.

Unser Job, der Job der Mädchen, bestand darin, zarte K.-Jacques-Sandalen an unseren hübschen gebräunten Fesseln zu tragen, unser hübsches Haar zurückzuwerfen und vorsichtig an unserem Wein zu nippen und dabei mit den hübschen Rolexuhren an unseren schlanken gebräunten Handgelenken zu spielen. Wir waren die Preise, das Gold in Form von köstlichem gebräuntem Fleisch, Galateas, deren Starre sich löste, sobald sie von Geld berührt wurden. Kein Wunder, dass die Frau vor Wut rauchte. Man hatte ihr ihre Währung so flink abgenommen, wie ein neapolitanischer Taschendieb sie um ihre langweilige Mulberry-Handtasche erleichtert hätte. Ich hätte etwas sagen sollen, etwas tun sollen, um diesen arroganten Wichsern das Maul zu stopfen, doch ich lächelte nur, ließ mein Haar übers Schlüsselbein fallen und fütterte Steve mit kleinen Bissen von seinem halb gefrorenen Kokosnuss-Soufflé. Schau zu und lerne, Baby.

Wohlstand kriecht einem unter die Epidermis wie Gift. Er bemächtigt sich deiner Haltung, deiner Gestik, der Art, wie du gehst. Ich glaube, von dem Moment an, in dem ich an Bord der Mandarin kam, habe ich keine einzige Tür mehr selbst aufgemacht. Und ganz bestimmt habe ich keine einzige schwere Tasche getragen oder einen schmutzigen Teller abgeräumt. Wenn der Preis so aussieht, dass du dich an einen alten Macker kuscheln musst, der dich im Jacuzzi mustert, als wäre er ein verfaulendes Flusspferd, hast du immerhin noch den Trost, von jungen Männern in Uniform umgeben zu sein, mit breiten Schultern und sauberen Fingernägeln, die dir den Stuhl zurechtrücken, die Serviette oder die Sonnenbrille holen, dir die Kissen auf der Sonnenliege aufschütteln, deine schmutzigen Slips aufheben und sich am Ende noch dafür bedanken, dass sie das alles tun dürfen. Sie schauen dir nicht in die Augen, eine Frau wie du ist nichts für sie. Sie säubern die Aschenbecher und die verschmierten Spiegel, füllen diskret die Aspirin auf dem Nachttisch nach und das Xanax und Viagra im Medizinschränkchen, reparieren die Anfeindungen deines Fleisches auf Hunderte von subtilen, komplizenhaften Arten, sodass du makellos wie eine Göttin in ihrer Mitte dahinschreiten kannst, und nach einer Weile verschwinden sie aus deinem Blickfeld zwischen dem Gestell deiner Ray-Bans und der Spitze deines majestätisch geneigten Kinns. Aber von diesen Anhängseln darfst du dich nicht ablenken lassen. Denn wenn du dir nicht ganz flott den Ring am Finger besorgst, ist das Rennen gelaufen. Der einzige echte Unterschied zwischen den heißen Mädels an der Riviera und den Angestellten im Gstaad Club war der, dass Erstere die nächsthöhere Stufe erklommen hatten. Was den Abgrund, der vor ihnen gähnte, nur noch erschreckender machte.

In Porto Vecchio schloss sich uns Hermann an, ein dünner, schweigsamer deutscher Kollege von Steve, und seine Verlobte Carlotta, bei der der Diamant am Ringfinger ebenso spektakulär fehlproportioniert war wie ihre Silikontitten. Carlotta spielte ihre Rolle als gurrende Prinzessin, solange Hermann anwesend war, zupfte an seinen Ohrläppchen herum und nannte ihn alle fünf Sekunden »Baby«. Doch in ihrem Privatleben nahm sie kein Blatt vor den Mund.

»Er ist das absolute Dreckschwein«, vertraute sie mir nebenbei an, als wir uns oben ohne auf einer der riesigen orangen Sonnenliegen sonnten.

»Wer?«

»Hermann. Stell dir vor, letzte Saison war ich in St. Moritz und sollte zu ihm nach Verbier nachkommen, und dann hat er ein Auto geschickt! Ein verdammtes Auto, um mich abholen zu lassen.«

Ihr Akzent war irgendwie osteuropäisch, aber ich konnte ihn nicht einordnen. Und ich war mir auch nicht sicher, ob sie das noch gekonnt hätte.

»O Gott, das ist ja schrecklich.«

»Und weißt du was? Eine Woche lang hab ich mein Bett im Chalet selbst machen müssen, und dann kann er mir nicht mal einen Heli schicken. Du solltest immer privat fliegen«, fügte sie ernsthaft hinzu. »Man darf nicht zulassen, dass sie einen ausnutzen.«

»Wirst du ihn heiraten?«

»Natürlich. Wir haben uns verlobt, als ich letztes Jahr schwanger wurde, aber er hat schon sechs Kinder oder so von irgendwelchen Verflossenen, deswegen hat er mir gesagt, ich soll es wegmachen lassen.«

Mitleidig berührte ich die warme Haut ihrer Schulter.

»Das ist ja furchtbar. Das tut mir wirklich leid.«

Sie biss sich theatralisch auf die aufgespritzte Lippe. »Danke.

Aber ich hab dann zur Wiedergutmachung eine Wohnung am Eaton Place bekommen, also war es am Ende nicht so schlimm.«

Sobald ich wieder angefangen hatte zu atmen, fummelte Carlotta an ihrem Handy herum.

»Hast du von dem schwedischen Mädchen in Nikki Beach gehört?«

Natürlich hatte ich von dem schwedischen Mädchen in Nikki Beach gehört. Jeder von Antibes bis Panarea hatte dieses Jahr von dem schwedischen Mädchen in Nikki Beach gehört.

»Sie schwamm schon einen Tag oder so im Pool« – fünf Stunden, zwei Tage, die Angaben waren unterschiedlich –, »bevor jemand gemerkt hat, dass sie tot war.«

»Eklig.«

»Ja, echt eklig. Die war ja schon am ...« Carlotta suchte nach dem richtigen Wort. »... am Verschimmeln.«

Carlotta hatte die Verletzlichkeit der Klassenlosen, das verstand ich. Doch ich war nicht wie sie, ich wollte mir keinen reichen Mann angeln und den Rest meines Lebens als Treibgut auf der Flut eines Euromillionärs verbringen. Sich so anzuziehen, als gehörte man zu diesen Mädchen, war wieder etwas ganz anderes. Steve war vielleicht nicht der tollste Hecht von Mayfair, was mir ja ohnehin ganz gut passte, aber eine seiner wenigen fixen Ideen, was Frauen betraf, war die, dass sie das Bedürfnis haben zu shoppen. Der Erwerb von Kleidung war anscheinend die höchste Berufung meines Geschlechts, und da ich klug genug war, ihn niemals auch nur um ein Eis zu bitten, ging es mir in dieser Hinsicht ziemlich gut.

Als wir durch funkelnde Brisen langsam südwärts glitten und der Juli unmerklich in den August überging, fragte mich Steve bei jedem Anlegen, ob ich nicht ein paar Sachen einkaufen müsse, und dann drückte er mir feierlich einen Stapel Banknoten in die Hand. Anfangs war ich vorsichtig und gab nur wenig aus, sodass ich zumindest noch anbieten konnte, ab und zu unsere Drinks und Restaurantbesuche zu bezahlen, doch nach ein paar Tagen schien es mir nicht mehr relevant. Also kaufte ich teure Dinge, die ich mir nie wieder würde leisten können: so viele Kaschmirteile in sämtlichen Farben des Regenbogens, dass es ein Leben lang reichen würde, einen Vuitton-Regenmantel, eine perfekte kastanienbraune Prada-Tasche aus Krokodilleder. Ich erhaschte einen Blick auf mich in den Boutiquenfenstern oder den glatten Glasflächen am Hafen, gebräunt mit schlichtem weißen T-Shirt und abgeschnittener Jeans, die Haare nachlässig mit einem Dolce&Gabbana-Schal hochgebunden, während ich die Einkaufstaschen mit meiner Beute schwenkte. Dann fragte ich mich, ob ich eigentlich überrascht sein sollte angesichts meiner Metamorphose. Aber das war ich nicht. Ich schaute ins Wasser und sah dort endlich mich selbst.

Philip Larkin hat einmal wehmütig von einer Welt geschrieben, in der Schönheit ein akzeptierter Slangausdruck für »Ja« ist. Ficken kann ein sehr unkompliziertes Vergnügen sein, so alt und elementar wie der salzig-erdige Geschmack einer Olive oder ein Glas kaltes Wasser nach einem langen, staubigen Fußmarsch. Warum also Nein sagen? Unscheinbaren Menschen muss die Monogamie so viel leichter fallen.

Nach ein paar Wochen als Steves Pseudofreundin ging ich die Wände hoch. Wenn man so veranlagt ist wie ich, muss man lernen, die anderen zu finden, die genauso empfinden. Als Jan mich an meinem ersten Tag leicht herablassend auf der Mandarin herumgeführt hatte, hatte ich darauf geachtet, meine Aufmerksamkeit nur Steve zu schenken. Aber es hatte noch einen anderen Moment gegeben, als wir schon ein paar Tage unterwegs waren, als ich auf Deck an ihm vorbeiging und sah, wie sein Blick mich genau so verfolgte, wie Steves Blick es nicht tat.

Ich musste die Sache ein wenig ruhen lassen. Ich war nicht so blöd, dass ich nur für einen Fick meine ganzen Chancen verdorben hätte, aber es war ein Wunder, dass Tris nicht aufgefallen war, wie attraktiv Jan war, als er ihm seine Lohnsteuerkarte übergab – er sah einfach unverschämt gut aus. Breite Schultern, schmale Taille, Augen, so tief und blau wie ein Fjord, eingerahmt von dicken grauen Wimpern wie bei einem Zeichentrickesel. *Caveat emptor:* Ich würde mich nicht beschweren. Eines Nachmittags, als wir durch den Maddalena-Archipel glitten, fragte ich Steve, ob er Lust auf ein Picknick hätte.

»Wir könnten das Beiboot nehmen und schnorcheln gehen«, schlug ich eifrig vor.

»Tut mir leid, Babe, ich hab zu tun. Lass dich doch von Tris fahren.«

»Natürlich. Ich wollte dich nicht stören.«

Ich platzte, ohne anzuklopfen, in Tristans Kabine. Er schaute gerade einen Porno auf seinem Notebook an, nur in Unterwäsche, teigig und verkatert unter seiner Sonnenbräune. Ich warf einen Blick auf Jada Stevens, die ihren berühmten kugelrunden Arsch der Kamera in der Hand des männlichen Pornodarstellers entgegenstreckte, bevor Tris den Deckel gereizt zuschlug.

»Steve hat gemeint, dass du mich vielleicht zum Schnorcheln fährst?« Ich legte genug verwöhnte Launenhaftigkeit in meine Stimme, um ihn noch weiter zu reizen.

»Tut mir leid, Lauren, mir geht's heute auch nicht so gut.« Was er eigentlich sagen wollte, war: »Verpiss dich!« Es war eine richtige kleine Machtprobe.

»Ich will aber unbedingt«, schmollte ich.

»Dann soll dich eben einer von der Besatzung im Beiboot rausfahren.«

»Tolle Idee! Danke«, zwitscherte ich fröhlich. »Ich hoffe, es geht dir bald besser.«

»Jaja. Bis später.«

Jan wischte gerade das Deck, als ich kam. In der Hinsicht war er sehr skandinavisch: Er scheute sich nicht, sich die Hände schmutzig zu machen. Trotzdem sah es aus, als wäre er ganz froh, eine Ausrede zu haben, um seinen Mopp aus der Hand zu legen.

»Tris hat gesagt, du fährst mich vielleicht zum Schnorcheln? Bitte, Jan!«

Er stand langsam auf, mit seinen ganzen himmlischen eins neunzig.

»Zum Schnorcheln?«

»Bitte. Er hat gesagt, wir können das Beiboot nehmen.«

»Okay. Die anderen kommen schon allein zurecht. Ich sag ihnen kurz Bescheid und hol meine Sachen. Kannst du in zehn Minuten abmarschbereit sein?«

»Perfekt. Danke.«

Die Gischt stach auf der Gesichtshaut, als wir uns von der Mandarin entfernten, auf eine der winzigen, kahlen Inselchen zu. Jan lenkte das Boot, ich legte mich auf die Polster und ließ eine Hand ins schäumende Wasser baumeln. Ich trug abgeschnittene Jeansshorts, ein weißes Fernandez-Bikinitop und einen schlabbrigen Strohhut, um den ich einen Retro-Seidenschal von Pucci gewickelt hatte. Jan hatte seine Uniform gegen abgetragene kakifarbene Bermudas und ein ausgeblichenes dunkelblaues Leinenhemd getauscht, das zu seinen Augen passte. Ich hatte aus der Bordküche eine Flasche Vermentino mitgenommen, einen Korkenzieher und einen Haufen glänzender Feigen.

»Isst du gern Seeigel?«, rief Jan über den Motorenlärm hinweg.

»Ich weiß nicht.«

Er verlangsamte das Boot, bis es nur noch dahintuckerte,

und begann ins Wasser zu spähen. Wir glitten über weiße Sandhügel, und das Wasser war so klar, dass man nicht erkennen konnte, wie tief es war. Dann kamen wir zu einer Ansammlung von Felsen, die gerade eben über die Wasseroberfläche ragten und immer wieder von den Wellen überspült wurden, sodass die Flechten darauf irisierten wie Benzinflecken.

»Hier ist es gut.« Ich mochte seine Stimme, kurz und präzise, den leichten norwegischen Akzent. Es gefiel mir, dass er nicht viele Worte machte.

»Mach mal die Ankerluke auf.«

Ich krabbelte ziemlich unbeholfen über die flache Sonnenliege und machte die Klappe auf, unter der der Anker lag. Jan wendete das Boot.

»Wirf ihn, wenn ich es sage. Warte. Warte. Jetzt!«

Ich sah zu, wie der Anker ins Wasser tauchte und die Kette hinter sich herzog, während Jan das Boot weiterlenkte, bis sich die Kette spannte.

»Gut. Jetzt kannst du gleich einen Seeigel kosten.«

Zu seinen Füßen stand ein alter Leinenrucksack, aus dem er eine Taucherbrille, ein Messer und einen Handschuh aus Metallgeflecht nahm, der an einen mittelalterlichen Panzerhandschuh erinnerte.

»Leg deinen Schnorchel an. Du kannst zuschauen. Kennst du den Unterschied zwischen Männchen und Weibchen?«

Erstaunlicherweise kannte ich den nicht.

»Essen kann man nur die Weibchen. Sie sammeln kleine Muscheln und Steinchen an, um sich zu schmücken. Sie machen sich hübsch, wie Frauen.« Er hielt meinen Blick eine Sekunde zu lang fest, dann zog er sich das Hemd über den Kopf und ließ sich seitlich aus dem Boot fallen.

Ich schälte mich aus meiner Shorts und folgte ihm. Im ersten Moment fühlte sich das Wasser nach der konzentrierten Hitze auf dem Boot ganz kalt an. Ich trieb ein Stück, kam immer wieder an die Oberfläche wie ein Seestern und beobachtete Jan, wie er tauchte, mit langen Zügen in die Tiefe schwamm. Er hielt sich am Fuß des Felsens fest und bearbeitete irgendetwas Dickes, Schwarzes mit dem Messer in seiner behandschuhten Hand. Dann kam er nach oben, legte das Ding aufs Schandeck, holte tief Luft und tauchte wieder hinunter. Ich reckte den Kopf, um mir anzusehen, was er hochgeholt hatte. Es war ein fieser Unterwasserigel, dessen Stacheln sich zuckend in der Luft bewegten. Jan holte noch zwei, dann kletterten wir über die kurze Leiter neben dem Motor wieder ins Boot.

Ich machte den Wein auf, während Jan mit dem Messer die Stacheln von den Schalen ins Meer kratzte.

»Ich hab die Gläser vergessen.«

»Macht nichts.« Er nahm die Flasche und setzte sie an den Mund. Ich beobachtete, wie sich sein Kehlkopf bewegte, während er schluckte.

»Hier.«

Die gereinigte Schale war schön, in zartem Rosa und Grün gerippt. Jan stemmte das Messer in die Unterseite und spaltete den Seeigel in zwei Hälften wie eine Mango, sodass man das dunkelorange Fleisch zwischen der schwarzen Schale sah.

»Es sitzt ganz lose. Nimm es einfach mit den Fingern raus.«

»Zeig's mir.«

Er nahm ein Stück und hielt es mir hin. Ich machte den Mund auf und schloss die Augen.

»Schmeckt's?«

»Hmmm.«

Es schmeckte intensiv, schleimig und fast ein bisschen nach gut abgehangenem Wild. Ich nahm einen Schluck Wein und spürte, wie sich die Minerale auf meiner Zunge mischten. Ich lehnte mich zurück, ließ mir die Sonne aufs Gesicht scheinen und genoss das Gefühl von rohem Fleisch auf meinen Lippen.

»Mehr.«

Er fütterte mich mit dem Rest, dann fütterte ich ihn. Und dann kam der köstliche Moment, in dem sein Gesicht so nah an meinem war, dass ich die Salzkristalle auf diesen Wahnsinnswimpern sehen konnte.

Ich war feucht, bevor er mich auch nur geküsst hatte. Er ließ sich Zeit, suchte meine Zunge mit der seinen. Kreisen, Zustoßen, Kreisen. Dann setzte er sich auf den Platz hinter dem Ruder und schaute mich an.

»Willst du jetzt ficken?«, fragte er.

»Ja, ich will jetzt ficken, Jan.«

So viele verschiedene Wendungen in meinem Leben hatten mich hierhergeführt. Ich wusste, dass ich vielleicht nie wieder frei sein würde, dass James' Arme sich immer noch tödlich um mich schlingen konnten, um mich wie eine Sirene in die Tiefe zu ziehen. Doch für ein paar Augenblicke konnte ich frei sein, konnte die Zeit anhalten.

Ich sah ihn unverwandt an, während ich mich rücklings in die Polster sinken ließ. Ich hielt seinen Blick fest, als ich mein Bikinitop aufmachte und neben mich fallen ließ. Er senkte sein Kinn in einer winzigen Geste der Zustimmung. Ich zog die Bänder an der Seite des Bikinislips auf, nahm ihn ab und legte ihn zum Oberteil.

»Zeig sie mir.«

Langsam, ganz langsam öffnete ich meine Schenkel. Von seinem Platz aus war meine Möse auf der Höhe seiner Augen. Ich schob mir den rechten Mittelfinger in den Mund, fuhr mir damit zwischen den Brüsten nach unten, über den Bauch und zwischen meine Beine. Als ich den Finger in mich gleiten ließ, war er mit meinem glitschigen Saft überzogen. Jan stand auf, vorsichtig auf dem schwankenden kleinen Boot. Er hatte einen schönen Schwanz, dick an der Wurzel, die gespannte Spitze so straff wie Moiré-Seide.

»Dreh dich um. Ich will deinen Arsch sehen.«

Ganz kurz hatte ich Jada Stevens vor Augen, bevor ich auf alle viere ging. Er legte mir eine Hand zwischen die Schulterblätter und drückte mich nach unten, sodass mein Hintern sich ihm entgegenbog. Dann ließ er seine Finger in mich gleiten.

»Beweg dich. Ich will deine Hüften sehen.«

Ich drückte mich auf seine feste Hand und beschrieb eine langsame Acht. Es fühlte sich so gut an, dass ich schon dachte, ich könnte allein davon kommen. Ich drehte mich zu ihm um und nahm seine Eichel in den Mund, ließ sie tief in meine Kehle gleiten und dort einen Moment ruhen. Sie pochte. Ich lutschte seinen Schwanz und ließ meine Fingernägel dabei über seine strammen Eier spielen. Dann zog ich mich zurück, schaute ihm in die Augen und gewährte ihm einen Blick auf seine geschwollene Eichel an meinen Lippen.

»Fick mich. Ich will, dass du mich fickst.«

Er kniete sich hinter mich, vergrub seine Finger noch einmal in meiner Möse und spreizte sie dabei leicht.

»Beweg dich. Beweg deinen Arsch. Genau. Zeig ihn mir. Ja, los, das törnt mich an. Beweg ihn weiter so.«

»Gib mir endlich deinen Schwanz.«

Ich fing die Spitze zwischen meinen Schamlippen und manövrierte sie in mich hinein, dann hielt ich inne und spannte meine Muskeln an.

»Nicht bewegen«, sagte ich, ging ganz leicht nach vorn und ließ ihn kurz los, um ihn gleich wieder in mich aufzunehmen. Ich ließ die Hüften kreisen und nahm ihn dabei jedes Mal tiefer auf, bis ich seine Eier an den nassen Lippen meiner Möse spürte.

»Schneller!«

Er packte mich an den Hüften, zog mich so fest an sich, dass ich aufkeuchte, und begann, mich zu bearbeiten.

»Ja, das ist absolut perfekt! Nicht aufhören.«

»Das gefällt dir. Magst du es hart?«

»Ja. Ich mag es hart. Bitte – nicht – aufhören.«

Das Boot schaukelte wie verrückt, eine Welle machte uns beide nass. Ich spürte mein feuchtes Haar schwer auf dem Rücken. Er packte es und zog meinen Kopf so nach hinten, dass sich mein Rückgrat noch stärker durchbog. Sein Schwanz traf genau auf die richtige Stelle, und als ich meinte, gleich zu kommen, flehte ich ihn an, noch fester zuzustoßen.

»Jetzt. Komm mit mir, spritz ab. Ich will, dass du mich überschwemmst.«

Er klatschte mir mit der Hand auf den Arsch, als er kam, und das war der letzte Millimeter, den ich brauchte, das und die kurzen Stöße seines Schwanzes, während er drei üppige Ladungen Sperma in mich pumpte. Ich schrie auf und rieb meine Möse an ihm, dann fielen wir beide nach vorn, und er landete mit seinem ganzen Gewicht auf meinem Rücken, während das Boot langsam, aber sicher ausschaukelte.

Danach verschlangen wir gierig die Feigen und tranken noch mehr Wein, und er fragte mich, ob ich noch mal wollte, und das wollte ich, diesmal war ich oben. Seine Hände umklammerten meine seitlichen Bauchmuskeln und ließen mich auf und ab reiten, wobei ich meine Klit streichelte, bis ich kam und mich auf ihn fallen ließ, während sein Schwanz mich weiter von unten bearbeitete, bis er auch so weit war. Dann stieß er mich zurück, kniete sich zwischen meine kraftlosen Schenkel und spritzte mir alles über den Mund. Ich leckte mir seinen Saft von den Lippen. Salzig, schleimig, mineralisch. Danach schliefen wir eine Weile Hand in Hand in der Sonne, und schließlich wurde es Zeit, zum Schiff zurückzufahren.

Es war eine großartige Matinee gewesen, aber ohne es auszusprechen, wussten wir beide, dass es keine Abendvorstellung geben würde. Ich wusste, dass Jan nichts ausplaudern würde. Den Rest meiner Zeit auf der Mandarin sprachen wir kaum ein Wort miteinander, und das war auch völlig in Ordnung so.

12. Kapitel

Die sommerliche Migration auf dem Mittelmeer bewegt sich in einem Rhythmus, der so geheimnisvoll ist wie der einer fliegenden Gänseschar. Wenn das Gerücht geht, dass ein Promi gesichtet wurde, eine Kate oder ein Kanye, werden die sperrigen Kähne der Reichen ebendiese Bar oder ebendiesen Strand ansteuern, die auch nicht anders aussehen als die anderen Bars und Strände. Der Besitzer wird die Preise auf der Tafel flugs verdreifachen, und eine Woche lang werden die Gäste von dem flüchtigen Feenstaub des imaginären Ruhms glitzern. Von dem Wissen, dass dieser Ort – und nur dieser – der letzte Schrei ist. Dann wird das nächste Gerücht über die Wellen tanzen, und die unhandlichen Yachten werden die nächste vergebliche Verfolgung aufnehmen, während die Einheimischen zurückbleiben wie die Hyänen, die sich an den Überresten des Festes gütlich tun.

Dieses Jahr war es das Giacomo's in der Nähe von Gaeta, einer Barockstadt an der Küste südlich von Rom. Im neunzehnten Jahrhundert hatte Papst Pius IX. das Dogma der Unbefleckten Empfängnis verkündet, nachdem er in der Goldenen Grotte der Kirche Santissima Annunziata meditiert hatte. Tris verkündete unsere Dinner-Reservierung mit ähnlicher Ehrfurcht. Als wir die holprige Kopfsteingasse vom Hafen zum Restaurant emporgingen, lag ein Hauch von Geheimnis in der Luft. Bevor die Nacht vorbei war, würde bestimmt jemand auf einem Tisch tanzen. Das Giacomo's bot eine bezaubernde Aussicht über die Bucht: Auf einer Landzunge, die hinter der Stadt aufragte, hatte man eine dramatische Terrasse gebaut, über einer Klippe, die mit cremegelbem Jasmin bewachsen war und für einen fliegenden Duftteppich sorgte.

Nachdem wir am Thunfischtartar und dem gegrillten Zackenbarsch mit Fenchel herumgespielt hatten (wenn ich noch mal einen Zackenbarsch sehen muss, werde ich mir eine Gabel ins Auge rammen), nahm Steve mich beiseite, um sich mit mir den Hafen und die massive Festung der alten Könige von Aragon anzuschauen.

»Macht es dir Spaß?«, fragte er pflichtschuldig.

»O ja, mein Schatz, es ist wunderschön. Gefällt es dir auch?«

»Natürlich«, erwiderte er wenig überzeugend.

Steve mochte absolut desinteressiert an Menschen sein, aber ich konnte mir das nicht leisten. Ich musste mit dem wenigen arbeiten, was ich hatte, und das bedeutete, dass ich auf die winzigsten Veränderungen in dieser seltsamen neuen Welt achten musste, um herauszufinden, wo in ihrem Geflecht ich letztlich Fuß fassen konnte. Ich ließ die Augen über das Panorama wandern und suchte nach etwas, was Steve freuen könnte.

»Da ist das Schiff von Balensky.«

Ich hätte ihm keinen größeren Gefallen tun können, wenn ich verkündet hätte, dass der Rubel ins Bodenlose gefallen sei.

»*Der* ist hier?«

»Ich denke, ja. Zumindest sein Boot ist hier. Das hab ich damals in Cannes gesehen.«

Ich hatte Steve noch nie so nervös erlebt. Er wurde ganz unstet und fummelte an seinem Handy herum, seinem ewigen Schnuller.

»Ich will ihn kennenlernen«, erklärte er.

»Warum?«

»Nicht hier. Später, wenn wir zum Boot zurückfahren.«

Ich war fasziniert, was in Steves Gesellschaft nicht allzu oft vorkam, aber ich hielt den Mund, bis wir sicher in seinem Schlafzimmer waren. Ich trug nur einen Slip, als ich mich bückte, um meine Lanvin-Wedges aufzumachen, und in diesem Moment fiel mir auf, dass ich aufgehört hatte, mir Gedanken darüber zu machen, ob Steve mich anschaute oder nicht. Wir hätten auch verheiratet sein können. Ich schlüpfte in eine bestickte Kurta von Antik Batik, setzte mich aufs Bett und klopfte neben mir auf die Matratze.

»Also, worum geht es?«

»Ich brauche Informationen.«

»Und du willst, dass ich sie dir beschaffe?«

Natürlich wollte er das, und natürlich war es absolut nicht in Ordnung. Und auf einmal erkannte ich, mit derselben jähen Klarheit wie damals am Hafen von Portofino, dass ich mich hatte treiben lassen, ein Tag nach dem anderen war weggeglitten. Vielleicht hätte ein Psychiater von einem verzögerten Schock gesprochen, aber ich sah es lieber als eine Zeit, in der ich zu meinem wahren Ich gefunden hatte. Steve hatte mich noch nie um etwas gebeten. Aber diese Sache konnte ihn verletzlich machen, sodass er in meiner Schuld stand. Es war ein Wendepunkt, meine Chance, das Spiel zu verändern. Bis jetzt war ich auf dieser Reise nur Passagier gewesen, aber jetzt überlegte ich, ob ich mich langsam doch als Mitspieler fühlen sollte.

»Steve, du bittest mich um etwas absolut Illegales.«

»Wem sagst du das?«

Ich setzte mich auf. »Erzähl mir mehr darüber. Schließlich ist es gut möglich, dass ich es irgendwann einem Richter erzählen muss. Warum brauchst du das?«

Steve wirkte müde. »Es ist nur ... er ist hier, in Italien. Ich wollte was überprüfen, etwas, was mir zu Ohren gekommen ist, das ist alles.«

»Und was ist das?«

»Das erzähl ich dir, wenn ich es weiß.«

»Na gut«, sagte ich vorsichtig. »Als Erstes muss er wissen, dass du auch hier bist. Wenn nötig, twitter es.«

»Ich twittere aber nicht.«

»Na gut, dann sag Tris, er soll seinen Assistenten anrufen.«

»Und was soll er sagen?«

O Gott. Ich griff nach meinem Smartphone und googelte Balensky. »Er sammelt Kunst«, sagte ich und hielt Steve das Display vor die Nase. »Genau wie du«, fügte ich ermutigend hinzu. »Tris soll sagen, dass du ihn gerne über Kunst ausfragen würdest, das wird ihm schmeicheln.«

»Großartig.«

Was du nicht sagst, Sherlock. Ich holte tief Luft und schlug ein paar Verbesserungen von Steves Plan vor. Um unseren Handel auszugleichen, brauchte ich Wissen, ganz zu schweigen von einem Köder. Steve schien ziemlich beeindruckt von meiner Lösung.

Es war ein schlichter Trick, aber er funktionierte genau so, wie ich gehofft hatte. Am nächsten Nachmittag kam Steve zu mir ins Tauchbecken.

»Hast du ein Abendkleid, Lauren – du weißt schon, was Langes?« Ich war seit einem Monat auf der Yacht, und das Einzige, was ich noch nicht gekauft hatte, war ein Abendkleid.

»Nicht in meinem Reisegepäck. Warum, Schatz?«

»Wir sind zu einem Dinner eingeladen.« Wie immer verfolgte Steve mit halbem Auge Bloomberg TV auf dem Flatscreen, der ein Stück über der Wasseroberfläche montiert war. »Abendkleidung«, fügte er griesgrämig hinzu.

»Wo?«

»Auf Balenskys Schiff.« Er zog eine Augenbraue hoch, wahrscheinlich dachte er, dass das eindrucksvoll aussah.

Ziel erreicht.

»Wir treffen ihn morgen, bei Ponza.«

»Klingt doch großartig.«

Ich spürte förmlich, wie Carlotta auf dem Sonnendeck über uns die Ohren spitzte. Vielleicht auch ihre Titten. Ihre Nippel hatten wahrscheinlich einen eingebauten Oligarchenradar. Ich drehte mich um und schwamm ein paar Züge, um ihn einzuholen.

»Ich könnte mir ja was kaufen.«

»Ja, du brauchst was richtig Schickes. Tris soll sich drum kümmern.«

Carlottas schmollendes Gesicht erschien über dem Geländer. »Ich hasse dich«, formten ihre Lippen lautlos. Sie war zu einem romantischen Dinner mit ihrem Liebsten verdammt.

»Du wirst schon drüber wegkommen, Cinderella!«, rief ich. »Heute ist dein Glückstag. Wir gehen shoppen.«

Wie alle charmanten Fischerdörfer, an denen wir auf unserem Weg an der Küste vorbeigekommen waren, nahm auch der Hafen von Ponza – ein winziger Sandstreifen auf der Insel, auf die die Römer zum Spielen kommen – die Sache mit dem Fischen noch allzu wörtlich. Die meisten von den maroden ockerfarbenen und gelben Häuschen waren Zweitwohnsitze, die Millionen Euro wert waren. In manchen von ihnen wurde die Wäsche noch vor dem Fenster aufgehängt, und alte Damen schauten friedlich aus der Tür. Vielleicht zahlte die Regierung ja Schauspielerinnen, um dem Ort ein wenig Farbe zu verleihen. Und noch der verschlafenste Dorfplatz beherbergte eine Boutique oder zwei, in der die Frauen des nomadisierenden Stammes der Euro-Millionäre ein kleines Opfer darbringen konnten. Ich zog Carlotta in den nächsten Laden, in dessen Schaufenster mehrere Tausend-Euro-Bikinis von La Perla lagen.

»Du brauchst ein Kleid«, erklärte ich. »Heute Abend bist du Steves Freundin.«

»Ein Dreier, meinst du?« Ich hatte nicht den Eindruck, dass ihr so ein Ansinnen besonders neu war.

Ich musste mich beherrschen, nicht ungeduldig die Augen zu verdrehen. »Nein, nur für diese Party. Du musst nichts anderes tun, als hingebungsvoll zu schauen. Na, wie wär's?«

»Und Hermann? Dem wird das nicht gefallen.«

»Tris bringt das schon in Ordnung. Hermann wird sich gut amüsieren, keine Sorge.«

Carlotta suchte sich ein bodenlanges Marc-Jacobs-Kleid mit winzigen Spaghettiträgern aus, in dem ihre Brüste noch absurder der Schwerkraft trotzten als je zuvor. Mit offenen Haaren und schlichtem Schmuck würde sie aussehen wie eine Fellini-Göttin. Ich suchte mir ein langärmliges goldenes Lurexkleid im Vintage-Stil aus, das vorne wesentlich geschlossener, hinten jedoch ausgeschnitten war bis zum Steißbein. Wir fanden nudefarbene Pythonleder-Sandalen von Giambattista Valli für uns beide – ich ging davon aus, dass ein Dinner mit Abendkleidung dem schuhlosen Unfug der letzten Wochen ein Ende setzen würde – und zwei Python-Clutches von Fendi, smaragdgrünsilbern für Carlotta, pink-golden für mich. Carlotta beobachtete abschätzig, wie ich über siebentausend Euro in Fünfhundertern hinblätterte.

»Steve mag dich wirklich gern.«

»Vielleicht.«

»Egal. Du musst dir nur immer gute Sachen kaufen, die du hinterher behalten kannst.«

Bevor wir zur Mandarin zurückgingen, hielten wir kurz beim Café und verschlangen zwei *pizzette* und ein *gelato affogato*, das in Bailey's und Espresso schwamm. Carlotta zwickte sich in eine Hautfalte über dem Ellbogen.

»Ich muss ständig hungern. Hermann hasst es, wenn ich

esse, aber zwei Krabben und ein Stück Wassermelone sind nun wirklich kein Mittagessen, weißt du? Ich schwör dir, wenn ich alt bin, werde ich richtig Fett ansetzen!«

Als wir am Abend ins Beiboot stiegen, spielte Carlotta ihre Rolle richtig gut. Sie hielt Steve am Arm und zupfte an seinem Kragen herum. Er sah tatsächlich ziemlich gut aus in seinem Smoking, obwohl er in letzter Sekunde trotzig den Schlips wieder abgenommen hatte. Ich zischelte Carlotta zu, dass sie ihren Verlobungsring abnehmen sollte, und sie schmiss ihn in ihre Fendi. Sie hätte ihn auch ungerührt ins Meer geworfen, dachte ich, wenn sie eine Chance gesehen hätte, dass ihr Method Acting irgendwelche realen Früchte tragen könnte. Hermann war von Tristan diplomatisch zu einem Tauchausflug gekarrt worden, ein nächtlicher Tauchgang zu irgendwelchen berühmten, unzugänglichen Unterwasserhöhlen, von dem Carlotta leider ausgeschlossen bleiben musste, weil sie ihren PADI-Tauchschein nicht hatte. Vielleicht sollte ich den lieber auch mal machen.

»Hast du das von dem Vater und seinem Sohn gehört, letztes Jahr auf Capri? Die sind quasi stecken geblieben, und der Vater musste sich entscheiden, ob er sich selbst rettet und den Sohn sterben lässt oder ob er mit ihm stirbt, und dann …«

»Du lieber Gott, Carlotta«, unterbrach ich sie, »wenn ich dich so höre, habe ich manchmal das Gefühl, ich mache Urlaub mit Edgar Allan Poe.«

Sie schaute mich verständnislos an.

»Vergiss es. Du siehst großartig aus. Wir werden uns prima amüsieren.«

Die Fahrt dauerte eine Weile, denn Balenskys Schiff ankerte weiter draußen, in tieferem Wasser. Fünf Decks ragten über uns auf, das Fahrzeug hatte die Ausmaße eines Einkaufszentrums. Es war so riesig, dass wir unten hineinfahren und anlegen konnten, um dann in einen mit Kupfer ausgekleideten Aufzug geführt zu werden, der uns im Handumdrehen an Deck beförderte. Seit ich auf der Mandarin war, hatte ich mehrmals Momente erlebt, in denen ich meine Umgebung am liebsten angehalten hätte, um mich umzuschauen und ungläubig daran zurückzudenken, wie es sich anfühlte, meine Aktentasche in der Piccadilly Line herumzufahren. Dies war mal wieder einer dieser Momente.

Das größte Deck war mit Girlanden aus rosa Orchideen geschmückt, die man um Geländer und Treppen gewunden hatte. Kugeln aus duftenden rosa Rosen bildeten einen Gang, an dem die Kellner mit Magnumflaschen von Krug Rosé standen. Carlotta und ich verzichteten dankend auf die gegrillten Brotscheiben mit Trüffelkaviar und Tomatenconfit und die winzigen Tellerchen mit rosa Hummerbolognese. Balensky wartete am Ende des Ganges, in einem mitternachtsblauen Samtjackett mit Schulterpolstern, das wirklich sein Bestes gab, um zu vertuschen, dass der Mann praktisch ein Zwerg war. Seine fahle Haut hing ihm in Lappen von der gebotoxten Stirn, auf der sorgfältig ein paar Strähnen von befremdlich hennarotem Haar befestigt waren. Vielleicht war das das Einzige, was man mit Geld nicht kaufen konnte, dachte ich. Egal, wie viel man ausgab, ein restaurierter Skalp sah immer noch aus wie eine Nuklearkatastrophe. Ich schätzte Balensky auf Mitte achtzig, aber sein Gesicht war auf ganz zeitlose Art boshaft. Er hatte wahrscheinlich auch eine Frau und Kinder, die er irgendwohin abgeschoben hatte, obwohl mutige Stimmen im Web behaupteten, dass er in seiner renovierten römischen Villa bei Tangier Partys gab, auf die nur Jungs eingeladen waren. Balensky schüttelte Steves Hand mit der enthusiastischen Pumpbewegung, wie sie Politikern eigen ist, dann beugte er sich über Carlottas Handgelenk, als Steve sie ihm vorstellte. Ich als zusätzliche Freundin hielt mich im Hintergrund, aber ich achtete darauf, meine

Hüfte ein wenig zu drehen, sodass er bei meiner Begrüßung meinen nackten Rücken sehen konnte.

»Danke, dass Sie gekommen sind. Schön, Sie zu sehen.«

»Danke für die Einladung. Was für wunderschöne Blumen.«

Doch seine Augen waren schon anderswo. Ich trat zurück, damit er die nächsten Gäste begrüßen konnte. Hinter Balensky, im Schatten der Treppe, standen zwei riesenhafte Männer mit dem Körperbau von American-Football-Spielern und verschränkten Armen. Sie trugen schlecht sitzende schwarze Anzüge (warum knausern Milliardäre eigentlich immer bei den Anzügen ihrer Bodyguards – ein fähiger Schneider wäre doch sicher in der Lage, die versteckten Waffen zu kaschieren?) und hatten einen Knopf im Ohr. Als ich sie sah, spürte ich, wie die köstlich-eiskalte Liebkosung des Adrenalins in meinen Bauch sank wie der erste Schluck eines perfekten Martini.

Ich bewegte mich zurück zu meiner Gruppe und tat so, als würde ich einem Bekannten zuwinken, bis ich aus dem Blickfeld der beiden Security-Mitarbeiter verschwunden war. Dann fragte ich einen Kellner diskret nach der Damentoilette. Er führte mich langsam eine Treppe hinunter und durch einen Korridor, der mit einer Kopie des Cocteau'schen Freskos *Petrus und die Fische* in Villefranche geschmückt war. Er öffnete mir die Tür, ich schloss mich ein und wartete darauf, dass sich das Geräusch seiner Schritte entfernte. Doch seine Schritte entfernten sich nicht. Ratte. Ich zählte bis sechzig, spülte und ließ das Wasser am Waschbecken laufen, dann erlaubte ich ihm, mich zur Party zurückzubegleiten. Unterwegs zählte ich die Türen, an denen wir vorbeikamen.

Es war ziemlich einfach gewesen, sich einen Plan von Balenskys Yacht zu besorgen. Eine Mail von Steves Büro an den Bootsbauer, in der Steve andeutete, dass er sich vergrößern wolle und dabei an einen »ähnlichen« Grundriss wie den von Balenskys Boot gedacht habe, wurde von den geifernden Designern innerhalb weniger Stunden mit einer Mail beantwortet, in deren Anhang sich der Bauplan befand. Da Balenskys Schiff offenbar komplett nach den Sonderwünschen des Kunden gebaut worden war, konnten wir sicher sein, dass die Angaben ziemlich exakt waren. Seine Kabine war die dritte Tür nach dem Gästebadezimmer auf der rechten Seite, gleich auf dem ersten Korridor, wenn man die Treppen herunterkam.

Als ich wieder auf dem Deck war, sah ich, dass Carlotta sich an Steves Schulter schmiegte, während er sich mit einem korpulenten Mann unterhielt, der Diamantenknöpfe auf der gestärkten Hemdenbrust hatte und einen verächtlich dreinblickenden blonden Teenie mitschleifte, als wäre sie ein Zierpudel. Es gelang mir, mit einem der anderen Mädchen ins Gespräch zu kommen, einem südafrikanischen Bademodenmodel, das wir in Marina di Massa kennengelernt hatten. Es war der übliche Austausch, wohin wir als Nächstes fahren würden und auf welchen Partys wir gewesen waren. Ich mochte ihre Ohrringe, sie bewunderte meine Schuhe.

Bikini-Babe und ich machten weiter, bis wir zum Dinner aufs nächste Deck geführt wurden. Die Party war gar nicht mal so groß – trotz der Dekoration, die für einen Debütantinnenball im Crillon gereicht hätte, waren wir nur zwanzig Personen am Tisch. Balensky kümmerte sich höchstpersönlich um die Tischordnung und setzte mich gegenüber von Steve und Carlotta auf den zweiten Stuhl zu seiner Rechten. Die Diamantknöpfe saßen links von mir, und auf dem Ehrenplatz direkt neben dem Gastgeber saß ein italienisches Model oder auch Schauspielerin in einem bis zum Nabel ausgeschnittenen Paillettenkleid. Ich erkannte ihr Gesicht aus der *Gente*. Sie hatte eine Unterwäschelinie und war mal mit George Clooney ausgegangen. Vermutlich wurde sie für ihre Anwesenheit bezahlt, denn Balensky und sie ignorierten sich komplett.

Rechts von mir saß noch eine Freundin. Die spärlichen, abgehackten Tischgespräche spielten sich ausschließlich zwischen den Männern ab, während man uns gedünstete, mit Kaviar gefüllte Austern servierte, mit Foie gras gefüllte Wachteln und *vitello tonnato* mit Trüffelsahne. Rosa Stiefmütterchen und Blattgold zierten die Teller. Wenn die Kellner umständlich abräumten und weiter servierten, gab es immer lange Schweigepausen bei Tisch, in die sich stakkatoartige Männerstimmen mischten, aber immer nur als Reaktion auf eine Bemerkung von Balensky. Zumindest hatten wir Stühle zum Sitzen, nicht wie die armen französischen Aristokraten in Versailles, die sich in Anwesenheit des Königs nicht mal hinsetzen durften. Der Pudding war ein Rosenblütenparfait auf einem kirschroten Nitroglyzerin-Gelee, das zu einer derart realistischen Blüte geformt war, dass man das Gefühl hatte, die Dekoration zu essen. Vielleicht taten wir das ja auch. Ich war dankbar, dass ich heute mal nicht mit geistreichen Antworten an der Konversationsfront aufwarten musste. Das leise Kratzen meines Löffels auf dem Teller maß die Momente ab, die noch verstrichen, bevor ich zuschlug. Was ich gleich tun würde, war mir ein weitaus größerer Genuss als das Parfait.

Als die Kellner mit Kaffee und Pyramiden von rosa Ladurée-Macarons herumgingen und die Männer ihre Zigarren anzündeten, entschuldigte ich mich und ging auf die Toilette. Sowie ich die Treppe erreicht hatte, nahm ich meine hochhackigen Sandalen in die Hand und knotete den Rockteil meines Kleides hoch, um mich freier bewegen zu können.

Während ich hinunterging, suchte ich mit den Blicken nach den Bodyguards, die hinter Balenskys Stuhl gestanden hatten, als ich den Tisch verließ. Sie waren mir nicht gefolgt. Ich blieb kurz stehen und lauschte und stellte mich ein paar Mal auf Zehenspitzen wie eine Hochspringerin vor dem Anlauf. Dann setzte ich geduckt und wolfsartig zu einem Sprint an, die nächste Treppe hinunter und über den Korridor. Meine Augen zuckten über die Türen, ein, zwei, drei, ich schoss auf Balenskys Kabine zu wie eine Missile. Ich liebte die konzentrierte Geschmeidigkeit meiner Glieder, mein Raubtier-High. Mit klopfendem Herzen blieb ich an der richtigen Tür noch einmal stehen. Hinter mir lag der leere Korridor. Jetzt nur noch ein sanfter Druck auf die Klinke, und ich stand in der Kabine.

Sie war ganz mit weißem Teppich ausgelegt, auf dem Bett stapelten sich weiße Fuchs-Stolas. Die brauchte der alte Junge auch, denn hier drinnen war es eiskalt. Die Klimaanlage war aufgedreht bis zum Anschlag und verlieh dem Raum die Atmosphäre einer Luxus-Leichenhalle. Eine Tür neben dem Bett führte ins Badezimmer, eine andere in ein Ankleidezimmer, in dem eine ordentliche Reihe von winzigen Rumpelstilzchen-Schuhen stand, in deren Sohlen man sorgfältig gearbeitete Keile geschoben hatte, um Balensky ein wenig größer zu machen. An der hinteren Wand des Ankleidezimmers befand sich die zweite Tür, die ich bereits auf den Plänen gesehen hatte. Entweder führte sie in ein Büro oder in eine private Folterkammer. Wieder drückte ich sanft auf die Klinke und erwartete beinahe, dass ein Eispickel aus dem Spion kommen würde. Es war ein kleines Arbeitszimmer mit einem schlichten eingebauten Schreibtisch und einer Reihe von Bildschirmen wie bei Steve auf der Mandarin. Das Nokia-Handy war bereit, doch meine Hände schwitzten trotz der Kälte so sehr, dass ich befürchtete, es würde mir gleich aus der Hand fallen. Ich bewegte die Maus, und die Bildschirme erwachten zum Leben.

Fußball. Scheißfußball. Das würde Steve nicht sonderlich beeindrucken. Ich fotografierte die Monitore trotzdem, dann machte ich ein paar Aufnahmen von den Sachen, die auf dem Schreibtisch herumlagen – ein Stapel Quittungen, eine Zigarrenkiste, die ein paar hingekritzelte Notizen zur Hälfte verdeckte, eine Ausgabe des *Spectator,* bei der die Seite mit der Weinkolumne eingemerkt war. Sollte ich probieren, ob sich die

Schubladen ausziehen ließen? Es war gut möglich, dass sie alarmgesichert waren, und Balensky hatte wahrscheinlich ein Bassin mit seinem persönlichen Tigerhai für neugierige Gäste.

Irgendetwas unter meinem nackten Fuß machte ein Geräusch – ein DIN-A4-Blatt von einem billigen Schmierblock. Rasch rollte ich es zusammen und klemmte es unter den Gummizug meiner Fifi-Chachnil-Panties. Als ich versuchte, meinen langen Rock zurechtzuziehen, hörte ich eine Stimme. Eine Russisch sprechende Männerstimme. Verdammt. Was machte ich eigentlich gerade? Hatte ich denn gar nichts aus meinem Spionagespiel mit dem Stubbs gelernt?

Verrückte Bilder jagten mir durch den Kopf, alte Fotos von Balensky, wie er mit einer vergoldeten Maschinenpistole posierte, sein boshaftes Grinsen, als er einen Wohltätigkeitspreis entgegennahm, Stapel von Leichen am Straßenrand in Kriegen, von denen ich nur am Rande gelesen hatte. Doch Balensky war keine Witzfigur, er war real. Und das hier war auch real. Es würde seine Männer eine Minute kosten, mir das Genick zu brechen und mich über die Reling zu schmeißen, und wenn nur ein Bruchteil der Gerüchte zutraf, die ich über ihren Boss gelesen hatte, dann hatten sie Übung in solchen Dingen. Ertranken denn nicht ständig irgendwelche besoffenen Partygirls? Ich erstarrte, versuchte, den Atem anzuhalten, aber ich zitterte so heftig, als hätte man mich gerade in den Magen geboxt. Ich schlang die Arme um den Körper und drückte die Augen einen Moment fest zu, als könnte ich so die Angst bezwingen.

Ich dachte nach. Es gab kein Versteck außer unter dem Schreibtisch. Panisch schaute ich mich nach einer Überwachungskamera um. Der Teppich im Schlafzimmer schluckte das Geräusch der Schritte, aber ich hörte, wie die Badezimmertür aufging. Scheiße Scheiße Scheiße. Lieber Kleiderschrank als Arbeitszimmer. Ich riskierte es und rannte in den Ankleideraum, während die Bodyguards im Bad in den Abfluss spähten. Sie konnten jeden Moment hier sein. Ich riss meinen Slip herunter und schob ihn in meine Tasche, den Zettel stopfte ich in meine halb leere Zigarettenschachtel.

Als der erste Bodyguard die Tür zum Ankleideraum öffnete, entdeckte er mich, nackt bis auf meine Valli-Sandalen. »Schatz!«, keuchte ich und vergrub mein Gesicht an seiner breiten schwarzen Brust. »Ich dachte schon, du würdest gar nicht mehr … oh! O Gott! Entschuldigen Sie!«

Wir tauschten einen langen Blick. Ich zwang mich, seinem Blick standzuhalten. Wenn er amüsiert war, würde ich überleben. Wenn nicht, war ich mehr als bereit zu betteln. Er sagte etwas, und der zweite Mann trat neben ihn. Beide schauten mich mit einer Miene an, die Langeweile mit tödlicher Bedrohung verband.

»Was tun Sie in Mr Balenskys Schlafzimmer?«

»Ich warte auf Mr Balensky«, antwortete ich, so hochmütig ich konnte, was gar nicht so einfach ist, wenn man nichts anhat außer Fünfzehn-Zentimeter-Stilettos.

»Hatte er gesagt, Sie sollen kommen?«

»Nicht ganz. Ich … ähm … ich wollte ihn überraschen.«

Der zweite Mann übersetzte für den ersten. Beide lachten. Ich atmete durch und hatte dabei das Gefühl, als hätte ich stundenlang die Luft angehalten.

»Bitte, Miss. Iste nicht erlaubt, in Mr Balenkys Schlafzimmer sein.«

Gott sei Dank, sie waren höflich. Ich nahm an, dass so etwas ständig passierte.

»Haben Sie Telefon?«

Ich öffnete meine Fendi-Clutch und reichte ihnen mit Unschuldsmiene mein iPhone.

»Ich prüfe Telefon. Sie bleibe hier mit Kollege. Iste Telefon okay, wir sage nix zu Mr Balensky. Okay, Miss? Jetzt machen Sie Telefon auf.«

Ich gab meine PIN ein, er zog die Tür hinter sich zu und ließ mich mit seinem Kollegen allein. Es war ziemlich beengt im Ankleidezimmer, aber für das, was man von mir erwartete, brauchten wir auch nicht viel Platz.

Nachdem ich mir den Mund an einer von Balenskys gestärkten Turnbull&Asser-Manschetten abgewischt hatte, zog ich mein Kleid wieder an, und wir setzten uns nebeneinander aufs Bett. Nachdem wir ein paar Minuten der Klimaanlage zugehört hatten, brachte er ein »Gefällt Ihnen Party?« zustande.

»Ja, danke. Eine sehr schöne Party.«

Nummer zwei tauchte wieder auf und warf mir mein iPhone und die Tasche zu. Noch ein Satz auf Russisch, in dem die Silben »Shylucha« irgendwie nach »Schlampe« klangen.

»Telefon iste okay.«

»Gut. Okay.« Warum redeten wir hier eigentlich, als wären wir bei den *Sopranos*?

»Jetzt gehen Sie zurück zu die Party. Böses Mädchen!« Er drohte mir mit dem Finger.

Zwei Minuten später war ich wieder auf dem Oberdeck, mit gekämmten Haaren und normalisiertem Puls. Ich bat einen Kellner um einen Brandy Alexander, um mir den Geschmack aus dem Mund zu spülen. Dann trat ich mit meinem Glas an die Reling und beobachtete eine Weile die Wellen. Es hat auch seine Vorteile, wenn man als Kind gemobbt wurde. Schließlich hacken die anderen nur auf einem herum, weil man besonders ist, wie uns jede hässliche Erinnerung im Nachhinein triumphierend bestätigt. Man wird isoliert, aber man wird auch hart wie Stahl. Ich hatte gelernt, meinen Rücken auf eine ganz besondere Art zu strecken und die geflüsterten Sticheleien zu ignorieren. Ich hatte sogar eine Art Vergnügen an ihrem Spott gefunden und mir eingeredet, dass mich diese Schikanen anders machten als die anderen. Vielleicht hätte mir ein Psychologe dieses Geständnis entlocken können, aber ich hatte weder das

Geld noch das Interesse für eine Therapie gehabt, denn das Wissen um den Schmerz war im Laufe der Zeit eine Quelle des Trotzes geworden und eine Quelle – auch wenn es mir peinlich war, dieses Wort auch nur zu denken – der Stärke. Ich konnte Dinge aushalten, die andere nicht aushielten, und das bedeutete letztlich, dass ich sie auch tun konnte.

So oder so, es hätte schlimmer enden können. Der Bodyguard hätte schließlich auch einen Fick verlangen können. Zwar war sein Schwanz genauso winzig, wie ich mir den von seinem Boss vorstellte, doch es hätte schnell ein bisschen ungemütlich werden können, nachdem ich mir schon das zweite Handy da unten reingestopft hatte.

13. Kapitel

Humor lag Steve genauso wenig wie Emotionen, aber selbst er konnte die lustige Seite der Geschichte erkennen. Natürlich konnte ich ihm nichts erzählen, bis Carlotta widerstrebend wieder ihren Platz an Hermanns Seite eingenommen hatte. Dann kuschelten wir uns in Steves Bett und lachten, bis ich mir fast in die Hose machen musste.

»Nur fürs Protokoll«, japste ich, »möchte ich angemerkt haben, dass man mir nicht vorwerfen kann, ich könnte fürs Team nicht auch mal was schlucken.«

»Hast du es abgewaschen?«

»Igitt, natürlich!« Ich warf es ihm zu. »Jetzt bist du mir aber wirklich was schuldig.«

»Du bist echt gut. Dass du dran gedacht hast, zwei Telefone mitzunehmen. Er hat überhaupt nichts gemerkt.«

»Wenn sie das Telefon gefunden hätten, kann ich mir gut vorstellen, was Balensky mit uns dreien gemacht hätte. Diese Leute verstehen echt keinen Spaß.«

»Glaub mir, ich bin dir wirklich dankbar.« War er nicht, er war nur ungeduldig.

Ich ging duschen, während Steve das Telefon anschloss. Als ich zurückkam, sah man auf dem Display das Bild der Notizen, die ich unter der Zigarrenkiste gesehen hatte. Er drehte sie hin und her, zoomte sie heran und wieder weg.

»Und, findest du irgendwas?«

»Nein.« Er klang gereizt, was mir Sorgen machte.

»Ich hab aber alles mitgenommen, ich bin absolut sicher. Alles, was der auf seinem Computer hatte, waren die Nachrichten von den Spielertransfers in der Premier League.«

»Da ist aber nichts.«

»Komm, du hast schließlich auch nicht riskiert, dir von diesem Lenny den Hals brechen zu lassen.«

»Von wem?«

»Vergiss es.«

»Egal, Lauren. Verdammt.« Er griff nach seinem Handy. »Ich muss jetzt ein paar Leute anrufen.«

In seiner Stimme lag eine Härte, die ich noch nie zuvor gehört hatte, tatsächlich hatte ich Steve noch nie so ausdrucksvoll erlebt. Die abstrakten Geldspuren mochten für ihn ein Spiel sein, aber es war ein Spiel, das er um jeden Preis gewinnen wollte.

»Warte, da war noch was, ein Zettel. Ich hol ihn schnell.«

Ich kippte den Inhalt meiner winzigen Fendi-Tasche auf die Bettdecke. Zigaretten, Feuerzeug, Lipgloss, Kamm, Pfefferminz, ein schwarzer Slip aus Seidenchiffon und der zerknitterte Zettel, den ich eilig in die Zigarettenschachtel gestopft hatte.

»Hier ist er. Bitte.«

Steve las ihn langsam, und währenddessen verschwand die ganze Anspannung von seinem Gesicht.

»Lauren, du bist ein verdammtes Genie. Wo hast du den her?«

»Der lag auf dem Boden neben dem Schreibtisch. Ich hatte nicht das Gefühl, dass er den Zettel vermissen würde – bestimmt hätte das Zimmermädchen ihn beim Saubermachen weggeworfen. Was ist das denn?«

Selbstverständlich hatte ich die Notiz schon gelesen. Ein Name, ein Datum – zwei Tage ab heute – und ein Fragezeichen, hastig mit Kugelschreiber hingekritzelt.

»Das Rivoli. Eine Hotelkette. Er will sie kaufen. Jetzt muss ich wirklich ein paar Leute anrufen. Danke, Süße.« Steve ging hinaus und schrie nach Tris.

Dieser ganze Mantel-und-Degen-Wahnsinn also für ein bisschen Insiderhandel. Wenn ich nicht nachgelesen hätte, was für Strafen auf so etwas stehen, hätte ich verstehen können, warum Steve so aus dem Häuschen war. Aber wenn er nicht ins Gefängnis ging, würde er ganz gewaltig Kohle machen, und auch wenn ich ihn wohl mit Recht um einen Anteil bitten konnte, war da noch etwas anderes, was er für mich tun konnte. Es war nützlich, dass auch die finanziellen Meister des Universums so wenig raffiniert waren, wenn es um ihre schmutzigen kleinen Geheimnisse ging.

Was ich auch noch entdeckte, während die Mandarin vor Ponza ankerte, war James' Todesanzeige. Ich fand sie in der Onlineausgabe der *Times,* ohne Foto, wahrscheinlich aus Respekt vor der Familie, aber James' Frau Veronica wurde erwähnt. Er hieß Rhodes, wie Cecil Rhodes. Seinen Nachnamen hatte ich nie bewusst gehört. JR, genau wie ich. Das hätte ich als Zeichen deuten können. Diverse Wohltätigkeitsorganisationen wurden aufgezählt, für die er gespendet hatte, die Bank wurde genannt, für die er gearbeitet hatte, man erfuhr, dass er für die elitäre Harrow School in der Herrenmannschaft gespielt hatte, was ich mir so gar nicht vorstellen konnte, dass er eine Tochter namens Flora hinterließ und dass in einem Monat ein Gedenkgottesdienst stattfinden sollte. Dreiundsechzig war er geworden, in Anbetracht der Umstände gar nicht mal schlecht. Im Nachruf stand nur, dass er auf einer Geschäftsreise einen Herzinfarkt erlitten hatte, aber es machte mich trotzdem nervös. Ich sperrte mich im Badezimmer ein und holte die Loro-Piana-Tasche mit den Ziernähten hervor, in der ich meine persönlichen Sachen aufbewahrte. Ich hatte immer noch um die achttausend Euro von James' Bargeld und außerdem das, was ich bei meinen Shoppingausflügen abgesahnt hatte – insgesamt ein paar Tausend Euro. Ich hatte einige Male etwas von meinem englischen Konto abgehoben, kleine Summen, um die Illusion aufrechtzuerhalten, dass ich Urlaub machte. Aber ich konnte ja nicht für immer auf dem Schiff bleiben. Steve hatte die Idee mit der Freizeit wohl auch langsam ein bisschen über und brannte darauf, wieder so richtig Geld zu machen. Sicher konnte ich mir die Bank ein paar Monate von Leibe halten, bis ich wieder Arbeit gefunden hatte, aber das Bargeld würde nicht mehr lange reichen, vor allem nicht in London. Ich musste auch berücksichtigen, dass es vielleicht nicht so ganz einfach werden würde, einen Job in der Kunstbranche zu finden, nachdem ich einen der größten Experten in London ein »korruptes Stück Scheiße« genannt hatte.

Die vordringliche Frage war nun die, wo ich das Geld hintun sollte. So eine Summe wollte ich auf keinen Fall auf mein englisches Konto einzahlen, das wäre verdächtig gewesen. Natürlich hätte ich es einfach behalten können, aber das kam mir auch nicht so clever vor. Auch wenn es verrückt klang – ich wollte, dass dieses Geld etwas Besonderes blieb. Ich war immer der Meinung gewesen, dass man Leuten, die an Horoskope glauben, das Wahlrecht entziehen sollte, aber wenn das Universum einem nun mal etwas sagen will, dann wäre es ja dumm, nicht zuzuhören. Und ich konnte den Gedanken nicht ertragen, in meine Wohnung zurückzukehren, zu Lehrbüchern und Toastkrümeln und trocknenden Strumpfhosen auf der Duschhalterung.

Mit einem Stapel Bargeld nach London zurückzukommen, der dann langsam, aber sicher für Miete und Rechnungen draufgehen würde, fühlte sich zu sehr nach einer Niederlage an. Damit wäre ich wieder einen Schritt näher an Sky-Fernsehen und Pub am Freitagabend, dem langsamen Anwachsen des

Zuckerblähbauchs und dem Wind an der Bushaltestelle in der College Road, an Kieselrauputz und Tesco-Supermarkt und Erbrochenem im Eingangsbereich des Sozialamtes, an Flaschen, die in der Mikrowelle gehortet werden, am Ignorieren der Türklingel, an dem Geruch von kaltem Fett und Rothmans und grässlichem Curry – mein ganz persönliches Duftbouquet der Verzweiflung. All die Dinge, die man fairerweise wohl nicht verachten sollte, weil das Leben der meisten Menschen aus solchen Dingen bestand, doch meine Verachtung dafür hielt mich innerlich absolut clean.

Ich musste nachdenken, also spazierte ich aufs Deck. Wir ankerten ein paar Kilometer vom Hafen entfernt. Das einzige andere Schiff in Sichtweite war eine großartige Mahagoni-Rennyacht aus den Dreißigerjahren, deren Besitzer Schiffe wie die Mandarin abfällig als »Tupperware« bezeichneten. Es war sehr still, man hörte nur das einlullende Knarzen des Schiffsrumpfs auf den Wellen und das Sägen der Grillen von den niedrigen Hügeln, die sich hinter der Küste erhoben. Carlotta machte eine Siesta mit Hermann und war angeekelt, während Steve sich wie immer über seine Monitore beugte, aufmerksam gespannt wie ein Alchimist. Das Wasser war pfauenfederfarben – golden und türkis und grün – und so klar, dass ich die winzigen silbrigen Fischschwärme unter der Oberfläche sehen konnte. Ich zog meinen Heidi-Klein-Kaftan aus, dann meinen weißen Eres-Bikini und sprang am Bug über die Reling. Die Nachmittagshitze pulsierte auf meiner nackten Haut. Auf einmal sah es aus, als wäre das Wasser ganz schön tief. Es wäre leicht gewesen, mich einfach in dieses köstliche Blau hineinplumpsen zu lassen, aber obwohl niemand zusah, konnte ich mir nicht erlauben, schlampig zu werden. Ich streckte die Arme aus, bis sich mein Brustbein öffnete, ich spannte die Waden und die Bauchmuskeln an, zog den Kopf ein und machte einen perfekten Kopfsprung. Nachdem mein Körper im Wasser gelandet war, machte ich die Augen auf. Ich fühlte das Salz auf meinen Augäpfeln und die Kristalle an meinen Fingerspitzen, als ich wieder zur Oberfläche emportauchte. Wassertretend strich ich mir das Haar aus dem Gesicht. Das Meer umfing meinen Körper, und die winzigen Salzkristalle verwischten das Bild, das sich mir bot, zu einem weichen Panorama aus Blau und Gold und Weiß. Über mir ragte die Mandarin auf und zeichnete einen exakten geometrischen Schatten auf die weichen Wellen. Eine beruhigende Insel aus Geld. Hier gehörte ich hin, dachte ich. Ich musste nur noch einen Weg finden, wie ich hierbleiben konnte.

Am Abend gingen wir ins Billionaire. Es war uns egal, dass die Chinesen es gekauft hatten, wir wollten einfach feiern wie Briatore. Während wir auf einen VIP-Tisch zugingen, spürte ich die Blicke der Mädchen mit ihren Nuttenschuhen und Spaghettiträgern, die so taten, als würden sie tanzen. Wann hat das eigentlich angefangen, dass die Clubs plötzlich aussahen wie Stripbars? Die Mädchen standen auf den Bänken, auf den Tischen, sie schaukelten fast schon in den Kronleuchtern. Hier wurde genug mit dem Arsch gewackelt, um ein mittleres Erdbeben auszulösen. Carlotta zog ein finsteres Gesicht, als eine allzu freche Arschbacke Hermann beinahe die Oliver-Peoples-Brille vom Kopf geschlagen hätte. Steve war gelangweilt, fummelte an seinem BlackBerry herum und blickte nicht mal auf, als der Kellner den Champagner brachte. Tris wirkte aufgeregt, jetzt konnte es jeden Augenblick wieder losgehen. Er tippte Steve auf die Schulter und deutete auf zwei wunderschöne schwarze Mädchen mit unfassbar schmaler Taille und Ärschen, die direkt unter den Schulterblättern begannen. Steve schüttelte nur gereizt den Kopf. Es war unmöglich, sich bei der Musik zu unterhalten, also beugte ich mich vor und schrie Steve ins Ohr: »Liebling, es tut mir wirklich leid, aber ich hab schreckliche Kopfschmerzen. Bringst du mich nach Hause?«

Steve spielte normalerweise nicht den Gentleman, aber ich sah genau, dass er überhaupt kein Interesse hatte hierzubleiben, also erntete ich einen dankbaren Blick von Tris, als Steve aufstand und meine Hand nahm. Bis zum Auto hielt er sie in seiner weichen, trockenen Handfläche, und ich konnte mich eines gewissen triumphierenden Gefühls nicht erwehren, als ich mit meiner Beute abzog.

Ich machte ihm einen Tanqueray mit Tonic, wischte sorgfältig mit einer Zitronenscheibe am Glasrand entlang und brachte ihm den Drink. Steve saß müßig vor seinem riesigen Plasmabildschirm und zappte sich durch die Nachrichtenkanäle.

»Wie geht's deinem Kopf?«

»Wirklich viel besser. Ich glaube, mir war einfach dieses Lokal zu viel.«

Wir schauten ein bisschen CNN. Es gab keinen Weg, dieses Gespräch subtil zu eröffnen, aber andererseits hielt Steve ja selbst nicht viel von Subtilität.

»Steve?«

»Ja?«

»Ich hab nachgedacht. Du warst so toll zu mir – diese Reise, das Shoppen, alles. Ich möchte mich bei dir bedanken.« Das meinte ich ganz ehrlich.

Auf einmal wirkte er nervös. Ich legte ihm beruhigend eine Hand auf die Schulter. »Nicht so. Ich glaube ... wir sind Freunde, oder? So was in der Art jedenfalls.«

»Natürlich.«

»Na ja, und da ist mir eine Idee gekommen ...«

Bei dem ewigen Gemauschel mit der Kapitalertragssteuer im Haus hatte ich immerhin gelernt, wie man manipuliert. Ich wolle meine eigene Galerie eröffnen, erklärte ich, und privat mit Kunst handeln. Ich hätte ein bisschen Erspartes, aber das sei dummerweise alles Bargeld. Ob Steve mir wohl helfen könne, mein Geschäft aufzubauen? Wenn ich Gewinn machte, konnte ich für ihn kaufen, wir hatten genug über seine Sammlung geredet, dass er glauben musste, ich würde das teilen, was er für seinen Geschmack hielt. Ich hatte ein gutes Auge und wusste, wie ich es steuerlich für ihn einfädeln musste. Wenn es eines gibt, womit man reiche Leute zum Geifern bringen kann, ist es die Aussicht, ihre ohnehin schon völlig irrelevanten Steuerzahlungen zu reduzieren.

»Wo willst du es denn reinstecken?«

Ich zögerte. »Na ja, im Grunde ist es Kleingeld. Ungefähr zehntausend. Ich dachte – an Genf vielleicht?«

Zehntausend waren zufällig die Mindesteinlage bei einer kleinen, nicht sonderlich erfolgreichen Privatbank namens Osprey. Ich hatte sie in einem Café am Hafen in meinem Notebook recherchiert.

»Ich hab ein Appartement in Genf.«

»Schön. Wollen wir da hinfahren?«

»Okay.«

»Einfach so okay?«

»Klar. Ich werde Tris sagen, dass er sich morgen früh um alles kümmern soll. Mir geht das alles hier sowieso schon langsam auf den Senkel.«

Ich setzte mich rittlings auf seinen Schoß und rieb mein Gesicht an seinem. »Steve, ich liebe dich. Das wird richtig toll, das versprech ich dir!«

Er nahm mich bei den Schultern und hielt mich auf Armeslänge von sich, um mir in die Augen schauen zu können.

»Natürlich, Lauren.«

Selbstverständlich hatte er das alles schon mal gehört. Er würde nie sicher wissen, ob eine Frau diese Worte jemals ernst meinte. Ich hielt seinem Blick stand. Vielleicht war da sogar ein kurzer Moment, in dem wir uns beide menschlich fühlten.

»Hoppla, sorry, ihr zwei!«

Carlotta.

»Keine Sorge.« Ich merkte, dass es Steve nicht leidtat, wie sie die Situation missverstanden hatte. Ich ließ ihn die zweite Hälfte von *Matrix* anschauen und zog los, um mir die Qualität der Schlampen im Billionaire mal näher anzuschauen.

Als ich in der Businessclass von Sardinien in die Schweiz flog, war es das erste Mal, dass ich nach dem Einsteigen ins Flugzeug links abbog. Meine Reisen durch Europa hatte ich meistens mit dem Zug absolviert. Steve wollte in die Staaten weiterfliegen, während Tris die Yacht an der Küste entlang zurück nach Genua brachte. Wenn er sauer auf mich war, weil ich seine kostenlose Kreuzfahrt verkürzt hatte, war er schlau genug, es nicht zu zeigen. Außerdem konnte er jetzt ein paar Tage lang so tun, als wäre die Mandarin sein Boot. Ich hinterließ einen handgeschriebenen Dankesbrief und dreihundert Euro für die Crew, packte mein ganzes Selbstbewusstsein in meine Taschen und verabschiedete mich von Carlotta und Hermann, die sich in höflichen Andeutungen ergingen, wie sie sich freuen würden, mich auf ihrer Hochzeit wiederzusehen. Ich hatte mir ausgebeten, mein Rückflugticket nach Rom auszustellen, denn ich hätte es zu schade gefunden, die Stadt nicht wiederzusehen, wenn ich schon die Gelegenheit hatte.

Wir unterhielten uns nicht viel während des Fluges. Steve fand Unterhaltungen anstrengend, wenn er nicht über Dinge sprechen konnte, die er besaß. Ich nahm an, dass er sich deswegen immer neue kaufte. Ich wusste die Geräumigkeit und die Ledersitze und das besonders strahlende Lächeln der Alitalia-Stewardessen mit ihren Hochglanz-Chignons zu schätzen. Steve nicht, aber den würde am folgenden Tag ja auch sein eigenes Flugzeug abholen. Wenn es irgendwie seiner Wohnung ähnelte, hatte ich keinen Grund, ihn zu beneiden. Denn als wir bei seinem Appartement ankamen, konnte ich nur denken, dass Gott wirklich keine Gelegenheit auslässt, seine Verachtung für Geld zu zeigen. Jetzt wusste ich, wo Ian Schrager zum Sterben hingehen würde.

»Hab mir die Wohnung letztes Jahr gekauft. Vorher hatte ich ein Haus am See, aber ich fand, dass ein Appartement besser zu mir passt. Alberto Pinto hat es eingerichtet.«

Ich fragte mich, ob in Carrara überhaupt noch Marmor übrig geblieben war, nachdem Alberto seine Arbeit hier abgeschlossen hatte. Ich ging ein wenig herum, schaute alles an und bewunderte es. Jede Oberfläche, die nicht aus schwarzem oder weißem oder goldenem Marmor bestand, war in der Farbe von Chagrinleder lackiert: Das Badezimmer sah aus wie die Zigarettendose von Oscar Wilde.

»Sehr beeindruckend«, sagte ich und schaffte es, ernst zu bleiben, während ich überlegte, warum Neureiche grundsätzlich so einen grässlichen Geschmack haben. Vielleicht ist es aber auch einfach nur eine Frage der Zeit – die grauenvolle Opulenz dieses Jahrhunderts gilt dem nächsten vielleicht als kostbares Barock.

»Die meiste Kunst hängt im Arbeitszimmer«, sagte Steve und drückte einen Knopf, woraufhin sich eine Trennwand öffnete, die sich als Perlmuttscheibe getarnt hatte. Der Raum war größer als meine ganze alte Wohnung in London, und durch eine vollverglaste Wand hatte man einen Ausblick über das relativ düstere Genf. Dass es das Arbeitszimmer war, sah man an den Büchern, mindestens drei waren es, französische Retroromane aus den Sechzigern, die auf einem Waschtisch aus dem neunzehnten Jahrhundert lagen, dem einzigen hübschen Objekt in der ganzen Wohnung. Wie viel hatte Alberto wohl dafür berechnet, dass eine seiner Assistentinnen die Bücherrücken umbog, damit sie gelesen aussahen? An der Wand sah ich Tracey Emin und Hirst, einen riesigen Pollock und einen Schnabel. Völlig vorhersagbar.

»Was hältst du davon?«

Ein aus Zement gegossenes grabsteinähnliches Objekt, wie eine Stele aus der Bronzezeit, auf das ein stiernackiger junger Mann im flippigen Anzug eingraviert war. Die Rolex war deutlich zu sehen, und von seiner Rechten baumelte eine Uzi, die er so lässig hielt, wie ein junger Mann in einem früheren Jahrhundert wohl seine Reitgerte getragen hatte.

»Das ist ja clever. Die Definition eines Angeberportraits. Von wem ist das?«

»Das ist ein echter Grabstein. Die Familie von dem Kerl hat ihn an den Künstler verkauft. Leni Kravchenko?«

Also doch nicht so clever, sondern einfach nur traurig und hämisch und billig.

»Du hast ein paar schöne Sachen. Das hier«, ich deutete auf den Gedenkstein des jugendlichen Gangsters, »das ist so die Sorte Kunst, von der ich mir vorstellen könnte, dass sie was für dich sein könnte. Ich denke an den Ostblock, vielleicht China. Als Investition nicht *so* sicher, aber dafür interessanter. Gewitzt und ehrgeizig.«

So wie du, Steve.

Seine Augen wanderten bereits wieder zu den Monitoren im Wohnzimmer. So viel zur Kunst, ich muss jetzt wieder an die Arbeit.

»Klar, das wäre toll, wenn du deinen Laden erst mal ins Laufen gebracht hast«, erwiderte er vage.

Ich meinte, mir sei klar, dass er eine Menge zu tun habe, und ob ich ihn nach dem Mittagessen abholen sollte? Ich würde mir zu gern die Stadt ansehen. Er ließ sich schon dankbar auf seinen Schreibtischstuhl sinken, öffnete den Weltfinanzen die Venen, vergaß aber nicht, mir einen Brocken davon abzugeben, den er dem silbernen Geldclip in seiner Gesäßtasche entnahm. Ich stöckelte davon und besorgte mir ein Taxi für eine Stadtrundfahrt, bei der ich auch ein paar Fragen stellen konnte, gefolgt von ein bisschen leichtem Shopping und einem *croque monsieur* in einem Café, von dem aus man über den See blicken konnte. Um mich herum verschleierte Frauen aus dem Nahen Osten mit ihrem bierbäuchigen Nachwuchs und Männer, die im grünen Schatten der grandiosen Alpen pausenlos weiter auf ihren Smartphones herumtippten.

Ich wusste gar nicht so viel über zeitgenössische Kunst, aber das betrachtete ich nicht als Hindernis, das mich von meinen Plänen abbringen könnte. Erstens, weil es da nicht viel zu wissen gab, und zweitens, weil auch die Käufer nicht Bescheid wissen. Die Expertise liegt darin, die Trends zu erschnüffeln, herauszufinden, was angesagt sein wird, wenn der Kunde wieder verkaufen will. Die Vorstellung eines Mäzens, der aus ästhetischen Beweggründen kauft, ist mit der Grand Tour ausgestorben. Ich hatte bis jetzt unglaubliches Glück gehabt, Steve überzeugen zu können, dass ich mich mit dem Einkauf auskannte, obwohl sein Geschmack nicht unbedingt schwer zu bedienen war. Nach meiner ernsthaften Arbeit für Rupert in meinen drei Jahren im Haus kam es mir ein bisschen billig vor, aber ich hatte schon Schlimmeres zu verschmerzen gehabt. Zum Beispiel mein ganzes bisheriges Leben. Doch wenn ich es schaffte, wenn ich es wirklich schaffte, dann hatte ich die Chance, der Mensch zu werden, der ich meiner Meinung nach schon immer hatte sein sollen.

Als ich wieder in die Wohnung kam, zog ich eines von meinen neu erworbenen Kleidungsstücken an, ein beiges Hemdkleid von Stella McCartney und einen Hermès-Schal mit einem Muster aus rosa und orangen Uhren. Ich hatte mir eine schlichte hellbraune Lederclutch für mein Bargeld gekauft, schließlich wollte ich es nicht aus einer Papiertüte herauswühlen. Steve hatte seine gewohnte Jeans an, dazu ein Poloshirt und Nike-Sneakers. Im Taxi auf dem Weg zur Bank hielt er meine Hand, wobei die andere aber schon wieder spinnenartig flink über seinen BlackBerry huschte.

Man hatte mich einmal zu Hoare's in der Fleet Street geschickt, wo ich für Rupert einen Scheck einlösen sollte, und ich glaube, etwas in dieser Art hatte ich auch hier erwartet: massive Pfeiler, alte Ölgemälde, Portiers mit weißen Handschuhen. Doch die Osprey Bank sah einfach aus wie ein ganz normales Büro, nicht wie ein Grand Hotel. Nur eine Lobby und ein Aufzug und neben der Klingel ein diskretes Schild, ein Sofa, ein Wasserspender und ein uraltes Faxgerät. Steve erklärte in seinem überraschend guten Französisch, dass er für eine neue Angestellte ein persönliches Konto eröffnen wolle. Sowie er seinen Namen nannte, konnte ich förmlich sehen, wie der Direktor anfing zu sabbern. Man führte uns in ein noch kleineres Zimmer, eine Art kleine Kabine mit einem Tisch und drei hastig hineingequetschten Stühlen. Ich zeigte meinen Pass, und sie brachten die Formulare.

»Unterschreiben Sie einfach hier, Mademoiselle Rashleigh, und hier und hier.« Ich schob ihm die braune Clutch über den Tisch, und der Direktor nahm sie mit einem gequälten Lächeln entgegen, als hätte ich ihm eine schmutzige Windel gegeben. Bargeld war offenbar nichts, was man in Genf gerne in der Öffentlichkeit zeigte, obwohl die ganze Stadt ja auf zwielichtigem Geld aufgebaut war. Er drückte einen Knopf unter seinem Tisch, und ein schlankes Mädchen im schwarzen Hosenanzug erschien, um die Tasche mitzunehmen, wobei sie ihre Hand einsetzte, als wäre sie eine silberne Zange. Ich sah, wie sie Steve anschaute, und gestattete mir, meine Hand einen Moment auf seinem Handgelenk ruhen zu lassen. Es vergingen ein paar Minuten, in denen mich der Direktor fragte, wie mir Genf gefiel, dann kam das Mädchen mit der Tasche zurück, die jetzt ganz schlaff war, und einem Sparbuch, auf dem wie von Zauberhand mein Name aufgedruckt war.

»Und wohin sollen wir Mademoiselle die Korrespondenz senden?«

Verdammt. Daran hatte ich ja gar nicht gedacht. Ich wollte lieber nicht riskieren, dass Schweizer Kontoauszüge auf dem Frühstückstisch der Koreanerinnen landeten.

»Ich … ähm … ich sehe mich derzeit noch nach einer neuen Wohnung um«, brachte ich mühsam heraus.

»Natürlich, Mademoiselle. Aber Sie werden ab und zu durch Genf kommen?« Da er ein Auge auf Steves Potenzial gerichtet hatte, wollte er mir helfen.

»Ja, natürlich. Zur Art Basel und … und so weiter.«

»Gut. Für solche Fälle haben wir hier bei der Osprey Bank ein Arrangement. Ein Postfach mit einer Nummer und nur einem Schlüssel, und zwar für Sie. Nur für die Korrespondenz, verstehen Sie? Das finden unsere Kunden sehr hilfreich, wenn sie … auf Reisen sind.«

Das gefiel mir. Auf Reisen. Wie Holly Golightly.

»Das würde mir sehr gut passen, danke.«

»Dann nur noch ein Formular, Mademoiselle.« Der schwarze Hosenanzug tauchte noch einmal auf, ich unterschrieb. Steve hatte kaum etwas mitbekommen, er tippte die ganze Zeit auf seinem BlackBerry herum.

Auf dem Flug nach Rom konnte ich nach dem Einsteigen in den Flieger wieder nach links gehen. Ich lehnte das Glas Champagner mit der müden Miene der erfahrenen Businessclass-Reisenden ab, und das gefiel mir richtig gut. Mein Abschied von Steve war verlegen gewesen, obwohl ich bezweifle, dass er es gespürt hatte. Er konnte zwar nicht richtig abschätzen, was er für mich getan hatte, aber er war außergewöhnlich nett gewesen. Jedem anderen Mann hätte ich zumindest einen eifrigen Abschied auf Albertos sorgfältig ausgewählter Pratesi-Bettwäsche zukommen lassen, aber ich besaß genug Verstand, um ihm nichts in dieser Richtung vorzuschlagen. Trotzdem schien es mir nicht genug, einfach nur »Danke« zu sagen, und sonst gab es nichts, was ich ihm geben konnte, zumindest nichts, was ich erklären konnte, in der Hoffnung, dass er es verstand. Zu wissen, dass einen jemand sieht, ist ein Geschenk, sogar eine Art von Liebe. Aber sollte sich ein Teil von Steve noch daran erinnern, wie es sich anfühlte, ein ängstlicher kleiner Nerd zu sein, so hatte er ihn schon vor langer Zeit bis zur Unkenntlichkeit überlackiert. Wenn ich ihm gesagt hätte, dass ich sah, was er nicht war, und dass ich ihn trotzdem mochte, hätte ich ihn lediglich verwirrt, natürlich nur vorübergehend. Also beließ ich es bei einer Umarmung und einem Versprechen, und er nahm beides so leichthin auf, wie er wahrscheinlich alle Umarmungen und Versprechen mittlerweile aufnahm. Dann überließ ich ihn wieder dem Zauber des Finanzmarkts.

Ich verbrachte eine ganze Weile damit, mir auszumalen, was ich mit dem Geld anfangen könnte, aber ich kam nicht weit: Zehntausend Euro waren nicht viel mehr als ein Dinner für sechs Personen im Billionaire. Von meinen angesparten Steve-Euros konnte ich mir ein paar schöne Tage in Rom machen, mir ein paar Bilder anschauen und gut essen. Wenn ich nach London zurückkam, konnte ich meiner Mutter ein paar Hundert Pfund schicken, in der Wohnung bleiben, bis ich Arbeit in einer Galerie für zeitgenössische Kunst fand, vorsichtig ein paar erste Stücke kaufen und dann abwarten. Vielleicht konnte ich mir später ein eigenes kleines Studio leisten, sobald ich den Kredit abbezahlt hatte. Ein bescheidener Anfang, das ja, aber ein sauberer. Ich würde nicht in verzweifelte Situationen geraten, und ich stellte mich sogar der Aussicht, dass Rupert mich auf die schwarze Liste gesetzt haben dürfte. Ich würde es überleben.

Während wir in Fiumicino auf der Landebahn warteten, dass wir zum Gate fahren durften, zückten sämtliche Italiener im Flieger ihr Handy. Ich tat es ihnen nach und schickte eine SMS an Dave. Ich hatte nicht gewagt, vorher Kontakt mit ihm aufzunehmen, für den Fall, dass die Sache mit James noch ein

Nachspiel gehabt hatte. Aber jetzt schien mir der richtige Zeitpunkt gekommen zu sein.

»Hallo, Judith hier. Bin in ein paar Tagen wieder in der Stadt. Darf ich dich auf einen Drink einladen? Tut mir leid wegen dieser grässlichen Szene, ich hoffe, alles ok bei dir. J x«

Er schrieb zurück. »Wegen dir hab ich meinen Job verloren. Denk mal drüber nach. D«

Auf einmal fühlte ich mich in den Gstaad Club zurückkatapultiert, wo ich über die unklaren SMS irgendeines Mannes nachgrübelte. Was bedeutete ein Küsschen oder zwei? Immerhin wusste ich, was *kein* Küsschen bedeutete. Wut. Warum hätte Rupert Dave feuern sollen? Er hatte auf meine Anweisung hin gehandelt, das war doch wohl kaum ein Kündigungsgrund. Ich drückte sofort auf »Absender anrufen«.

»Judith. Was willst du?« Ich hörte einen Fernseher im Hintergrund, aber das konnte nicht über den müden, angewiderten Ton seiner Stimme hinwegtäuschen.

»Dave, es tut mir so leid, ich hatte wirklich keine Ahnung. Ich werde Rupert anrufen und ihm erklären, dass das ausschließlich meine Schuld war – ich hätte dich niemals darum gebeten, wenn ich geahnt hätte, dass ich dadurch deinen Job aufs Spiel setze. Ich weiß, wie viel dir das bedeutet hat. Rupert hatte kein Recht, dich zu feuern«, schloss ich lahm.

»Er hat mich aber gefeuert.«

»Es tut mir so leid.«

»Keine Sorge. Wir kommen schon klar.« Ich konnte mich noch an Daves Frau erinnern und fühlte mich noch mieser, wenn das überhaupt möglich war.

»Dave, ich werde das wiedergutmachen. Ganz bestimmt, ich versprech's dir. Kann dein Freund Mike dir nicht helfen? Vielleicht kann ich …«

»Vergiss es, Judith. Krieg erst mal dein eigenes Leben auf die Reihe.«

Er legte auf. Mir war schlecht, noch schlechter als in dem Moment, als ich James' Leiche entdeckte. Ich wusste, wie viel ein Pförtner verdiente, und ich konnte mir vorstellen, dass Daves Soldatenrente ziemlich erbärmlich ausfallen würde. Ich vergrub das Gesicht in den Händen. Ich hatte ihm das angetan, mit meiner blöden Wichtigtuerei. Ich würde ihm die Hälfte von meinem Geld geben, sowie ich wieder in der Stadt war. Aber dann musste ich an die Bank und an die Miete denken und wie ich mich im Meer in Sardinien gefühlt hatte, und an die saure Milch von James' Wichse in meinem Mund und was ich gerade in Genf abgezogen hatte, und da wusste ich, ich konnte es nicht. Ich konnte es einfach nicht.

3. DRAUSSEN

14. Kapitel

Das zweite Mal konnte man eigentlich keinen Unfall mehr nennen. Für meinen letzten Jubelmoment hatte ich an ein Zimmer im Hassler gedacht, mit Ausblick auf die Spanische Treppe, aber im Grunde war es nicht weiter überraschend, dass sämtliche Zimmer mit Aussicht belegt waren, obwohl ich noch versuchte, den Portier mit einem Hundert-Euro-Schein und einem gewinnenden Lächeln zu bestechen. Ich sah nicht viel Sinn darin, so viel Geld auszugeben, um am Ende auf eine römische Hausmauer zu starren, doch als der Rezeptionist die Liste durchging, entdeckte ich einen Namen, der mir etwas sagte: Cameron Fitzpatrick. Das letzte Mal hatte ich ihn gesehen, als er auf der furchtbaren Party bei Tentis mit Rupert plauderte.

Fitzpatrick war ein Händler, mit dem ich manchmal im Namen unserer Abteilung Kontakt aufgenommen hatte. Er besaß eine winzige, altmodische Galerie in einem der vergessenen schmalen Gässchen aus dem achtzehnten Jahrhundert nahe den alten Adelphi-Gebäuden in London. Im Großen und Ganzen hatte er eine ziemlich ordinäre Art, und seine Wangen waren dank seines Whisky-Konsums immer leicht gerötet, und manchmal hatte man den Eindruck, dass nur sein schmeichlerischer Charme ihn vor den Gerichtsvollziehern bewahrte. Doch dann hatte er eben doch ein gutes Auge für eigentümliche Stücke der zweiten Garnitur – ich erinnerte mich an einen Zeitungsartikel vom letzten Jahr über einen beeindruckenden

Preis für ein Selbstportrait von Oscar Wildes Mutter. Die Uhr hinter dem Rezeptionstresen zeigte 12.05 Uhr, genau die richtige Zeit für einen *aperitivo*. Vielleicht lohnte es sich ja, hierzubleiben und eine rein zufällige Begegnung mit Fitzpatrick einzurichten? Ich brannte darauf zu erfahren, ob das Rupert-Debakel irgendwelche Gerüchte nach sich gezogen hatte – nicht dass ich auch nur im Entferntesten wichtig genug dafür gewesen wäre, aber jetzt, wo es ganz so aussah, als könnte ich tatsächlich ins Geschäft kommen, war Fitzpatrick ein potenzieller Kontakt. Vielleicht hatte er gerade sogar irgendetwas am Laufen. Ich bat den Portier, mir Bescheid zu geben, wenn Signor Fitzpatrick ins Hotel kam, und verzog mich auf die Terrasse auf der Rückseite des Gebäudes, um ein Glas Prosecco zu trinken und die Leute zu beobachten. Eine halbe Stunde später sah es immer noch nicht so aus, als wollte er auftauchen, und ich ging zurück zum Eingang, da hörte ich auf einmal meinen Namen.

»Judith Rashleigh?« Dieser Akzent war ein wohltuendes Bad in irischer Leutseligkeit. Cameron war ein großer Mann mit watschelndem Gang und dickem kaffeebraunem Haar, eigentlich ziemlich attraktiv für einen Hetero, der in der Kunstbranche tätig war.

»Cameron – das ist ja eine nette Überraschung!« Natürlich erwähnte ich nicht, dass ich mich hier in der Hoffnung herumgetrieben hatte, ihn zu sehen.

Ich ging zu ihm und hielt ihm die Wange für das mittlerweile obligatorische großstädtische Wangenküsschen hin, und wir schnappten ungeschickt und etwas verlegen in die Luft, wie es die Londoner bei dieser Aktion immer noch tun.

»Ich checke gerade ein«, erklärte er. »Wohnst du auch hier?«

»Leider nein. Aber – Rom im August? Das kann ja bloß geschäftlich sein. Wie läuft's mit deiner Galerie?«

Wir plauderten einen Moment, während er an der Rezeption die Check-in-Formalitäten erledigte, seinen Reisepass und seine Kreditkarte vorlegte. Er war für ein Treffen mit einem Kunden nach Rom gekommen. Ich ließ einfließen, dass ich bei British Pictures aufgehört hatte – ich konnte mir zwar schwerlich vorstellen, dass Rupert und Co. so viel von mir hielten, dass sie sich die Mühe gemacht hatten, etwas Unangenehmes über mich zu verbreiten, aber es war immer besser, wenn es so aussah, als hätte ich nichts zu verbergen.

»Wo wohnst du denn?«

»Bei Freunden. Den de Grecis.«

Ich sagte es, als müsste er sie kennen. In meinem College hatte es einen Francesco de Greci gegeben, wir hatten einmal miteinander geschlafen.

»Wie schön.« Er schien mir alles abzunehmen, was ich sagte. Ich tat, als müsste ich aufbrechen. »Ich wollte hier nur eben was abholen. Also ... hat mich gefreut, dich zu sehen.«

Ich zögerte noch ein bisschen, weil ich wusste, dass er mich zum Lunch einladen würde, und als er es tat, heuchelte ich Überraschung, warf kurz einen Blick auf meine Armbanduhr und erklärte dann, ich fände das eine ganz wunderbare Idee. Während er in sein Zimmer ging, lud ich schnell mein Gepäck in ein Taxi und bezahlte den Fahrer, damit er es in ein kleines Hotel in Trastevere fuhr, das mir noch eingefallen war. Die de Grecis – so hatte ich in der Zwischenzeit beschlossen – hatten eine bezaubernde alte Villa hinter dem Pincio.

»Kennst du dich gut aus in Rom?« Er hatte immer noch seinen marineblauen Anzug an, obwohl er Schlips und Kragen inzwischen gegen ein leicht zerknittertes Leinenhemd getauscht hatte. An der Taille hatte er ein kleines Speckröllchen, er war aber durchaus ein gut aussehender Mann, wenn man denn auf so ein Format stand.

»Fast gar nicht.« Es war immer besser, die Unwissende zu spielen.

Also unterhielten wir uns über andere Orte, die wir in Italien kannten, während er mich durch die gaffenden Mengen führte. Nach der dicken goldenen Decke aus staubiger Hitze, die alle offenen Flächen bedeckte, hatten die engen dämmrigen Straßen etwas Unheimliches und Rätselhaftes. Wir kamen auf eine kleine Piazza, deren Unansehnlichkeit vermuten ließ, dass das Restaurant gut sein würde. Die Gruppen von Männern, die unter der Markise saßen, sprachen mit römischem Akzent, wahrscheinlich lauter überarbeitete Rechtsanwälte von Politikern, die hier festsaßen, während der Rest der Einwohner sich über die Strände der Halbinsel verteilt hatte. Ein einsamer Tourist in Baseballkappe und T-Shirt mit Schweißrändern las einen französischen Reiseführer. Das Bestellen überließ ich Cameron und beschränkte mich auf ein *grazie*. Ich wollte ihn einwickeln und ihm ein gutes Gefühl geben. Er trank einen *negroni sbagliato*, wir aßen Schwertmuscheln und köstliche frische Pasta mit Kaninchen und kandierter Orangenschale. Als die erste Flasche vom ligurischen Vermentino leer war, bestellte er noch eine, obwohl ich immer noch bei meinem ersten Glas war, und das hatte ich auch schon mit Wasser gestreckt. Er war ein Mann, der sich prima mit Frauen unterhalten konnte, das musste man ihm lassen. Er machte großzügige Komplimente und erzählte Klatsch, er unterzog sich der Mühe, sein Gegenüber nach dessen Meinung zu fragen, und gab sich dann den Anschein, bei der Antwort wirklich zuzuhören. Als ich das Gefühl hatte, dass wir einen ausreichenden Level von Vertraulichkeit erreicht hatten, fragte ich ihn, wer denn sein geheimnisvoller Kunde war.

»Tja«, sagte er und beugte sich mit Verschwörermiene vor. »Du wirst es nicht glauben, aber ich bin an einem Stubbs dran.«

»An einem Stubbs?«

Ich hätte mich beinahe an meiner Weinschorle verschluckt. Warum tat Stubbs mir das an? Dabei war ich immer ein Fan von ihm gewesen, von diesem Jungen aus dem Norden, ausgegrenzt von den Londoner Snobs. War er meine persönliche Chimäre, eine Art pferdeköpfiger Albatros?

Cameron zog einen zusammengefalteten Katalog aus der Brusttasche seiner Jacke, und meine Schwertmuscheln wären um ein Haar noch einmal zurückgekommen. Ich brauchte das Bild nicht anzusehen, um es zu erkennen, genauso wie ich es nicht ansehen musste, um sofort zu erraten, was Rupert im Schilde geführt hatte und warum er den armen Dave und mich gefeuert hatte, als wir nähere Nachforschungen angestellt hatten. Mich überraschte einzig und allein, wie außerordentlich naiv ich gewesen war, wie ich weiter die perfekte, strebsame Angestellte gespielt hatte, wo doch jeder mit halbwegs Erfahrung sofort kapiert hätte, dass Rupert einen Betrug plante.

Cameron hatte mich nicht gefragt, wann genau ich British Pictures verlassen hatte, und ich hatte es ihm nicht erzählt, also konnte ich mit einem verwunderten Ausruf dienen, als würde ich den Stubbs tatsächlich gerade zum ersten Mal sehen. Ich schaute mir die Seiten genau an, murmelte etwas Anerkennendes und bemerkte, dass Rupert immerhin den Anstand gehabt hatte, meine Recherchen zum Ursford & Sweet-Verkauf bei den Angaben zur Herkunft des Bildes hinzuzufügen. Cameron erzählte, er habe es auf einen Tipp hin erworben, sei sich seiner Sache nicht ganz sicher gewesen, bis das Bild gereinigt worden sei. Dann habe er es zur Auktion angeboten. Allerdings habe er es sich wieder anders überlegt und auf eigene Faust einen privaten Käufer gefunden.

Ich konnte kaum fassen, wie blöd ich gewesen war. Die beiden waren natürlich Komplizen – das war wahrscheinlich das Thema gewesen, über das sie sich auf der Party bei Tentis flüsternd unterhalten hatten. Sie hatten zusammen das Geld aufgebracht, um den Tigers das Bild abzukaufen, hatten es bei British Pictures angeboten, um jeglichen Zweifel über seine Authentizität zu ersticken, und dann hatten sie es von der Auktion zurückgezogen und verkauften es anderweitig, bevor irgendjemand doch noch seine Zweifel äußern konnte.

Ich hatte recht gehabt. Es war kein Stubbs, und Rupert hatte es auch nie geglaubt. Er hatte Mr und Mrs Tiger angerufen, um ihnen kleinlaut zu bestätigen, dass ihr »Stubbs« bloß »aus der Schule von« stammte und eine Imitation aus der Hand eines weniger bedeutenden Künstlers der Epoche war. So erklärte sich auch mein befremdliches Telefonat mit Mrs Tiger. Dann hatte es Cameron gekauft, der so tat, als würde er auf eigene Rechnung handeln. Sobald sich das Bild ganz legal in Camerons Besitz befand, musste das Bild von einem Mann aus Florenz oder Amsterdam in einer Fabrikhalle im East End »gereinigt« werden, und siehe da, schon stellte sich heraus, dass es doch ein Original war. Der ganze Aufstand rund um die geplante Auktion lieferte dem Bild einen makellosen Herkunftsnachweis durch den Stempel eines der weltweit namhaftesten Häuser, sodass jeder Käufer glauben würde, ein gutes Geschäft zu machen. Die beiden hatten nie vorgehabt, das Bild der Öffentlichkeit zum Verkauf anzubieten. Das erklärte auch das viel zu niedrig angesetzte Limit – wenn ein Verkäufer ein Stück zu knapp vor der Auktion zurückzieht, muss er den Minimalpreis ans Auktionshaus abführen. Diese 800 000 waren für Cameron schon ein machbarer Betrag, in Anbetracht der Summe, die Rupert und er sich von ihrem Käufer erwarten konnten. Was mochten sie den Tigers bezahlt haben? Angenommen, es waren 200 000, dann hieß es, dass sie zusammen mit der Strafzahlung eine Million hinlegen mussten. Nicht gerade wenig Geld, und ich kam ins Grübeln, wie viel sie wohl von einem eventuellen Käufer bekamen.

Es war brillant und absolut legal, wenn das Bild echt war. Mr und Mrs Tiger hätten ihr Bild vielleicht im Katalog entdecken können, ausgewiesen als echter Stubbs, doch dann wurde es ja vor der Auktion zurückgezogen – alles falscher Alarm.

Wenn Nachforschungen angestellt wurden, konnte Rupert immer noch sagen, dass sie es gekauft hätten und überzeugt gewesen seien, ein Schnäppchen gemacht zu haben, dann aber bei näherer Begutachtung ihre ursprüngliche Einschätzung revidieren mussten. Wahrscheinlich hätten sie dem »Praktikanten« die Schuld gegeben. Und selbst wenn es kein Original war – und davon war ich überzeugt –, konnte der Kunde es für ein Jahr in den Tresor sperren und dann einem noch naiveren Käufer anbieten, einem Neureichen aus China oder den Ölstaaten, als Beleg den Katalog heranziehen, den ich in Händen hielt, und den Gewinn einstreichen.

Wenn es eines gibt, was das Frausein mich gelehrt hat, dann ist es die Taktik, sich im Zweifelsfall dumm zu stellen.

»Das ist ja großartig, Cameron«, hauchte ich. »Na los, rück's schon raus, wie viel?«

»Judith!«

»Ach, komm. Ich kann ein Geheimnis für mich behalten. Wem soll ich's schon erzählen?«

Mit diebischem Grinsen hielt er fünf Finger in die Höhe. Fünf Millionen. Immer noch wenig. Ein echter Stubbs brachte jederzeit zehn. Das Ölgemälde *Gimcrack on Newmarket Heath* von 1765 war vor ein paar Jahren für fünfundzwanzig Millionen an die New Yorker Kunsthandlung Piers Davies gegangen. Freilich bekam man fünf Millionen in bar. Teuer genug für ein Original, günstig genug, um dem Käufer das Gefühl zu geben, einen cleveren Deal gemacht zu haben.

Dann fiel ich für einen kurzen Moment aus der Zeit. Ich sah mich selbst, wie ich vor zehn Jahren zum ersten Mal in den Uffizien stand, vor Artemisia Gentileschis *Judith enthauptet Holofernes*. Es ist ein häufiges Sujet, die jüdische Heldin ermordet den feindlichen General, doch Artemisia gestaltet ihn grob, fast unmalerisch. Wenn man das fein emaillierte Schwert an Holofernes' Hals betrachtet, sieht man, dass es dort nicht feierlich oder suggestiv angelegt wird, sondern in einem ganz uneleganten Winkel im Fleisch sitzt, ein eher ungeeigneter Winkel für eine elegante Komposition. Denn die Waffe wird geführt von der Hand einer Frau, die in der Küche schon Hühnern den Kopf abgeschnitten und Kaninchen den Hals umgedreht hat. Judith schlachtet ihn regelrecht, mit grimmiger Entschlossenheit säbelt sie durch die Sehnen, ihre muskulösen Arme sind ganz angespannt bei dieser Anstrengung. Der Anblick hat etwas Häusliches – die Schlichtheit des Lakens, die unschönen Blutspritzer, ein seltsames Gefühl von Stille. Das ist Frauenarbeit, sagt Artemisia damit ungerührt. So was machen wir jeden Tag.

Wie aus der Ferne sah ich meine Handgelenke auf der Tischkante neben meiner Espressotasse mit der Zitronenspalte ruhen, doch in der plötzlichen bernsteinfarbenen Stille dieses Moments war ich überrascht, dass mein rasender Puls das Porzellan nicht klirren ließ. Ich hatte dem Mädchen im Museum so vieles versprochen. Ich war ihm etwas schuldig. Und auf einmal wusste ich, dass ich das Gemälde stehlen würde.

»Du wärst nicht zufällig so nett, es mir zu zeigen? Ich würde es so gerne sehen.«

»Natürlich. Warum nicht gleich?«

Ich zögerte. Meine Freunde warteten auf mich, behauptete ich. Aber vielleicht heute Abend – auf einen Drink? Und dann ein Dinner und noch eine ganze Menge mehr, schätzte ich, wenn seine Briefmarkensammlung meine Erwartungen erfüllte. Ich schaute in die lächelnden irischen Augen und rief mir in Erinnerung, dass sie Dave und mich meinen Job gekostet hatten. Ich hatte recht gehabt: Rupert war ein Betrüger und Fitzpatrick ebenfalls.

Ich erklärte Cameron, dass ich losmüsse, aber ich wartete noch, bis er meine Nummer in seinem schicken Handy mit Fingerabdruckerkennung abgespeichert hatte. Ich beugte mich für einen Abschiedskuss zu ihm hinunter, ließ meinen Mund eine Sekunde zu lang über seinem äußersten Mundwinkel ruhen, sodass mein Haar wie ein Vorhang über sein Gesicht fiel.

Im Davongehen war ich schon bei der Planung. Ich konnte es schaffen. Ich konnte es wirklich schaffen. Aber ich musste jetzt ruhig bleiben, meine Gedanken auf den nächsten Schritt richten, nichts anderes. Ich musste mir ganz sicher sein, was die Verbindung zwischen Rupert und Cameron anging. Cameron hatte gesagt, er habe das Gemälde auf einen Tipp hin erworben, aber das bewies nicht unbedingt, dass er von Rupert gekommen war. Zunächst musste ich den geheimnisvollen Käufer identifizieren, an dessen Namen Mrs Tiger sich nicht hatte erinnern können. Ich trieb ein Taxi auf, das mich in mein schlichtes, modernes Hotel auf der anderen Seite des Tiber brachte, und nachdem ich mein Zimmer bezogen hatte, fragte ich nach dem Businesscenter. Während ich wartete, dass das langsame italienische Modem sich einwählte, machte ich mir eine Liste auf der Rückseite einer Serviette. Zuerst googelte ich Cameron, dann mehrere Stücke, die er in letzter Zeit verkauft hatte, und zu guter Letzt den gefälschten Stubbs, im Grunde ein Fake seines Gemäldes von 1760, nur dass nicht die Rennbahn in Goodwood abgebildet war, sondern angeblich Newmarket. Wenn ich zu einem Bewerbungsgespräch ging, war ein bisschen Recherche durchaus angebracht. Der Verkauf der Stubbs-Fälschung stand tatsächlich nicht mehr zur Diskussion. Ich warf einen Blick auf meine Uhr, es war kurz nach vier italienischer Zeit, also standen die Chancen gut, dass Frankie im Büro war. Ihre Handynummer hatte ich noch.

Sie nahm ab, und wir tauschten ein paar klamme Sätze, wie wir unseren Sommer verbracht hatten, bevor ich das Gespräch aufs eigentliche Thema lenkte.

»Hör mal, ich wollte dich um einen Gefallen bitten. Der Stubbs – der, der damals zurückgezogen wurde … Kannst du da den Namen des Verkäufers rausfinden? Der das Bild von den ursprünglichen Besitzern gekauft hat?«

»Ich weiß nicht, Judith. Ich meine, die Umstände, unter denen du gegangen bist ... Rupert hat gesagt ...«

»Ich will dich nicht in eine dumme Lage bringen, Frankie. Ich versteh das schon. Wenn du dich dabei unwohl fühlst, recherchiere ich es einfach selbst.«

Kurzes Schweigen in der Leitung.

»Okay, gut«, antwortete sie zögernd. Ich hörte sie irgendwo herumwühlen, dann las sie vor, offenbar direkt aus dem Katalog. »Hier steht bloß: ›Eigentum eines Gentleman‹.«

»Ach so ... nein, das weiß ich ja. Du müsstest dich an die Buchhaltung wenden – die haben den Namen, weil sich dort die Unterlagen über die Rückzugsgebühr befinden. Das dauert keine Minute.«

»Ich glaube, ich sollte das wirklich nicht machen, Judith.«

Ich spürte mein Schuldgefühl wie einen Stich. Ich hatte schon Daves Job auf dem Gewissen. Aber ich wusste, dass ich es wiedergutmachen konnte. Konsequenzen können eine Art von Feigheit sein. Ich war feige gewesen, als Rupert mir gegenüberstand, aber nach allem, was passiert war, wusste ich, dass sich in dieser Hinsicht mittlerweile etwas verändert hatte. Während Frankie noch zögerte, dachte ich über die Wege nach, die mich an diesen Punkt geführt hatten. Ich musste nur noch hie und da ein wenig Glück haben, dann war es so weit, und ich konnte meine neuen schillernden Flügel in der Sonne ausbreiten. Wirklich poetisch.

»Ich weiß, aber ich wär dir grade wirklich dankbar.« Ich versuchte, zugleich beschämt und flehentlich zu klingen.

»Ich würde dir ja gerne helfen, aber ... ich will nichts Verbotenes tun.«

Die gute alte Frankie. Sie war nicht korrupt. Andererseits konnte sie es sich ja auch leisten.

»Ich hab eine neue Stelle in Aussicht und muss unbedingt einen guten Eindruck machen. Du weißt schon, Frankie ... ich bin mittlerweile wirklich knapp bei Kasse.«

Gegenüber jemandem wie Frankie tatsächlich das Thema Armut ins Feld zu führen, hatte dieselbe Wirkung wie das Wort »menstruieren« auf den Sportlehrer in meiner alten Schule. Ich konnte förmlich hören, wie sie ihren Entschluss fasste.

»Okay, gut. Ich werd's versuchen. Ich schick dir dann eine SMS. Aber du darfst das wirklich nie, nie weitersagen.«

»Absolutes Ehrenwort.«

Ich schaute mir einen Stadtplan von Rom an und kaufte mir auf der Website von Trenitalia ein Ticket nach Como mit offenem Rückreisedatum. Nur ein Probelauf. Vielleicht würde ich überhaupt nichts machen. Mein Telefon piepste.

»Cameron Fitzpatrick.«

»Eine Million Dank!«, simste ich zurück. Vielleicht auch fünf.

15. Kapitel

Später hatte ich viel Zeit, darüber nachzudenken, wann ich eigentlich meine Entscheidung getroffen hatte. War sie die ganze Zeit lauernd in mir herangewachsen, wie ein Tumor? War es der Moment, als Rupert mich ohne Zeugnis wegschickte wie ein Dienstmädchen, oder war es die erschöpfte Resignation in Daves Stimme? War es der Augenblick, als ich mich bereiterklärte, im Gstaad Club zu arbeiten, oder als ich mich Leannes dummer Idee anschloss, zu zweit wegzugehen und auf den Putz zu hauen, oder als ich die Tür hinter mir zuzog, hinter der James' Leiche lag, und den Ventimiglia-Zug bestieg? Wenn ich romantisch sein wollte, konnte ich mir einreden, dass die Entscheidung schon vor langer Zeit für mich getroffen worden sei – von Artemisia, einer anderen jungen Frau, die verstand, was Hass wirklich bedeutete, die ihren Versager von Ehemann verlassen hatte und in diese Straßen gekommen war, um den Lebensunterhalt für ihre Familie durch Malen zu verdienen.

Aber all das entsprach nicht der Wahrheit. Meine Entscheidung fiel, als ich die Treppen zu meinem Zimmer hochging und meine wackligen Wedges mit den Korksohlen gegen flache Sandalen tauschte. Meine Hände zitterten, als ich die Riemchen schloss. Langsam stand ich auf und machte mich auf den Weg zum Corso Italia.

Bei Zara fand ich ein schlichtes Leinenkleid, kurz, A-Linie, mit tiefen Taschen. Aus der Nähe war unschwer zu erkennen, dass es mit der heißen Nadel genäht war, aber es war schlicht genug, um in Kombination mit den richtigen Accessoires teuer auszusehen. Ich nahm gleich zwei, ein schwarzes und ein marineblaues. In einem Sportgeschäft erstand ich Shorts, zwei Größen zu groß, und ein Paar klobige weiße Joggingschuhe. An einem Souvenirstand um die Ecke kaufte ich noch ein »I Love Rome«-T-Shirt und besuchte noch zwei weitere kitschige Souvenirläden. Am Ende der Via Veneto entdeckte ich einen ultraleichten Regenmantel von Kenzo mit leuchtendem Fuchsia-Weiß-Muster. Er sah richtig umwerfend aus. In einem edleren *tabaccaio* von der Sorte, in der auch silberne Fotorahmen und Humidors verkauft werden, kaufte ich einen schweren Zigarrenschneider und eine von den dicken Lederröhren, in denen die Typen auf dem Schiff immer ihre Cohibas gehabt hatten. Außerdem besorgte ich mir einen schwarzen Nylonrucksack, der so groß war, dass meine Ledertasche hineinpasste, und nahm in der *farmacia* eine Packung XXL-Binden und Feuchttücher mit. Als ich alles erledigt hatte, war es nach sechs. Einen Moment dachte ich mit Bedauern an die Pinturicchios im Vatikan. Die würde ich jetzt nicht mehr sehen, aber ich wollte mir noch die Zeit nehmen, vor meinem Date mit Cameron zu baden und mir die Haare zu föhnen.

Als Treffpunkt hatten wir acht Uhr im Hassler verabredet. Er wartete in der Lobby und schlug vor, erst mal etwas zu trinken, doch ich meinte, den Drink würde ich mir lieber für später aufsparen. Auf dem Weg in den dritten Stock ließ ich im Aufzug ein paar wenig subtile Hinweise fallen, wie sehr es mir gefallen würde, nach meiner Rückkehr nach London für eine private Galerie zu arbeiten. Wie es der Zufall wollte, waren die de Grecis heute Abend sowieso mit Verwandten zum Abendessen verabredet.

Sobald wir sein Zimmer betraten, streifte ich langsam meinen neuen Kenzo-Mantel ab und hängte ihn über eine Stuhllehne. Ich spürte, wie Camerons Blick langsam an meinen Beinen nach oben wanderte, und ich ließ ihn spüren, dass ich es spürte, und warf ihm unter halb gesenkten Augenlidern ein Lächeln zu. Das Zimmer fühlte sich zu intim an, wie immer in Hotels. Das Fenster hinter den ausgeklügelten dreifachen Vorhängen war offen, es ging aber nur auf einen dreckigen Belüftungsschacht. Ein kleiner Reisekoffer auf Rollen lag ungeöffnet auf der Gepäckablage, und ein Teil des Tisches war mit einem Stapel Papier und einem Schlüsselbund bedeckt. Auf dem Bett befand sich eine billige schwarze Plastikmappe, eine von der Sorte, wie Kunststudenten sie benutzen, doch als Cameron sich vorbeugte, um sie aufzumachen, sah ich, dass sie sorgfältig gepolstert und gefüttert war. Ehrfürchtig hob er das Bild heraus, das einen ganz schlichten Metallrahmen hatte.

»Du hast es nicht in eine Transportkiste packen lassen?«

»Zu viel Aufwand – italienische Bürokratie.« Also wusste niemand, dass er es mitgenommen hatte, außer Rupert und seinem Kunden.

Da waren sie: Der Herzog und die Herzogin bei ihrem ewigen Picknick, während das Pferdetrio über die Galopprennbahn donnerte. Im bläulichen römischen Zwielicht sah das Gemälde noch bunter aus – vielleicht mochten die Chinesen eine hübsche glänzende Lackierung. Cameron stand hinter meiner Schulter, während er es betrachtete, aber er war kein Colonel Morris. Und er konnte auf seinen Pudding warten.

»Na«, sagte ich, »vom geschäftlichen Teil bin ich schon mal sehr beeindruckt. Wie würdest du dir denn in der Rolle des Marcello Mastroianni gefallen?«

»*La Dolce Vita*, ganz zu Ihren Diensten, Signorina.«

Ich erzählte ihm, ich hätte in meinem Reiseführer ein Restaurant entdeckt, obwohl es in Wirklichkeit nur ein Lokal war, das ich aus meiner Studienzeit kannte. Es war sehr altmodisch und lag in der Nähe der Piazza Cavour, gegenüber von

Sant'Angelo, im *piano nobile*, mit einer überdachten Loggia, auf der man essen konnte. Noch bevor wir mit den gefüllten Zucchiniblüten und dem gegrillten Fisch fertig waren, bestellte er die dritte Flasche. Ich hätte genauso gut Stroh kauen können, so schwierig war es, irgendetwas an dem nervösen Kloß in meinem Hals vorbeizukriegen. Cameron war kein Mann, der leicht zu durchschauen war – natürlich, wenn man ihn darum bat, würde er einem die Sterne vom irischen Himmel holen, damit man sie sich ans Revers pinnen konnte, aber unter diesem Charme suchte ich das, wonach er sich sehnte, den kleinen Schalter, der ihn mir ausliefern würde, wenn ich ihn umlegte. Alle Männer haben ihn, der Trick besteht bloß darin, ihn zu finden. Und wenn man ihn gefunden hat, kann man sich in das verwandeln, was sie gerne hätten, auch wenn sie sich nicht mal selbst eingestehen können, was es ist.

Während das davondämmernde Licht die Reste des Weins in der Flasche von einem dumpfen Jadeton zu Petrolgrün verfärbte, griff Cameron auf einmal über den Tisch und nahm meine Hand. Ich drehte mein Handgelenk, und er führte meine Hand an seine Lippen.

»Es ist ganz seltsam, Judith, aber ich hab das Gefühl, wir sind aus dem gleichen Holz geschnitzt.«

»Inwiefern?«

»Wir sind … Einzelgänger. Wir stehen außerhalb.«

Ach bitte, dachte ich, nicht die Kindheitsnummer. Welcher halb verdrängte Schmerz macht uns beide so besonders? Uah. Das Erzählen von persönlichen Geschichten steht heute Abend ganz bestimmt nicht auf der Tagesordnung. Ich zog meine Hand zurück und fuhr mir mit den Knöcheln nachdenklich übers Kinn.

»Cameron. Wir beide sind aus demselben Holz geschnitzt.« Ich holte kurz Luft. »Und ich glaube, du solltest mich ficken.«

»Ich bestelle die Rechnung.«

Kaum standen wir vor dem Restaurant, schob er mich an die Mauer und küsste mich, ließ seine Zunge um meine kreisen. Es fühlte sich gut an, so rundum eingepackt zu sein und dabei an seiner breiten Brust zu liegen. Ich fasste seine Hand und bückte mich, um die Knöchelriemen meiner Sandalen zu lösen, und dann zog ich ihn mit, sodass er ein paar Minuten lang mit einem barfüßigen Mädchen durch die augustleeren Straßen von Rom rannte. Wir überquerten die Brücke am Castello, suchten uns eine der Treppen nach unten, küssten uns wieder, und dann gingen wir Hand in Hand am Quai entlang. Unter einer Brücke hindurch und dann unter noch einer. Anders als die Seine ist der Tiber nicht so hochglanzpoliert für die Touristen. Hier wogt zwischen den Steinen das lange Gras, und am Ufer häufen sich die Abfälle. Unter der zweiten Brücke kamen wir an einer Gruppe von Pennern vorbei, und ich merkte, wie Cameron ganz starr wurde und die Schultern straffte, doch sie würdigten uns kaum eines Blickes.

»Mir ist kalt.«

»Nimm meine Jacke, Schatz.«

Er legte sie mir über die Schultern, und ich lachte und begann wieder zu laufen und spürte die warmen, glatten Steine unter meinen Füßen. Er musste sich anstrengen, um mithalten zu können. Ich wollte, dass er außer Atem kam. Unter der dritten Brücke zog ich ihn an mich, schüttelte mit einer Bewegung meiner Schultern seine Jacke ab und küsste ihn gierig, wobei ich meine Hände an seinen Oberschenkeln hochwandern ließ, bis zu seinem Schwanz, der bereits eine Beule in der Hose bildete.

»Ich will dich, und zwar jetzt sofort«, murmelte ich. »Ich will, dass du mich auf der Stelle fickst.«

Er stand mit dem Rücken zum Wasser. Ich ging in die Knie und nahm seinen Gürtel zwischen die Zähne. Nachdem ich ihn aufgemacht hatte, zog ich den Riemen aus der Schnalle und schob den Dorn mit der Zunge beiseite. Ein billiger Trick, gar nicht schwierig, aber er hat den Vorteil, die Aufmerksamkeit eines Mannes zu fesseln. Seine Hände hatte er bereits in meinem Haar vergraben.

»O Judith, mein Gott.«

Ungeduldig befreite ich ihn aus seinen Shorts und nahm ihn in den Mund. Ich hätte fast losgelacht, als die Erinnerung in mir aufblitzte, wie ich im Badezimmer des Eden Roc gesungen hatte, während der an Händen und Füßen gefesselte James erwartungsvoll auf dem Bett lag. Tja, Judith, flüsterte eine kleine spitze Stimme, und nun noch mal dasselbe. Aber jetzt konzentrier dich. Ich schloss die Augen. Immer nur an den nächsten Schritt denken, nicht weiter.

Cameron sagte nichts, als ich das Springmesser aus meiner Tasche zog und in die Grube über seinem Knöchel bohrte, direkt über seiner Achillessehne. Er keuchte auf und stürzte zur Seite wie eine Marionette, der man die Fäden durchgeschnitten hat. Erst jetzt begann er zu schreien. Das Messer hatte ich in der rechten Tasche gehabt, aus der linken zog ich eine dicke Binde. Ich zog die Abdeckung vom Klebestreifen, rollte die Binde zusammen und steckte sie ihm zwischen die Zähne. Ich schob sie gegen seine Zunge und drückte meine Handfläche auf seinen Mund, um den Würgreflex zu stoppen. Das ist auch so ein Trick, wenn man jemandem einen Blowjob verpasst. Man muss die Kehle langsam öffnen, die Mandeln zurückziehen. Cameron lernte sehr schnell.

Die Nervenbündel an der Achillessehne sind derart konzentriert, dass eine Wunde an dieser Stelle den ganzen Körper kurzfristig außer Gefecht setzt. Cameron würde für ein paar kostbare Sekunden nicht in der Lage sein zu reagieren. Ich stand auf und schob meine Handtasche und die Schuhe aus dem Weg. Er krümmte sich und schnappte vor Schmerz tief und geräuschvoll nach Luft, das war alles, woran er im Moment denken konnte. Ich setzte mich auf ihn, packte eine Handvoll seines dichten Haares und bog seinen Kopf zur Seite, bis sein Gesicht zu seiner Schulter zeigte. Als ich nach seinem Ohr tastete, riss er die Augen auf. Ich begriff, dass er immer noch dachte, ich wollte ihm helfen.

Vermutlich waren seine Augen aus den Höhlen getreten und starrten mich panisch an, doch ich sah lieber nicht so genau hin. Stattdessen stieß ich ihm das Messer direkt unterhalb des Ohrläppchens in den Hals, bis zum Griff. Es ging nicht so leicht wie bei einer Wassermelone, die Struktur erinnerte eher an einen zähen Kürbis, und ich musste dabei an das Kaninchen denken, das wir zu Mittag gegessen hatten. Immer noch war kein Geräusch zu hören, doch eine Sekunde später sah ich den dunklen Fleck auf dem hellen Hemd und spürte die warme Nässe an meinem Oberschenkel. Sein großer Körper wehrte sich und zuckte, dann holte sein linker Arm aus und versetzte mir einen massiven Schlag auf den Kiefer. Die Wucht des Hiebes setzte sich fort bis in meine Luftröhre, ließ mich zurückweichen und nach Atem ringen. Es war lange her, dass mich jemand so geschlagen hatte. Würde das einen blauen Fleck geben? Doch ich hatte jetzt keine Zeit, mir darum Sorgen zu machen, ich musste es jetzt tun.

Cameron war furchtbar geschmeidig, er drehte sich und schleppte sich auf mich zu. Der Kopf sackte ihm weg, seine kräftigen Hände griffen nach meinen Beinen. Mir war noch immer ganz schwindlig von seinem Boxhieb, und ich versuchte, mich rückwärtszubewegen, weiter in die Schatten unter der Brücke, aber ich war zu langsam, und als ich sein ganzes Gewicht auf meinen Knien hatte, ging ich wieder zu Boden. Langsam arbeitete er sich mit den Händen zu meinem Gesicht vor. Ich versuchte, mich mit Tritten aus seinem Griff zu befreien, aber er war zu schwer, kroch Zentimeter für Zentimeter an meinem Körper hoch. Dabei hörte ich ein sattes Blubbern aus seinem Hals. Schließlich hatten seine Hände meine Kehle gefunden, und er drückte zu. Ich hatte ganz vergessen, wie stark Männer sind. Ich krallte meine Finger in seine Hände, aber es war aussichtslos. Ich begann zu würgen und nach Luft zu schnappen, ich konnte meine untere Körperhälfte nicht mehr bewegen, war von seinem Gewicht völlig blockiert. Ich versuchte, mich unter ihm hervorzuwinden, aber er war so wahnsinnig schwer, und seltsame Lichter tanzten vor meinen Augen, während sein Griff immer fester wurde. Und sich dann von einer Sekunde auf die andere löste.

Er war ganz still. Ich widerstand dem Impuls, ihn von mir zu schieben, und schnappte erst drei, vier Mal nach Luft, bis ich wieder richtig atmen konnte. Er lag erschlafft auf mir, seine Arme hingen wie tote Äste über meinen Brüsten. Ich atmete wieder ein und spannte meine Muskeln ganz fest an, dann lockerte ich sie wieder, drehte meine Hüften, um sein Gewicht auf die Seite zu verlagern, und rollte mich herum, bis er auf die Seite plumpste und ich auf allen vieren landete.

Es war keine besonders würdevolle Position. Ich schaute auf, ließ meine Augen schnell über beide Seiten des Quais gleiten. Wenn irgendjemand kam, musste ich so tun, als würden wir miteinander schlafen. Aber das Ufer war leer. Ich robbte von ihm weg, mein Kleid rutschte hoch, und die Steine schrammten über meinen nackten Bauch. Zum Schluss lag ich ganz ausgestreckt da, so weit von ihm weg, wie es nur ging, nur meine Hand am Messer verband uns noch, mein Arm war wie eine furchtbare Nabelschnur. Ich zog die Klinge aus seinem Hals, ohne hinzuschauen. Ich drehte mich einfach weg, nahm den Rucksack aus meiner Tasche und packte die Sachen aus, die ich brauchen würde. Währenddessen zählte ich lautlos einundzwanzig, zweiundzwanzig … Er würde ein paar Minuten brauchen. Ich zog die Beine an und vergrub mein Gesicht zwischen meinen Knien, auf denen die Kiesel ein Pixelmuster hinterlassen hatten. Das Säuseln seiner letzten Atemzüge wurde immer flacher und schneller. Hypovolämie. Wenn ich ihn jetzt anfasste, würde ich spüren, wie er immer kälter wurde.

Ich hatte einmal von Soldaten im Ersten Weltkrieg gelesen, die durchdrehten, sich dann im Niemandsland hinlegten und sofort einschliefen. Meine gesamte Körperwärme hatte sich in meinem Brustkorb konzentriert, und es lullte mich ein, meinen eigenen Atem auf der Haut zu spüren. Erst als ich Motorengeräusche hörte, kam ich zitternd wieder zu mir. Mist, Mist, Mist. Sein leuchtend weißes Hemd ... Hastig überschlug ich sämtliche Möglichkeiten. Wir waren angegriffen worden, ich hatte das Messer gezückt ... Ich wiegte mich vor und zurück, um zu üben, wie ich gleich die Traumatisierte spielen würde, doch als ich durch die Finger spähte, sah ich nur ein kleines Boot mit breitem Bug, das wie ein plumper Hai flussaufwärts fuhr. Im Heck stand eine leicht gebückte Gestalt. Ein Fischer. Es gab immer noch Aale im Tiber. Erst als er vorbeigefahren war und das Wasser wieder glatt wie eine Decke dalag, merkte ich, dass die keuchenden Atemzüge verstummt waren.

Jetzt den Daumen. Er hatte seine Linke benutzt, um sein Handy zu entsperren. Ich drückte seine geöffnete Handfläche auf die Steine und spreizte seine Finger, dann setzte ich das Messer an seinem Daumen an, legte mein Knie darauf und drückte zu. Als der Schnitt tief genug war, erledigte der Zigarrenschneider den Knochen. Ich warf das Werkzeug weg und hörte das leise Platschen, während ich Camerons Daumen in die Zigarrenhülse schob.

Ich hatte mir schon Gedanken gemacht, wie schwierig es sich gestalten würde, den Mann in den Fluss zu bugsieren – und das war gewesen, *bevor* ich wusste, wie schwer dieser Koloss wirklich war. Ich musste meine nackten Füße in die Blutlache stemmen, in der er lag, um seine Schultern richtig packen zu können, doch das Adrenalin verlieh mir ungeahnte Kräfte, und ich bekam seinen Körper gleich beim ersten Anlauf komplett über den Quai. Sein linker Arm zuckte noch einmal, als würde ein Zombie plötzlich zupacken wollen. Dann bog er den Rücken durch, geschmeidig wie ein Turner, und sein Hinterkopf schlug hart auf den Steinen der Uferbefestigung auf. Na, konnte ja nicht mehr wehtun. Ich drückte mein Knie gegen seine Brust, um ihm den Knebel aus dem Mund zu ziehen, und dann stemmte ich mich von der Seite gegen seinen Oberschenkel, bis er ins Wasser rollte. Einer seiner Loafers fiel vom Fuß, als ich ihn über den Uferrand schob. Ich hob ihn auf und fühlte die Schnalle. Gucci. Edel. Ich warf den Schuh hinterher.

In der Stille nach dem Platschen hörte ich ein hohes Quieken und konnte aus dem Augenwinkel huschende schwarze Pelzknäuel erahnen. Ich keuchte auf und stolperte, sodass ich beinahe selbst zu Cameron ins Wasser gefallen wäre. Eine Ratte, bloß eine Ratte. Doch ich schnappte nach Luft, und meine Hände zitterten. Halb erwartete ich, im nächsten Moment eine Gestalt aus den Schatten treten zu sehen, so stark war mein Gefühl, beobachtet zu werden. Bloß eine Ratte. Wahrscheinlich vom Geruch des frischen Blutes angezogen – ein widerlicher Gedanke.

Ich zwang mich, gleichmäßig durch die zusammengebissenen Zähne zu atmen, zog mich aus und reinigte mich rasch mit den Feuchttüchern und einer Flasche Evian aus meiner Tasche. Ich stopfte die Tücher durch den Flaschenhals und vergrub sie im hohen Gras in dem uringetränkten Abfallhaufen hinter der Brücke. Das dünne blaue Kleid, das ich angehabt hatte, wurde in eine weitere riesige Binde gepackt, die wiederum zur späteren Entsorgung in einer zugeknoteten Plastiktüte landete. Kein Müllmann würde scharf darauf sein, so eine Tüte aufzumachen. Ich nahm das schwarze Kleid aus meiner Tasche und knotete es mir um die Taille, um breiter zu wirken, dann zog ich mir die hässlichen Shorts und das T-Shirt an. Es kam mir vor wie eine halbe Ewigkeit, bis ich mir das Oberteil über den Kopf gezogen hatte. Ich steckte mir die Haare hoch, schob die Schuhe in meine Handtasche und dann alles in den Nylonrucksack, zum Zigarrenetui und zu Camerons Handy. Ich durchsuchte noch einmal die Taschen seines Sakkos und schob seinen Zimmerschlüssel in meinen BH, bevor die Jacke ebenfalls ins Wasser flog. Es würde die Identifikation verzögern, wenn sie keinen Pass und keine Brieftasche fanden. Die Dunkelheit war mühsam, aber ich war doch dankbar dafür – hier standen nämlich keine Straßenlaternen, die bummelnde Liebespaare angezogen hätten. Ich wartete einige Augenblicke und betrachtete das hell erleuchtete Castello, dann ließ ich meine Zunge langsam über beide Seiten der Messerklinge wandern und sah sie im Schein der Lampen aufblitzen, während ich den eisenhaltigen Saft zwischen meine Zähne sog. Es war natürlich Aberglaube, aber es gab mir das Gefühl, mein Spiegelbild vom Metall zu lecken. Dann warf ich auch das Messer fort, sah zu, wie es einen Bogen beschrieb und dann mit einem ganz kleinen, öligen Klatschen ins Wasser fiel.

Wenn die Borgias eine Botschaft senden wollten, stopften ihre Auftragsmörder die Opfer mit aufgeschnittener Kehle in Säcke und warfen sie in den Tiber, sodass sie bis zum Castello trieben. Manchmal wurden extra Gitter aus Schilfrohr aufgestellt, um sicherzustellen, dass die Leichen gefunden wurden. Wie schnell mochte der Fluss fließen? Ich meinte, zumindest eine Stunde zu haben, bis jemand den Toten entdeckte. Mit etwas Glück war sogar Zeit bis zum nächsten Morgen. Ich stöpselte mir die Kopfhörer in die Ohren, befestigte das Handy an meinem Kragen und rannte am Ufer zurück, und AC/DC *shook me all night long*.

Innerhalb einer Viertelstunde war ich am Hassler, nachdem ich die Spanische Treppe noch im Laufschritt genommen hatte. Als ich keuchend in die Lobby trat, hätte ich selbst fast glauben können, dass ich war, was ich zu sein schien: eine Touristin, die sich das ganze *gelato* von den amerikanischen Oberschenkeln joggen will. Ich trabte zum Lift, und niemand würdigte mich eines Blickes. Das Zimmer war aufgeräumt, die Vorhänge waren vorgezogen, und die Klimaanlage summte, Schokolade auf dem Kissen, Baumwollmatten rechts und links vom Bett. Zuerst wusch ich mir das Gesicht und stellte im Spiegel fest, dass Camerons Schlag auf meinen Kiefer keine Spuren hinterlassen hatte. Ich zog mir wieder das schwarze Kleid und die hohen Schuhe an und darüber den farbenfrohen Mantel, der immer noch auf der Stuhllehne lag und auf mich wartete. Wenn mich jemand beim Heraufkommen gesehen hätte, er hätte eine komplett andere Frau herunterkommen sehen. Rasch warf ich einen Blick in die Plastikmappe auf dem Bett, für den Fall, dass ein Zimmermädchen sie angerührt hatte, doch das Bild war noch da.

Jetzt also das Handy. Ich nahm mir ein Handtuch, breitete es auf dem Teppich aus und öffnete das Zigarrenetui. Der Daumen fiel heraus. Wo er nicht blutverschmiert war, sah er aus wie eine fette Made, weiß und grau. Ich zog meinen Finger über das Display und hielt dann den Daumen darauf. Das Display zitterte, dann erschien die Mitteilung: »Versuchen Sie es noch einmal.« Verdammt. Erkannte das Ding am Ende auch noch die Hauttemperatur? Ich drehte das heiße Wasser auf, spülte den Daumen ab und versuchte es erneut. Diesmal funktionierte es. Der Daumen fiel mir aus der Hand und kullerte über meinen Schoß – o Gott. Vorsichtig legte ich ihn auf die Ecke des Handtuchs. Ich hätte gern Camerons Mails und SMS gelesen, aber ich hatte keine Zeit mehr. Stattdessen suchte ich in seinen Apps, bis ich den Terminkalender fand. Ich hoffte, dass Cameron den Termin mit seinem Kunden hier eingetragen hatte, fand aber nur die Angaben zu seinem Rückflug, übermorgen von Fiumicino nach London. Okay. Nun wusste ich also, dass das Treffen für morgen angesetzt war. Was noch? Die Passbook-App. Ich suchte nach dem Konto, wo Cameron sein Geld eventuell hatte unterbringen wollen. Fehlanzeige: British Airways, Heathrow Express, eine elektronische Kundenkarte der Drogeriekette Boots, lauter banales Zeug. Die Bank-App der HSBC sah vielversprechend aus, doch das Konto lief auf Camerons Namen, und außerdem brauchte man ein Passwort und einen Sicherheitsschlüssel. Sollte er ernsthaft vorgehabt haben, darauf fünf Millionen zu deponieren? Denk nach, Judith, denk nach. Der Daumen schaute mich keck an. Hätte Cameron nicht noch etwas anderes in der Hinterhand gehabt? Rom war berühmt für seine Taschendiebe, und das Handy war fast neu. Warum hätte er sensible Informationen darauf speichern sollen?

Als ich aufstand, verschob ich mit dem Knie das Handtuch, und der Daumen kam erneut ins Kullern.

»Verpiss dich«, sagte ich zu ihm. Doch dann sah ich noch einmal genauer hin. Der Daumenstummel deutete zum Gepäck. Vielleicht fanden sich darin noch andere Informationen, und zwar in Papierform? Ich brauchte diese Bankverbindung, sonst wäre die ganze bisherige Mühe sinnlos gewesen. Ich ließ die Finger über diverse zusammengefaltete Hemden, Socken, Unterwäsche und ein Taschenbuch gleiten. Ich blätterte es rasch durch, vielleicht hatte er auf den Seiten irgendwas notiert. Nichts. Obwohl mir durch den Kopf schoss, dass man sich gleich weniger schuldig fühlt, wenn man jemanden umgebracht hat, der zum Vergnügen Jeffrey Archer liest. Es musste irgendeine Notiz geben. Nicht auszudenken, was es bedeutete, wenn ich mich täuschte. Es musste doch irgendwelche Unterlagen geben. Ich schaute in die Tasche und die Innentasche, auf der Suche nach möglichen Informationen. Dann fiel mir auf einmal der Kulturbeutel ein, den ich im Bad gesehen hatte.

Tatsächlich fand sich in einem Reißverschlussfach an der Kulturtasche ein kleines rotes Moleskine-Notizbuch. Auf dem Handtuch befand sich nur ein kleiner verschmierter Fleck von seinem Blut, also ließ ich es neben dem Waschbecken liegen und spritzte sicherheitshalber noch ein wenig Rasierschaum an den Rand. Den Daumen wickelte ich in Toilettenpapier, warf ihn ins WC und spülte. Ich faltete den Rucksack zusammen und stopfte meine ganzen Sachen in meine Handtasche, klemmte mir die schwarze Mappe unter den Arm und hängte nach einem prüfenden Blick in den Korridor das »Bitte nicht stören«-Schild an die Klinke. Ein kleiner Tribut an den guten alten James.

Ich war schon immer der Meinung, man soll gar nicht versuchen, die Dinge krampfhaft zu verstecken, weil man damit meist nur noch mehr Aufmerksamkeit erregt. Also nahm ich den Lift ins Erdgeschoss, hoffte, dass mein Gesicht nicht mehr so stark gerötet war wie bei meiner Ankunft, durchquerte die Lobby zur Rezeption und fragte, ob Mr Fitzpatrick mir eine Nachricht hinterlassen habe. Nein, Signora. Ob er wohl kurz auf seinem Zimmer anrufen könne? Es nimmt niemand ab, Signora. Ich bedankte mich beim Portier und verließ das Gebäude langsam durch den Hinterausgang. In einem Torweg zog ich den Mantel aus und steckte ihn fest zusammengerollt in meine Tasche. Ganz ruhig ging ich weiter zur Piazza Navona, warf das blutverschmierte Kleid in einen Abfalleimer, die Zigarrenhülle in einen anderen, ging in die Hocke, um die Riemchen an meinen Sandalen zu schließen und ließ dabei ganz zufällig Camerons Reisepass in einen Gully fallen. Ich nahm das Bargeld und die Kreditkarte aus der Brieftasche, steckte das Geld zu meinem eigenen und ließ die Karten wieder in einem anderen Mülleimer verschwinden. Ich fand noch ein paar Fotos und etwas, was aussah wie ein zusammengefalteter Brief, der vom vielen Auf- und Zufalten schon ganz schmutzige Kanten hatte.

Ich sah ihn mir bewusst nicht an. Wahrscheinlich hatte der Holofernes auf Artemisias Gemälde auch Familie gehabt. Die Brieftasche und das Handy konnten auf dem Rückweg in mein Hotel auch im Fluss verschwinden.

Ich suchte mir ein Café in unmittelbarer Nähe zum Bernini-Brunnen aus, bestellte mir einen Kognak und einen *caffè shakerato, amaro*. Dann schlug ich das Notizbuch auf. Bedächtig blätterte ich eine Seite nach der anderen um. Eine Einkaufsliste, eine Erinnerung, noch eine Karte zu kaufen, der Name eines Restaurants mit einem Fragezeichen daneben … ach, komm schon!

Auf der letzten beschriebenen Seite fand ich es: einen Namen und eine Adresse, daneben stand »11 Uhr«, unterstrichen. Und auf der gegenüberliegenden Seite die Zahlen. Freude. Ich trank den eiskalten Kaffee und nippte an meinem Kognak. Während ich drei Zigaretten rauchte, beobachtete ich die Touristen, wie sie Münzen in den Brunnen warfen und Fotos schossen. Der Weinbrand hinterließ ein warmes Gefühl in meinem Inneren. Ich berührte meine Wange mit der Hand und merkte, dass mein Gesicht trotz des lauen Abends ganz kalt war. Ich achtete darauf, ein dickes Trinkgeld zu geben und mit dem Kellner einen höflichen Abschiedsgruß zu tauschen, in der Hoffnung, dass er sich an mich erinnerte, wenn jemals jemand fragen sollte. Dann ging ich zurück auf die andere Seite des Flusses.

In meinem Zimmer zog ich mich aus, legte meine Kleider säuberlich auf einen Stapel, klappte den Toilettendeckel hoch und übergab mich, bis ich nur noch Galle und Speichelfäden herauswürgen konnte. Ich nahm eine ausgedehnte Dusche – so heiß, dass ich es gerade noch aushielt –, wickelte mich in ein Handtuch und setzte mich im Schneidersitz aufs Bett, um mir das Notizbuch genauer anzusehen. Dann rief ich die entsprechende Internetseite in meinem Notebook auf, gab die Nummern aus dem Notizbuch ein und nahm das Konto genauer unter die Lupe. Mein kleines Kunstbetrüger-Duo war ganz schön clever gewesen. Es war ein Konto auf den Cook Islands, offenbar erst vor Kurzem eröffnet, denn es enthielt nur zehntausend Dollar, den internationalen Mindestbetrag, genau wie bei meinem Konto in der Schweiz. Neben der IBAN und dem SWIFT-Code stand der vielleicht nicht ganz so clever gewählte Name des Kontoinhabers, Goodwood Holdings Inc. Das dazugehörige Passwort, »Horse1905« war schlichtweg idiotisch. Ich loggte mich wieder aus. Rupert hatte schätzungsweise auch Zugang zu diesem Konto. Ich malte mir aus, wie er morgen mit höchster Spannung darauf wartete, dass die Zahlen durchkamen.

Morgen. Der Termin. Der Name der Person, die Cameron treffen wollte, lautete Moncada. Vielleicht hatte Fitzpatrick auch eine Verabredung mit einem todschicken römischen Friseur gehabt, aber irgendwie konnte ich mir das nicht so recht vorstellen.

Mein Blut schien vor lauter Müdigkeit schon langsamer zu fließen, und ich sah lieber nicht auf die Uhr. Dabei war es nicht das erste Mal, dass ich mir eine Nacht um die Ohren schlug. Mithilfe des hoteleigenen Wasserkochers machte ich mir einen widerlichen Instantkaffee und schnappte am offenen Fenster kurz frische Luft, dann kehrte ich zurück zu meinem Notebook. Der Name Moncada sagte mir überhaupt nichts. Ich versuchte alles: Kunstgalerien, kleinere Händler, Verkaufsberichte, Gäste auf Partys der Kunstwelt, Kuratoren, Journalisten – nichts. Dann versuchte ich es mit der römischen Adresse, suchte erst nach irgendwelchen Firmen in der Umgebung, die irgendwie mit Kunst zu tun hatten, dann schaute ich mir die Bilder auf Google Earth an, nur um festzustellen, dass es sich um eine ziemlich schäbige Vorstadtgegend handelte. Warum hätte Cameron so ein über die Maßen lukratives Geschäft an einem solchen Ort abwickeln sollen? Entweder war Moncada ein zurückgezogen lebender privater Sammler oder er war nicht ganz astrein. Ich setzte eher auf Letzteres.

Auf Google Books ging ich das Register von *Money Laundering Through Art: A Criminal Justice Perspective* durch. Das Buch hatte ich für meine Masterarbeit durchgearbeitet, aber der Name Moncada kam nicht darin vor. Ich versuchte es mit ein paar willkürlich gewählten Suchbegriffen, und mit »Kunst Betrug Italien« landete ich dann ziemlich bald an der Stelle, die ich erwartet hatte. Die Mafia hatte auch in der Kunstwelt ihre Finger im Spiel, aber das musste nichts heißen – die Mafia war in Italien etwas ganz Alltägliches, so wie die halb nackten Assistentinnen in den Fernsehshows. Was ich an den Italienern so liebe, ist die Tatsache, dass sie Kultur so ernst nehmen. Man würde eigentlich nicht erwarten, dass Kunst so wichtig sein könnte für die Mafiagangster, die ansonsten die Regierung bestachen und den gesamten Süden zuasphaltierten, doch es waren echte Profis darunter. Eine Bande hatte in einem der kleineren vatikanischen Museen zwanzig echte Renaissancekunstwerke erfolgreich gegen zwanzig Fälschungen austauschen können und die Originale anschließend auf dem Schwarzmarkt verkauft, um davon Waffen für einen Bandenkrieg in Kalabrien zu bezahlen. Es dauerte Jahrzehnte, bis die Fälschungen aufflogen, und einige von den Originalen wurden sogar wiedergefunden. In neuerer Zeit waren mehrere Personen festgenommen worden, die in eine Fälschung zu Geldwäschezwecken involviert gewesen waren. Dabei ging es um Kunstgegenstände aus dem antiken Griechenland, die auf einem winzigen Inselchen vor der sizilianischen Küste ausgegraben worden waren, Penisola Magnisi, die eigentlich für ihre Wildpflanzen berühmt ist und dafür, dass laut Homers *Odyssee* die Nymphe Calypso hier einst Odysseus sieben Jahre lang in erotischer Gefangenschaft hielt. Die in den Betrug verwickelten Personen waren offenbar gar nicht entzückt davon, wie sie von der römischen Polizei behandelt wurden, und sie revanchierten sich, indem sie ein paar Beamten in die Luft sprengten, als diese gerade eine Cappuccino-Pause in einem Strandcafé einlegten. Wenn Camerons Mann mit dieser Art von Verbrechen zu tun hatte, war das für mich nicht gerade ermutigend. Immer wieder begegneten mir spektakuläre, detaillierte Beschreibungen der Schicksale derer, die diesen Gangstern in die Quere gekommen waren. In den meisten Erzählungen kamen Zement und Sprengstoff vor, was komisch hätte sein können, wenn es nicht wahr gewesen wäre. Das waren Geschichten, die Dave gefallen hätten.

Meine Recherchen und meine Augen begannen sich im Kreis zu drehen, also gab ich auf. Wenn dieser Moncada der Typ war, der Daumenschrauben in seiner Aktentasche mitbrachte, dann war es vielleicht umso besser, je weniger ich wusste. Die Dämmerung begann hinter der Plastikjalousie meines Hotelfensters zu glühen, doch selbst nach einem so überaus ereignisreichen Tag sollte man an seinen Teint denken. Also leerte ich die beiden Mineralwasserflaschen aus der Minibar und ließ mich für ein paar Stunden gnädiger Bewusstlosigkeit aufs Bett fallen.

16. Kapitel

Am nächsten Morgen war ich um 9.30 Uhr in der Lobby des Hotel Hassler. Ich setzte mich auf einen Sessel in der Lounge, bestellte mir einen Cappuccino und blätterte *La Repubblica* durch. In der Morgenausgabe stand noch nichts. Nach zehn Minuten tat ich so, als würde ich telefonieren, dann wartete ich noch einmal zehn Minuten und fingierte wieder ein Telefonat. Ich bestellte mir ein Glas Wasser. Dann ging ich zurück an die Rezeption und wiederholte meine Vorstellung vom Vorabend. Signor Fitzpatrick hatte keine Nachricht hinterlassen, und nein, er war auch nicht in seinem Zimmer. Ich wartete noch ein bisschen länger, tat so, als wäre ich nervös, spielte mit meinen Haaren und strich meinen seriösen braunen Leinenrock glatt. Nach vierzig Minuten bat ich schließlich, eine Nachricht hinterlassen zu dürfen. Auf einem Bogen Hotelbriefpapier schrieb ich: »Lieber Cameron, wie verabredet habe ich heute Morgen auf Dich gewartet, aber ich gehe davon aus, dass Du einfach zu beschäftigt warst. Vielleicht meldest Du Dich mal, wenn Du wieder in London bist? Ich hoffe, Du genießt Deinen restlichen Aufenthalt in Rom. Vielen Dank fürs Abendessen. Liebe Grüße, JR.« Die Buchstaben ließen sich als JR lesen, aber auch jederzeit als GP oder SH. Damit ließ sich wieder Zeit gewinnen.

Um elf stieg ich in der Nähe der Adresse, die ich im Notizbuch gefunden hatte, aus der Tram. Es war eine heruntergekommene Wohngegend, ein Stück von der Innenstadt entfernt, mit achtstöckigen Mietblöcken, die auf Inseln aus gelbem Gras und Hundescheiße standen. Mit meinem Stadtplan fand ich den Laden problemlos, zwischen einer Pizzeria und einem Schuster. Es war ein Geschäft für Rahmen, mit ein paar großen Staffeleien und einer Abteilung mit moderner Fotografie, zum Großteil chinesische Bräute in geliehenem weißen Nylon und Fake-Barock-Bordüren. Eine Chinesin im Trainingsanzug starrte auf einen kleinen Fernseher hinter dem Verkaufstresen. Hinter ihr befand sich eine Tür, die wohl in die Werkstatt führte. Ich konnte Harz und Klebstoff riechen.

»*Buongiorno, signora. Ho un appuntamento con il Signor Moncada. C'è?*«

»*Di fronte*«, antwortete sie und zeigte nach draußen.

Dann wandte sie sich wieder ihrer Fernsehsendung zu. Dem Geschrei nach zu urteilen, ging es wohl um Politik. Auf der anderen Straßenseite konnte ich eine kleine Bar mit Aluminiumtischchen unter einer grün gestreiften Markise erkennen. Nur ein Tisch war besetzt, von einem Mann in hellgrauem Anzug mit ergrauendem Haar, das ihm bis auf den Kragen fiel. Ich sah seine Rolex aufglänzen, als er zur Espressotasse griff.

»*Grazie.*«

Unter den Achseln und zwischen den Schultern brach mir prickelnd der Schweiß aus, und ich umklammerte die Mappe so fest, dass es wehtat. Ich muss das nicht tun, redete ich mir ein, ich kann einfach in eine Tram steigen, dann in einen Zug, dann in den nächsten, und schon bin ich heute Abend wieder in London. Meine ganzen Pläne waren einzig und allein auf diesen Moment zugelaufen. Ich hatte mich geweigert, die ungeheuren Dimensionen meiner Unternehmung anzuerkennen. Mir blieben noch zehn Meter, um mir einen triftigen Grund auszudenken, warum ich nicht weglaufen sollte, doch ich konnte keinen finden, außer dass ich das Ganze für machbar hielt. Ich hatte mir bewiesen, dass ich es konnte, also fühlte ich mich jetzt irgendwie gezwungen, es bis zum Ende durchzuziehen.

»Signor Moncada?«

»Sì?« Er trug eine Sonnenbrille von Bulgari und eine tadellos gebundene blassblaue Seidenkrawatte. Warum können nicht alle Männer ihre Kleidung so tragen wie die Italiener? Ich gab ihm eine von den Karten, die ich aus Camerons Jacke genommen hatte, sowie meinen Ausweis.

»Sono l'assistente del Signor Fitzpatrick.«

Er wechselte zu Englisch.

»Die Assistentin? Und wo ist Signor Fitzpatrick?«

Ich setzte eine verlegene Miene auf.

»Ich habe ihn heute Morgen nicht finden können. Er hat mir gestern Abend eine SMS geschrieben.« Ich zeigte ihm mein Handy. Bevor ich den Daumen im Klo hatte verschwinden lassen, hatte ich mir gestern Nacht um 23.30 Uhr noch eine SMS geschickt. Es war eine Anweisung von Cameron, den Termin ohne ihn wahrzunehmen – mit ein paar Tippfehlern gespickt, damit sie nach einer authentischen betrunkenen SMS aussah. Niemand sonst würde sie jemals lesen, denn das Handy lag (wenn auch ohne SIM-Karte) im Tiberschlick und verwandelte sich allmählich in Archäologie. Ich zuckte entschuldigend mit den Schultern.

»Ich habe das Bild natürlich dabei. Und alles andere, was für den Abschluss des Geschäfts nötig ist.«

»Ich muss es vorher sehen.«

»Ich habe mir schon gedacht, dass Sie einen guten Ort dafür ausgewählt haben, Signor Moncada.«

Er deutete auf das Rahmengeschäft und legte ein paar Münzen für den Kellner auf den Tisch. Wir gingen wortlos an der Chinesin vorbei in die Werkstatt. Die Decke war niedrig, es musste sich um einen modernen Anbau an ein viel älteres Gebäude handeln. Moncada musste den Kopf einziehen, und ich nahm den schwachen, wässrigen Geruch von kühlen alten Steinen im Schatten wahr. Die Werkbank war leer, als würde sie nur auf den nächsten Arbeitsauftrag warten. Ich öffnete die Mappe, nahm behutsam den Herzog und die Herzogin heraus, legte den Katalog und die Herkunftsnachweise daneben und trat zurück. Er ließ sich Zeit, um mir zu zeigen, dass er wusste, was er tat.

»Ich muss mit Signor Fitzpatrick sprechen.«

»Bitte, rufen Sie ihn an.«

Er ging nach draußen, um seinen Anruf zu tätigen, und ich wartete mit geschlossenen Augen. Mein ganzes Gewicht schien in meinen Fingerspitzen auf der Glasplatte zu liegen.

»Ich kann ihn nicht erreichen.«

»Tut mir leid. Aber wenn Sie zufrieden sind, bin ich von ihm autorisiert, das Geschäft abzuschließen.«

Noch ein Anruf, noch eine Wartezeit, in der ich meine Augenlider von innen betrachtete.

»*Va bene*. Ich nehme es.«

»Natürlich. Aber ich darf es Ihnen nicht übergeben, bevor Sie nicht die Überweisung getätigt haben, Signor Moncada. Ich weiß, dass das Mr Fitzpatrick nicht gefallen würde.« Und weil Mr Fitzpatrick weiß, dass Sie ein Gangster sind, und Sie wissen, dass er es weiß. (Oder wusste.) Aber das behielt ich für mich.

»Wie?«

Ich straffte die Schultern und wechselte zurück ins Italienische.

»Haben Sie ein Notebook? Gut. Dann müssen wir uns einen Ort suchen, an dem wir ins Internet können. Sie überweisen das Geld, ich werde mitverfolgen, wie es gebucht wird, und dann lasse ich das Bild bei Ihnen. Ganz einfach, oder?« Bevor er Gelegenheit zum Antworten hatte, streckte ich den Kopf ins Ladengeschäft und fragte die Frau, ob das Restaurant nebenan Breitband hatte.

Wir gingen also in die Pizzeria, bestellten zwei Cola light und zwei Margheritas und loggten uns ein. Ich schrieb die Bankverbindung aus dem Notizbuch auf eine Serviette und schob sie Moncada hin, damit er sie für die Überweisung abschreiben konnte. Mir war es, als würde ein Gummiband mein Herz zusammenschnüren. Wieder öffnete ich Camerons Konto auf meinem eigenen Notebook. Der kleine Wasserball erschien auf dem Bildschirm, und während er sich drehte, goss ich mir Cola aus der Dose ein, damit mir die Hände nicht so zitterten. Die Seite baute sich auf. Ich gab das Passwort ein. Seit gestern Nacht hatte sich nichts geändert. Und jetzt konnte ich zusehen, wie das Geld eintraf. Moncada tippte langsam auf seinem eigenen Gerät, ließ die Hände jedes Mal über den Tasten schweben, bevor er die Buchstaben anschlug. Neben ihm kam ich mir richtig jung vor, das war mal eine hübsche Abwechslung.

»*Ecco fatto.*«

Wir saßen beide schweigend vor unseren Notebooks, während ich auf meinen Bildschirm starrte.

Und da war es – 6,4 Millionen Euro.

»Ich muss versuchen, Signor Fitzpatrick zu erreichen. Würden Sie mich kurz entschuldigen?«

»*Certo, signorina. Prego.*«

Seine Höflichkeit machte mir Mut. Wenn ich ein Mann gewesen wäre, hätte er den Inhaber des Kontos vielleicht infrage gestellt, hätte nach einem Beweis gefragt, dass ich nicht längst getan hatte, was ich tatsächlich gleich tun würde. Glücklicherweise haben italienische Männer keine hohe Meinung vom Verstand junger Frauen. Im Grunde ist das wahrscheinlich bei den meisten Männern so.

Draußen steckte er sich eine Zigarette an. Ich hielt mir das Telefon ans Ohr, wartete ein Weilchen, dann tat ich so, als würde ich eine Nachricht hinterlassen, während meine Hände immer noch über die Tasten des Notebooks glitten. Ich rief das

Konto auf, das Steve für mich eröffnet hatte, ließ es am unteren Bildschirmrand, suchte die Überweisungsfunktion des Goodwood-Kontos heraus. Senden. Ich rief mein eigenes Nummernkonto auf. SWIFT, IBAN, Passwort. Glückliche Tage bei Osprey. Es war angekommen. Ich ließ die Mappe auf dem Tisch liegen, neben der Mikrowellenpizza, die ich nicht angerührt hatte. Eine wahre Tragödie, was mit dem italienischen Essen passiert.

»Ich habe nur seine Voicemail erreicht und ihm eine Nachricht hinterlassen. Signor Fitzpatrick wird Sie selbstverständlich noch anrufen. Es tut mir sehr leid, dass er nicht hier sein konnte, Signor Moncada, aber ich hoffe, Sie und Ihr Kunde werden zufrieden sein. Es ist ein sehr schönes Bild.«

Ich nahm ein Taxi zurück in mein Hotel und fragte extra noch einmal nach, ob irgendwelche Nachrichten von einem Signor Fitzpatrick eingegangen seien. Beim Auschecken gab ich der Dame an der Rezeption meine Nummer und bat sie, so nett zu sein, die Nachricht an mich weiterzuleiten, wenn der Signore anriefe. Ich wolle verreisen, sagte ich und spielte die Gesprächige. »Wir wollen an die Seen fahren.« Gerade mal genug Details, dass sie sich später daran würde erinnern können.

Es gab ein Restaurant in der Nähe des Campo di Fiori, wo römische Pizza gebacken wurde, das Original, mit Rosmarin bestreut. Ich wollte mir noch eine gönnen, bevor ich meine Sachen zusammensammelte und den Zug nach Como bestieg. Ich hatte den See noch nie gesehen. Ich könnte mich sonnen, dachte ich, und mit der Fähre nach Bellagio fahren, während ich darauf wartete, dass die Polizei mich fand.

17. Kapitel

Es kann kein Zufall sein, dass das Barock in Italien erfunden worden war. Hier gab es einfach zu viel Schönheit, zu viele perfekte Ausblicke, zu viele köstlich verschmolzene Farben in zu viel umwerfendem Mittelmeerlicht. Der Überfluss hatte etwas derart Exzessives, dass es schon fast peinlich war. Nachdem der Zug die besorgniserregend elegante Höhle der Stazione Centrale in Mailand verlassen hatte, kroch er durch die öden Hochhausvorstädte. Die Straßen waren leer, weil noch Ferienzeit war. Als er sich den ersten Ausläufern der Alpen näherte, passierte der Zug mehrere Tunnel und tauchte nur für kurz aufblitzende Eindrücke von grünen Hügeln und blauen Wasserflächen auf, die so lebhaft und grell waren wie ein plötzlich geöffnetes Schmuckkästchen. Und so, wie der Rhythmus von Eisenbahnschienen grundsätzlich die Stimmung des Reisenden aufnimmt, sangen mir die Waggons jetzt zu: »Du bist reich, du bist reich, du bist reich.«

Trotzdem checkte ich in Como in die bescheidenste Pension ein, die ich finden konnte. Es erstaunte mich fast, dass das Haus noch in Betrieb war, denn es war unglaublich altmodisch: grüner Linoleumboden und ein Gemeinschaftsbad, das ich mir mit mehreren wackeren Holländern und Deutschen teilte, die jeden Morgen zum Radfahren oder Wandern aufbrachen und sich die heimlich gemopsten Brötchen vom mageren Frühstücksbuffet in ihre Lycra-Einteiler schoben. Ich ging meine

Kleider durch, legte die teuren Teile beiseite und kaufte eine billige karierte Plastiktasche im Supermarkt, in der ich sie verwahren konnte. Ich versteckte sie unter der gallefarbenen Wolldecke, die auf dem Boden des wackligen Kleiderschranks lag.

Am ersten Abend setzte ich mich in eine Snackbar und bestellte mir eine Cola, die ich nicht trank, und ein Mineralwasser, das ich trank. In meinem karierten Schulheft legte ich eine Liste mit Namen an.

Cameron. Erledigt. Der würde bestimmt nie wieder mit jemandem sprechen.

Aber wie schnell würde die Nachricht von seiner Ermordung in die Medien kommen? Das brachte mich zu Rupert. Der hatte wahrscheinlich schon panisch versucht, mit Cameron Kontakt aufzunehmen, weil er befürchtete, dass der Deal geplatzt war.

Es bereitete mir ein gewisses Vergnügen, mir vorzustellen, dass ich ihm damit einen Tag lang die Raufußhuhn-Jagd im schottischen Moor verdorben hatte. Da Rupert sicherlich Zugriff auf das Konto auf Cook Island hatte, würde er sehen, wie das Geld eingegangen und gleich wieder verschwunden war, und außerdem, wohin es verschwunden war. Wenn er von Camerons Tod hörte, und das würde er ja zweifellos, musste er annehmen, dass Cameron sich in allzu zwielichtige Geschäfte verstrickt hatte, jemandem auf die Füße getreten und ein zu großes Risiko eingegangen war. Rupert konnte schwerlich zur Polizei gehen und versuchen, seinen »Stubbs« zurückzubekommen. Und wenn die Zeitungen meinen Namen nannten? Es war absolut plausibel, dass Judith Rashleigh auch in Rom gewesen war, absolut plausibel, dass sie Cameron wegen eines Jobs angesprochen hatte. Rupert wusste, dass Dave und ich hinter dem Stubbs hergeschnüffelt hatten, aber selbst wenn er mir die Intelligenz zutraute, die Geschichte durchschaut zu haben, und Cameron die Dummheit zutraute, mir alles erzählt zu haben – das Bild war weg. Er war machtlos. So gut wie.

Blieben also nur noch zwei Namen: Leanne und Moncada. Leanne war nicht die Sorte Mensch, die viel Zeitung las, aber ganz blöd war sie auch nicht. Wenn mein Name in der Zeitung erschien, konnte sie mich mit den beiden toten Männern in Verbindung bringen. Ich kannte sie aber gut genug, um zu wissen, dass sie sich im Leben nur für eines interessierte, nämlich für sich selbst – warum sollte sie sich also einmischen, wenn sie außer Ärger nichts zu gewinnen hatte?

Und Moncada kam mir nicht wie der Typ vor, der besonders freundschaftliche Beziehungen zur Polizei pflegt. Es gab kein Gesetz, das privaten Handel untersagte, doch er war selbst für einen Italiener zu gut gekleidet, um sauber zu sein. Ich hatte ihn nicht übers Ohr gehauen, seine Kunden würden zufrieden sein und zahlen. Meine Vorstellung als Camerons Assistentin war so überzeugend gewesen, dass Moncada das Geld herausgerückt hatte. In seinen Augen musste es tatsächlich so aussehen, als hätte ich korrekt gehandelt, vorausgesetzt ich hatte wirklich nicht gewusst, dass mein Chef bereits ein blutverklebter Klumpen auf dem Boden des Tiber war, als wir unseren Deal abschlossen. Wenn überhaupt, würde *er* Angst haben, dass die nette kleine Judith zur Polizei ging. Ein paar Sekunden war mir unglaublich kalt. Würde er mich verfolgen? Würde er sich an meinen Namen erinnern, den er im Pass gelesen hatte? Ich hatte ihn kurz herzeigen müssen, um überzeugend auszusehen. Wenn Moncada irgendwie mit dem organisierten Verbrechen in Verbindung stand (und ich hatte das dumpfe Gefühl, dass dies der Fall war), dann konnte er mich problemlos aufspüren, solange ich mich in Italien aufhielt. Vielleicht glitt er in diesem Moment durch dieselben Felstunnel wie ich, wie eine bösartige Ratte, die sich an die ranzige Geruchsspur meiner Angst geheftet hatte. Mein Herz begann heftig zu klopfen, meine Hände fingen an zu zittern. Hör auf. Hör auf. Tief durchatmen. Moncada wusste, dass er persönlich nichts mit Camerons Tod zu tun hatte. Und er konnte auch nicht argwöhnen, dass ich etwas damit zu tun hatte. Er hatte geglaubt, Cameron zu bezahlen, nicht mich.

Und wie sah das Worst-case-Szenario eigentlich aus? Moncada entdeckt überraschenderweise seinen Sinn für Bürgerpflichten und geht zur Polizei. Aber es gab keine Beweise, mit denen man mich hätte belasten können, nur Indizien. Verdammte Scheiße, ich hörte mich schon an wie einer von diesen Idioten, die meinen, weil sie *CSI* gucken, verstehen sie was vom Gesetz. Einmal scharf nachgedacht. Im Moment ist Judith Rashleigh eine abgebrannte ehemalige Kunsthändlerin, die leider in einen schrecklichen Vorfall hineingezogen wurde – zwei, falls sie den Buchungen meiner Flugtickets nachgingen und mich auch noch mit James in Verbindung brachten. Es gab Belege von Barabhebungen von ihrem englischen Sparkonto, was nachwies, wie sie ihre bescheidene Reise finanziert hatte, bevor sie nach London zurückkehrte, um sich eine neue Stelle zu suchen.

Der einzige Makel war die mögliche Verbindung zwischen Rupert, Cameron und Moncada. Wenn es Rupert gelang, Moncada zu kontaktieren, würde er dahinterkommen, dass wir uns getroffen hatten und ich dem Käufer das Bild übergeben hatte, und dann konnte er mich natürlich anzeigen. Ein anonymer Anruf bei der italienischen Polizei. Der einzige Beweis ließe sich finden, wenn die Behörden erreichten, dass sie meine Bankkonten einsehen durften. Um mich dann wegen Mordes anzuklagen. Rupert würde sich selbst ruinieren, und sein Geld würde er trotzdem nicht wiederkriegen. Mein Gehirn krachte, und in meinem rechten Handgelenk begann es zu zucken. Ich konnte kaum den Stift halten. Wie viel Zeit blieb mir noch?

Durch die Nase einatmen und durch den Mund wieder aus.

Ganz ruhig bleiben. Ich konnte nicht alle Eventualitäten abdecken, aber Rupert konnte es genauso wenig. Er würde zumindest stillhalten, solange er noch nichts von den Morden wusste. Also musste ich das Geld aus der Schweiz schaffen, das beruhigend nah auf der anderen Seite der Berge lag. Und dann konnte ich überall hingehen, wo ich hinwollte, und jeder sein, der ich sein wollte. Ich musste nur auf die Polizei warten und ihnen meine Geschichte erzählen.

Ich knüllte den Zettel zusammen, den ich vollgekritzelt hatte, und ging ans Seeufer. Dort tauchte ich ihn in der geballten Faust ins Wasser, bis er in Klümpchen aus nasser Papiermasse davontrieb. Mir wurde klar, dass das Warten am schwersten sein würde.

Doch die nächsten drei Tage bescherten mir etwas, was einem beinahe unerträglichen Begehren nahekam. Das weiße Rauschen, wenn der Geliebte weg ist, es summt und flüstert unaufhörlich im Ohr und in den Venen. Ich wartete wie eine verliebte Frau, wie eine versteckte Geliebte, die von der wohligen Folter der Entbehrung nur erlöst wird, wenn sie die Schritte ihres Liebhabers auf dem Flur ihres billigen Hotels hört. Jeden Morgen ging ich laufen, zwang mich die steilen Wanderwege hoch, bis meine Oberschenkel zitterten und meine Waden brannten. Ich bestellte mir Mittagessen und Abendessen, brachte aber kaum etwas hinunter. Ich rauchte, bis ich Wasser und brennende Zigaretten aus meinen gequälten Eingeweiden erbrach. Ich kaufte einen Flasche billigen Brandy und ein paar rezeptfreie Schlaftabletten und versuchte, mich nachts auszuschalten, doch jeden Morgen wachte ich noch vor Sonnenaufgang mit einem schwachen, aber stechenden Schmerz im Kopf auf, und ich beobachtete mein eigenes Herz, das unter dem dünnen hellblauen Laken schlug. Ich spürte, dass meine Wangen ganz eingefallen waren, und der Rand meines Hüftknochens fühlte sich unter meiner Hand ganz hart an. Ich versuchte zu lesen, auf Bänken mit Postkartenausblick, zusammengesunken auf meinem Fensterbrett, ausgestreckt an dem kleinen Kiesstrand, aber ich konnte nur in die Luft starren und immer, immer wieder auf mein Handy schauen. Ich spielte Spiele wie ein verliebter Teenager: Wenn sich der Mann mit der blauen Baseballkappe ein Schokoladeneis kauft, werden sie mich anrufen. Wenn die Fähre zweimal tutet, werden sie mich anrufen. Jedes Mal, wenn mein Telefon summte, stürzte ich mich so gierig darauf, als wäre es Wasser in der Wüste, und meine Finger fummelten an der Tastatur herum, aber abgesehen von einer einzigen SMS von Steve – »Na, du?« – kam nichts außer Werbung von Telecom Italia. Ich kaufte keine Zeitung, denn ich traute mir nicht zu, nach der Lektüre noch authentisch zu reagieren, obwohl ich wusste, dass das wahrscheinlich bescheuert war. Ich hatte schon früher begehrt – ich hatte begehrt, und ich hatte geneidet –, aber vielleicht hatte ich mich noch nie in meinem Leben so nach etwas gesehnt wie nach der Stimme von Inspektor da Silva, die wie Medizin in mein Ohr tropfte, nach all den Tagen, die so langsam dahinflossen wie Bernstein, der durch eine Kiefer sickert.

Sein Englisch war zögerlich.

»Ist Judith Rashleigh zu sprechen, bitte?«

»Am Apparat. Hier ist Judith Rashleigh.«

»Signora, mein Name ist da Silva. Romero da Silva.«

Unerklärlicherweise befiel mich die Lachlust. Endlich hatte es begonnen.

»Signora, ich gehöre zur italienischen Polizei. Ich arbeite für die *Guardia di Finanza* in Rom.«

Ich hatte das alles geübt.

»Was ist los? Ist etwas passiert? Ist was mit meiner Familie? Bitte sagen Sie es mir!«

Ich musste gar nicht so tun, als wäre ich atemlos, denn ich fiel wirklich fast in Ohnmacht.

»Nein, Signora, nein. Aber ich habe trotzdem bedauerliche Neuigkeiten für Sie. Ihr Kollege ist ermordet worden.«

Ich wartete einen erstickten Atemzug lang, bevor ich antwortete. »Ich verstehe nicht.«

»Ihr Kollege, Mr Cameron Fitzpatrick.«

Ich atmete tiefdurch. »O Gott.«

»Sì, signora.«

Sie warteten auf meine Reaktion, vielleicht zeichneten sie diesen Anruf sogar auf. Ich durfte es nicht übertreiben. Deshalb ließ ich ihn – oder sie, womöglich hörten seine Kollegen mit? – eine Weile nur meine Atemzüge vernehmen, bevor ich etwas sagte.

»Ich hab ihn doch erst noch in Rom gesehen. Ich versteh das alles nicht.«

»Ja, Signora, Sie haben ja auch Ihre Nummer in seinem Hotel hinterlassen.«

»Aber was ist denn passiert? Ich ...«

»Es tut mir leid, dass ich Ihnen so schockierende Nachrichten überbringen muss, Signora. Sagen Sie, sind Sie immer noch in Italien?«

»Ja, ich bin in Italien, ja. In Como.«

»Dann würde ich Ihnen gern ein paar Fragen stellen, wenn Sie erlauben. Wäre das möglich?«

»Ja, selbstverständlich. Soll ich nach Rom kommen? Aber was ist denn eigentlich passiert?«

»Das wird nicht nötig sein, Signora. Wenn Sie mir Ihre Adresse mitteilen ...«

»Soll ich das Konsulat anrufen? Seine Familie ... ich weiß nicht, sind sie schon ...«

»Um diese Dinge kümmert man sich bereits, Signora. Wir werden nur ein wenig von Ihrer Zeit in Anspruch nehmen. Und seien Sie meiner aufrichtigen Anteilnahme versichert.«

Fünf Stunden später waren sie da. Sie hatten vorher angerufen, ich erwartete sie bereits in der engen Lobby meiner Pension. Ich hatte mir das Gesicht gewaschen und das schwarze Kleid angezogen, das ich mir in Rom gekauft hatte, und dazu den Ledergürtel. Ich machte mir wilde Vorstellungen wegen der DNA, vielleicht waren ja Blutspritzer von seinem Daumen darauf – aber wenn ich die Beweismittel anhatte, konnten sie sie mir schlecht abnehmen, dachte ich. Die Frau an der Rezeption blickte neugierig von ihrer plärrenden Spielshow auf, als sie das Auto der *Guardia di Finanza* mit dem römischen Kennzeichen sah. Ich konnte ihre Blicke im Rücken spüren, als ich in die Hitze des Spätsommerabends hinaustrat, um die Männer zu begrüßen. Ich hatte mir vorgestellt, dass da Silva der ältere der beiden sein würde, doch es stellte sich heraus, dass er um die dreißig war, einen gedrungenen, fitnessstudiotrainierten Körper und kurze dunkle Haare hatte. Saubere Nägel, Ehering. Eigentlich gar nicht übel. Sein Kollege Mosoni schien um die fünfzig zu sein, schlaff, mit gebeugten Schultern. Beide Männer trugen ganz normale Kleidung, gebügelte Jeans und Poloshirts. Ich war nicht sicher, ob das gut oder schlecht war – wären sie in Uniform gekommen, wenn sie mich hätten verhaften wollen? Ich gab beiden die Hand, dann wartete ich ab.

»Können wir irgendwo ungestört sprechen, Signora?«

Ich antwortete auf Italienisch, und sie begannen zu lächeln, wahrscheinlich waren sie erleichtert, sich nicht auf Englisch abmühen zu müssen. Ich schlug vor, dass wir uns in meinem Zimmer unterhielten, das war privater und würde ihnen zeigen, dass ich nichts zu verbergen hatte. Die Dame am Empfang sah aus, als wollte sie eine Frage stellen, als wir zu dritt zur Treppe gingen, aber ich schaute sie gar nicht an und reagierte auch nicht auf ihr zögerndes »Signora?«, als ich die Männer in den zweiten Stock führte. Ich nahm auf dem einzigen Stuhl Platz und bedeutete ihnen, dass sie sich auf das durchgelegene Dreiviertelbett setzen konnten, wobei ich entschuldigend das

Gesicht verzog. Ich strich mir den Rock über den Knien glatt und fragte ganz ruhig, wie ich ihnen weiterhelfen könne. Da Silva ergriff als Erster das Wort.

»Tja, Signora, wie ich schon sagte, Ihr Kollege ...«

»Ich glaube, ich sollte Ihnen sagen, dass Mr Fitzpatrick nicht mein Kollege war. Ich habe früher für British Pictures gearbeitet ...« Den beiden schien der Name des Hauses bekannt zu sein. »Ich kannte ihn also ein wenig, rein beruflich. Dann bin ich ihm in Rom rein zufällig über den Weg gelaufen, und wir haben uns über die Möglichkeit unterhalten, dass ich für ihn arbeiten könnte, in seiner Londoner Galerie. Ich habe gehofft, dass er mich anrufen würde, aber wie es aussieht ...« Ich ließ den Satz ins Leere laufen. Dabei versuchte ich, schockiert zu wirken. Tränen wären allerdings zu viel gewesen.

»Signora – hatten Sie ein Verhältnis mit Signor Fitzpatrick? Tut mir leid, aber ich muss Sie das fragen.«

»Natürlich müssen Sie das fragen. Nein, ich hatte kein Verhältnis mit ihm. Wie gesagt, ich kenne ihn wirklich nicht sehr gut.« Ich hoffte, mein bewusster Fehler, nicht in der Vergangenheit von ihm zu sprechen, würde ihnen auffallen. Aber es konnte auch sein, dass sie das auf mein Italienisch zurückführten.

Sie gingen mit mir meinen gesamten Aufenthalt in Italien durch und meine Begegnung mit Cameron im Hassler. Ich erzählte, wir hätten zusammen zu Mittag und zu Abend gegessen, doch dann sei Cameron gegangen, weil er angeblich einen Termin hatte, und ich sollte ihn am nächsten Morgen in der Lobby abholen. Dort hätte ich eine Stunde gewartet, erzählte ich, dann habe ich ihm eine Nachricht hinterlassen. Dann hätte ich meinen Urlaub einfach fortsetzen wollen. Ich warf ihnen einen bescheidenen Blick unter halb gesenkten Wimpern zu und gestand, dass Cameron mir vielleicht gar keinen Job habe anbieten wollen, sondern einfach nur ein bisschen Gesellschaft gesucht habe, während er in Rom auf seinen Kunden wartete. Ich sagte, dass ich allein nach Rom gekommen sei, weil ich ein paar Museen hätte besichtigen wollen. Ich nannte ihnen den Namen des Hotels, in dem ich in Rom gewohnt hatte. Ich nahm an, dass mein hartnäckiges Warten auf eine Nachricht von Cameron ihnen meinen Namen und meine Nummer verschafft hatte, genau wie ich es beabsichtigt hatte. Wenn ich nicht so viel Angst gehabt hätte, wenn der Versuch, mein wild klopfendes Herz zu beruhigen, nicht so anstrengend gewesen wäre, hätte ich ganz schön stolz sein können.

»Seinen Kunden?« Da Silva kam zurück zum Thema.

»Ja, er meinte, er sei in Rom, um sich mit einem Kunden zu treffen. Er schien ziemlich aufgeregt zu sein. Aber mehr hat er mir nicht verraten.«

»Ist das normal?«

»Ja. Kunsthändler sind grundsätzlich sehr diskret.« Ich versuchte, professionell zu klingen.

»Kam Ihnen Signor Fitzpatrick irgendwie verstört vor? *Agitato?*«

»Nein, das würde ich nicht sagen.«

»Wissen Sie, mit wem Signor Fitzpatrick sich treffen wollte? War es der Kunde?«

»Ich weiß es nicht. Das kann ich wirklich nicht sagen.«

»Hätte es auch eine Frau sein können?«

Die Frau im Hassler im auffälligen Kenzo-Mantel, der in einem Abfalleimer in der glanzvoll-strengen Faschistenarchitektur des Mailänder Bahnhofs sicher entsorgt worden war.

»Ich weiß es wirklich nicht.«

»Einer von den Angestellten im Hassler hat gesagt, dass in der Nacht seiner Ermordung eine Frau nach Signor Fitzpatrick gefragt hat.«

Würden Sie am Ende ein verschwommenes Bild von mir aus der Überwachungskamera an der Rezeption aus dem Hut zaubern? War dies der Moment, in dem sie mich bei meiner Lüge ertappten und die Handschellen zückten? Auf einmal musste ich ganz unpassenderweise an Helene und Stanley im Club am Chester Square denken. Mosoni beobachtete mich genau. Keine Gnade, Judith.

»Nein, das war ich nicht. Wir hatten uns im Restaurant verabschiedet. Ich befürchte, den Namen weiß ich nicht mehr. Es gab dort eine Terrasse … Ich bin danach zur Piazza Navona gegangen und habe noch einen Kaffee getrunken. Brauche ich denn ein Alibi?« Ich musste halb lachen, dann tat ich, als schämte ich mich für meinen geschmacklosen Scherz.

Da Silva mischte sich wieder ein. »Hat Signor Fitzpatrick irgendwas von einer Frau gesagt?«

»Nein, gar nichts.«

Mosoni fügte hinzu: »Sie brauchen kein Alibi, Signora. Aber haben Sie vor, länger in Italien zu bleiben? Es kann sein, dass wir noch einmal mit Ihnen Kontakt aufnehmen müssen.«

»Nur noch ein paar Tage. Ich wollte eigentlich weiterreisen. Selbstverständlich werde ich Ihnen helfen, wo immer ich kann. Armer Cameron, ich kann das immer noch nicht ganz begreifen.«

»Natürlich. Es ist ein furchtbarer Schock«, antwortete da Silva ernst.

»Ja, ein furchtbarer Schock.«

Wir schwiegen alle einen Moment, weil wir so furchtbar schockiert waren. Dann standen die beiden Männer auf, und wir sagten, was man in so einer Situation eben so sagt. Ich machte ihnen die Tür auf und hörte, wie sie die Treppe hinuntergingen und sich höflich von der glotzenden Empfangsdame verabschiedeten. Dann stellte ich mich in die Nähe des Fensters und wartete auf das Motorengeräusch des Polizeiautos. Als es davonfuhr, blieb ich regungslos stehen. Ob sie wohl eine Überwachungskamera in meinem Zimmer versteckt hatten?

Mosoni, während da Silva mich ablenkte? Aber war das nicht illegal? Ich konnte nicht danach suchen, denn dann hätte mich das Ding ja dabei gefilmt, wie ich danach suchte, und das würde ihnen zeigen, dass ich Verdacht geschöpft hatte. O Gott. Zumindest hatten sie nicht nach dem Messer gefragt. Vorsichtig setzte ich mich wieder auf den Stuhl, rauchte eine Zigarette, stand auf und begann meine Sachen zu packen. Ich hatte immer noch eine anständige Summe von Steves Geld zusammengerollt in meiner Kulturtasche. Ich würde höchstens noch ein paar Tage in Italien bleiben, dann würde ich in den Zug nach Genf steigen. Und alles bar bezahlen, bis ich fand, was ich dort brauchte.

Ich lehnte mich ans Fenster und ließ meine Hand zwischen die Beine wandern. Es fühlte sich gut an zu sehen, was ich alles aushalten konnte. Besser als gut. Ich fühlte, wie die Lippen meiner Pussy unter dem engen Stoff meiner Panties schwollen. Ich hatte das Gespräch mit der Polizei durchgestanden, und ich war davongekommen. Na ja, fast. In der Zwischenzeit wollte ich mir ein netteres Hotel suchen und das tun, worauf ich schon seit Wochen brannte. Mich flachlegen lassen.

18. Kapitel

Ich bin nicht scharf drauf, dass mir jemand den Hof macht. Ich bin nicht scharf auf Flirten oder Dates oder Angelogenwerden, denn darauf läuft es am Ende ja doch irgendwann hinaus. Ich möchte lieber selbst auswählen. Deswegen geh ich auch so gern auf diese Partys – da wird dieser ganze Langweilerkram von vornherein übersprungen. Jeder weiß, warum man da ist, niemand sucht eine andere Seele, um ihr in die Augen zu schauen und die eigene Seele gespiegelt zu sehen. In der Welt da draußen ist es weitaus komplizierter, solo unterwegs zu sein.

Nachdem ich die verheirateten Väter weggerechnet hatte (nicht, dass sie nicht bereit gewesen wären, aber die Arbeit, die Mühe, die Umstände …) und auch die ortsansässigen Teenager (von denen ich mir kein Talent erwartete), blieb mir mehr oder weniger nur das Personal des wesentlich netteren Hotels, in das ich in Bellagio eingecheckt hatte. Ohnehin ist man nicht immer stolz drauf, das Personal zu vögeln (Ausnahmen bestätigen die Regel, dachte ich und schickte Jan einen freundlichen Gedanken), aber die Angestellten in diesem Hotel waren wirklich ein ganz besonders deprimierender Haufen. Nach meinem Treffen mit der Polizei war ich nervös, und ich brauchte irgendetwas, um die Spannung abzubauen.

Matteo erschien mir perfekt. Ich ließ mich von ihm in einer schäbigen Bar am Seeufer aufreißen, ein Lokal, das ich ausgesucht hatte, weil mir die Reihen von geparkten Motorrädern davor aufgefallen waren. Allerdings war mir auch aufgefallen, dass die Motorradfahrer, die durch Como kamen, normalerweise eine Freundin dabeihatten, die so winzig war, dass sie wunderbar zwischen die Topcases passte. Matteo war allein, und als wir ins Gespräch kamen, erzählte er, dass er aus Mailand sei und hier im Haus seiner Großmutter wohne. Er habe gerade die Uni abgeschlossen, sagte er, was bei einem italienischen Absolventen bedeutete, dass er ein paar Jahre älter war als ich. Sein Gesicht machte nicht viel her, aber er war groß, und die Schultern unter seinem ausgewaschenen schwarzen T-Shirt wirkten breit und trainiert. Er spendierte mir ein Glas schlechten Prosecco, dann bestellte ich mir noch eins und bot ihm ein Bier an. Am Ende stieg ich hinter ihm auf die Vespa, und wir tuckerten davon zu seiner Großmutter (ich hatte mich vorher vergewissert, dass die *nonna* am Strand war). Ich nannte mich wieder Lauren und erzählte die Geschichte von einer Italienreise zwischen zwei Jobs. Als die Vespa die steile Straße hinauftuckerte, die aus der kleinen Stadt hinausführte, und unten der See rosarot im Sonnenuntergang schimmerte, legte ich mein Gesicht an seine Jacke, fasste mit den Händen sanft nach seinen Hüftknochen und fühlte mich ein bisschen einsam. So würde es jetzt erst mal eine Weile laufen, dachte ich. Wenn ich das durchzog, würde ich nie wieder ich selbst sein können. Aber wir waren uns ja nicht besonders nahegekommen.

Der Gedanke an das Haus einer alten Dame hatte mir nicht allzu sehr gefallen, doch Matteos Haus war ziemlich hübsch – ein Bau aus den Siebzigern zwar, aber die italienische Architektur dieser Epoche muss nicht unbedingt abstoßend sein. Viel weiße Mauern und dunkles Holz und eine riesige Terrasse mit einem spektakulären Ausblick auf den See. Es wurde langsam kühl, also lieh mir Matteo einen Kaschmirpullover, und wir setzten uns mit einer Flasche seltsam prickelndem Rotwein hin und betrachteten die Lichterketten der letzten Fähre, die nach Como zurückkehrte. Er zündete sich einen Joint an, ich tat so, als würde ich auch einmal ziehen, und dann erzählte er mir, er habe zwar Architektur studiert, denke aber darüber nach, einen Roman zu schreiben. Er fragte, ob er mir was auf der Gitarre vorspielen sollte, und da ich ahnte, wo das hinführen könnte, murmelte ich »später vielleicht« und steckte ihm die Zunge in den Mund. Er schien überrascht, aber da Italiener ja alle englischen Frauen für Schlampen halten, begriff er bald. Ich ließ zu, dass der Kuss sich vertiefte, zog mich halb auf seinen Schoß, sodass er meine Brüste spüren konnte, und vergrub meine Zunge tiefer in den süßen Grasgeschmack in seinem Mund, bis ich merkte, wie er unter seiner Jeans hart wurde.

»Komm, gehen wir in dein Zimmer.«

Ich sah das Gemälde, als Matteo mich nach oben führte, und erst in diesem Moment kapierte ich, was ich in Rom eigentlich getan hatte. Ich hasse es, wenn die Welt diese billige Leitmotiv-Nummer abzieht. Eine Reproduktion von Turners Ölgemälde *Campo Vaccino*, das letzte Bild, das er von der Stadt gemalt hatte. Manche sehen Bedauern darin, die weiche Unbestimmtheit des Lichts über dem Forum, der tanzende Abschied des großen Mannes. Eine Touristenerinnerung, wie sie auch an Zäunen am Tiberufer lehnen könnte. Wo ich vor nicht allzu langer Zeit gewesen war.

Matteo hielt kurz inne, dann schob er mich gegen die Wand, um mich noch einmal zu küssen, jetzt schon fordernder. Ich schälte mich aus Jeans und Stiefeln, knüllte meinen Slip in der Hand zusammen und legte mich auf sein Bett, während er Pullover und T-Shirt auszog. Dann zog ich ihn zu mir herunter und drehte ihn auf den Rücken, ließ meine Zunge über die sauberen, klaren Linien seiner Brust fahren, rieb meine Zunge an seinen Brustwarzen. Nach so langer Zeit ließ mich allein der Geruch eines Mannes feucht werden – ich stieß mein Gesicht in seine Achsel und leckte seinen moschusduftenden Schweiß ab wie eine Hummel auf der Suche nach Nektar. Ich folgte der schmalen Haarlinie auf seinem flachen Bauch mit der Zungenspitze nach unten, hielt am ersten Knopf seiner Levi's kurz inne und machte dann den Reißverschluss auf, um seinen Schwanz in den Mund zu nehmen. Er war nicht ganz so, wie ich ihn gern gehabt hätte – lang, aber zu dünn, mit sehr viel Vorhaut, was etwas unangenehm Kindliches hatte –, aber dafür war er herrlich hart. Seinem fliegenden Atem entnahm ich, dass so etwas wie das hier in einer stillen Nacht in Como nicht allzu oft passierte, und ich wollte, dass er mich fickte, bevor er kam.

»Hast du ein Kondom?«

Er stand auf und machte das Licht im Bad an. Seine dünnen Hinterbacken sahen verletzlich aus in ihrer Nacktheit, als er so vom Bett aufstand. Ich streichelte meine Schamlippen, öffnete mich, tupfte mir ein bisschen von meinem eigenen Saft auf den Mund. Ich war so erregt, dass ich dachte, ich müsste gleich kommen. Er brauchte eine halbe Ewigkeit, bis er das verdammte Ding übergezogen hatte und seine Hüften endlich zwischen meine gespreizten Schenkel manövrierte. Ich führte ihn hinein und ließ seinen Kopf auf meinem Schlüsselbein ruhen, wobei ich ihn fest an mich zog, um ihn zu bremsen.

»*Aspetta*. Warte. Lass dir Zeit.«

Er bewegte sich langsamer, stieß mich tief, in einem guten, gleichmäßigen Rhythmus. Ich brachte meine rechte Hand zwischen uns, um meine Klit zu berühren.

»Härter. *Vai*. Fester.«

Als er immer weiter in mich eindrang, in diesem ersten köstlichen Moment des Geöffnetwerdens, des Genommenwerdens, wurde ich ganz kurz abgelenkt. Sein Atem in meinem Ohr war die Liebkosung einer Fledermaus, das Liebesgedicht eines Dämons. Es war dunkel im Schlafzimmer, und mein Blick untersuchte ein paar Gegenstände auf der Kommode neben dem Bett – ein Taschenbuch, einen Aschenbecher, einen rührenden Silberpokal. Du könntest das Ding nehmen, dachte ich, du könntest das Ding jetzt nehmen und es ihm mit aller Kraft über den Hinterkopf ziehen. Das Blut würde neben seinem Ohr herunterfließen, auf dein Gesicht tropfen. Er würde gar nicht wissen, was ihn getroffen hat. Er würde nur lautlos auf deiner Brust zusammenbrechen wie eine Marionette und sein Leben durch seinen zuckenden Schwanz aushauchen. Ich schloss die Augen. Fast schon hatte ich den Höhepunkt erreicht, doch hinter meinen Lidern spielte sich ein Film ab: ein flehendes Augenpaar, ein dunkelrotes Bündel aus Binden, ein aufgequollenes graues Gesicht. Ich hatte kurz das Gefühl, schon wieder einen toten Mann zu ficken, und merkte, dass mir solche Gedanken gefielen. Ich keuchte tief unten in meiner Kehle, es klang fast animalisch. Ich hörte, wie Matteos Keuchen ebenfalls immer heftiger wurde, und dann war ich für ein paar perfekte Sekunden völlig weggetreten, bis wir nach Luft schnappend auf dem Bett wieder zu uns kamen, nebeneinanderliegend wie ein echtes Liebespaar, gestrandete Schiffbrüchige. Eine Weile sprachen wir gar nicht, dann schmiegte er sein Gesicht an mich, küsste meine Schulter und mein Haar.

Es gibt eine Technik, die sich »anamorphotische Perspektive« nennt. Ein Objekt wird so gemalt, dass man das Bild vom richtigen Punkt aus betrachten muss, um zu erkennen, worum es sich handelt. Das berühmteste Beispiel ist wahrscheinlich Holbeins Gemälde *Die Gesandten*. Darauf ist im Vordergrund ein weißer Fleck zu sehen, der aus der richtigen Perspektive als ein menschlicher Schädel zu erkennen ist. In der National Gallery befindet sich auf dem Fußboden rechts vom Bild ein abgewetzter Fleck, genau an der Stelle, wo man stehen muss, um die Täuschung zu durchschauen. Ich glaube ja, dass alle großen Maler in gewisser Weise Anamorphosen geschaffen haben. Man muss nur an der richtigen Stelle stehen, und dann kommt es einem auf einmal vor, als wäre man ins Bild hineingefallen. Für einen Augenblick existiert man in zwei Zuständen, drinnen und draußen, ein Quantentrick. Keiner der Zustände könnte ohne den anderen existieren. Ich war also gleichzeitig in Rom und in Matteos Bett, in zwei Ausgaben meiner selbst.

»*Ciao, cara. Ciao, bellissima.*«

»*Ciao*«, flüsterte ich an seiner Kehle.

Ich versuchte, etwas Wärme in meine Stimme zu legen, und fuhr ihm mit der Hand durchs Haar. Es war nicht Matteos Schuld, er war wirklich furchtbar nett zu mir. Er holte ein Glas Wasser, aber ich schüttelte nur den Kopf, kuschelte mich in die Decke und tat so, als würde ich eindösen. Ich trug immer noch seinen Pullover, in dem ich mich noch nackter fühlte, als er sich in Löffelchenstellung an mich schmiegte und meine nackten Schenkel berührte. Ich wartete, bis sein Atem flacher ging, dann schlug ich die Augen wieder auf, wie der erwachende Vampir im Horrorfilm. Langsam zählte ich rückwärts von tausend bis null, auf Italienisch, Französisch und zuletzt auf Englisch, hob behutsam den Arm hoch, der mich festhielt, und schlängelte mich langsam, ganz langsam aus dem Bett. Ich ließ den Pullover liegen und schnappte mir meine Jeans und die Stiefel. Ich hatte vorgehabt, ihm meinen Slip ins Gesicht zu drücken, wenn er kam, ihn den Duft einatmen zu lassen, während er sich in meine Möse entlud, aber dann hatte ich den kleinen Trick vergessen, weil ich zu sehr mit dem Gedanken beschäftigt war, wie sexy es wäre, ihn umzubringen. Ich ging halb nackt die Treppe hinunter und setzte meinen Absatz dabei immer auf die vorderste Kante der Stufe. Im Flur zog ich meine restlichen Kleider an, unter dem diffusen Glühen des Turner. Ich konnte die Lichter von Bellagio sehen und setzte mich in Trab. Mein Zimmerschlüssel war im Hotel hinter dem Empfangstresen. Matteo hatte nicht gefragt, wo ich wohnte. Und sollte er versuchen, mich zu finden, würde ich sowieso weg sein, wenn er aufwachte. So würde es nicht für immer bleiben, sagte ich mir, so ist es eben jetzt im Moment. Ich war überdreht gewesen, mein Gehirn hatte mir bloß einen Streich gespielt, eine Technicolor-Traumshow aus Stressgründen. Weiter nichts, und schon gar nichts, worüber ich mir Sorgen machen musste.

Es war eine mondlose Nacht, es war noch nicht spät, und ich wusste, ich würde nicht einschlafen können. Ich würde meine Sachen packen, die Rechnung bezahlen, mir ein Taxi für fünf Uhr morgens bestellen und mich um den See zum Bahnhof fahren lassen. Ich musste jetzt stärker sein denn je, nur noch ein paar Tage, dann hatte ich es geschafft. Matteo war ein Fehler gewesen, dachte ich gereizt. Was war ich eigentlich, ein Scheißjunkie? Dafür würde noch genug Zeit sein, viel Zeit. Erst kam die nächste Erledigung, dann noch eine und noch eine, bis ich in Genf fertig war.

19. Kapitel

Um 1612 fertigte Artemisia Gentileschi ein kleines Bild von Danae an, der Prinzessin von Argos, die von Zeus in Form eines Goldregens beglückt wurde. Eine verblüffende Sujetwahl für eine Malschülerin, die das Haus ihres Vaters nur mit einem Tross von Anstandsdamen verlassen durfte. Artemisias Danae wäre nach heutigen Standards keine Schönheit, sie ist zu blass, ihr Bauch zu rund. Obwohl sie sich zurücklehnt, während sie gewagt ihre Nacktheit darbietet, sieht man einen Ansatz von einem Doppelkinn. Ich liebte das Bild. Während die meisten anderen Darstellungen dieses Sujets aus dem siebzehnten Jahrhundert eher an einen Softporno erinnern, ist das Gemälde von Artemisia durchaus gewitzt. Danae hat die Augen in der Ekstase geschlossen, aber eben nicht ganz. Sie blinzelt unter den Lidern hervor und taxiert heimlich die Zahl der Goldklümpchen, die in ihren willigen Schoß fallen. Ihre rechte Hand, umrankt von ihrem Haar, dessen Farbe an Orangenmarmelade erinnert, liegt auf ihrem massiven Oberschenkel, aber die Muskeln ihres Unterarms sind angespannt, ihre Faust ist fest geschlossen, während sie eine Handvoll von ihrer Beute umklammert. Danae macht sich über den Gott lustig, der sich einbildet, sie geblendet zu haben. Unter ihren wissend gesenkten Lidern lacht sie den Betrachter an, den Mann, der sein eigenes Bedürfnis verbirgt und ihre Nacktheit im respektablen Rahmen eines klassischen Gegenstands genießt. So sind wir, sagt Danae, selbst wenn wir die Nymphen spielen, müsst ihr uns die Mösen mit Gold füllen. Aber das Gelächter der noch nicht mal zwanzig Jahre alten Malerin hat nichts Grausames. Kichernd teilt sie ihr Vergnügen mit uns, lädt uns ein zu erkennen, was für erotische Krüppel wir sind. Wenn aus Danaes pfirsichzartem Mund eine Sprechblase käme, würde darinstehen: »Okay, mein Lieber, dann erzähl mal, wie viel lässt du springen?«

Es war gut, an dieses Bild zu denken, als ich in der Lobby des Hotel des Bergues an der Bar saß. Im Gegensatz zu anderen europäischen Städten wird Genf im August nicht zur Nekropolis. In den Gebäuden mochte diskret die Klimaanlage schnurren, aber draußen unter dem übellaunigen Schweizer Himmel pulsierte die Stadt mit dem verborgenen Glanz des Geldes. In den Memoiren eines berühmten Callgirls habe ich einmal gelesen, wenn man in einem schicken Hotel eine Nutte erkennen will, muss man nach der Frau im konservativen Kostüm Ausschau halten. Ich dachte an meine ärmliche Tweed-Lachnummer, die ich in einem anderen Leben getragen hatte, als ich mit Leanne im Ritz war. Das Schicksal hat anscheinend einfach nur seine Zeit abgewartet, dachte ich zynisch. Dieses neue Outfit hatte Steve mir bei meinem letzten Besuch spendiert, eine Investition aus der Herbstkollektion: Valentino aus ultraleichter marineblauer Wolle, weich, aber doch streng geschnitten, dazu schlichte hohe Jimmy-Choo-Sandalen in Schwarz. Die Haare hochgesteckt, kein Schmuck, Finger- und Zehennägel in Perlbeige. Ich sah dermaßen nach Bankerin aus, dass ich einfach eine Prostituierte sein musste.

Ich bestellte mir ein Glas Chenin Blanc und ließ meine Blicke durch den Raum schweifen. Am Nebentisch saß eine Gruppe von arabischen Männern, die erfreut zu mir herüberschielten, außerdem ein alter Mann vom Typ Diktator-im-Exil mit einer völlig absurden Blondine, die von einer Gruppe deutscher Frauen mit Notebooks unter missbilligendem Stirnrunzeln gemustert wurde, und zwei jüngere Männer in Jeans und IWC-Uhren, die Wodka Tonic tranken. Nicht gut. Hedgies tragen Jeans. Ich brauchte jemanden, der angezogen war wie ich – ich brauchte einen Banker. Also ging ich mitsamt meiner Ausgabe des *Economist* zum Abendessen ins Quirinale und bestellte mir frische Foie gras, einfach so aus Spaß, und überflog einen Artikel über Nordkorea, während ich darauf wartete, dass in der Bar nebenan die Musik begann. Diese aggressive House-Musik, die der niveaulose Euro-Millionär braucht, damit er das Gefühl hat, sich wirklich zu amüsieren. Ich bestellte mir noch eine Mousse au Chocolat mit Jasminsirup – auch das einfach so aus Spaß –, dann glitt ich an die Bar und tat nicht mehr so, als würde ich lesen. Langsam füllte sich das Lokal. Zwei Frauen in schwarzen Kostümen besetzten die Barhocker neben mir, die Standardkombination, eine blond, eine braun – wobei mir die etwas zu großen Hände und der ein wenig zu energische Kiefer der Brünetten ganz so aussah, als würde der Mann, der mit ihr im Bett landete, noch eine kleine Überraschung obendrauf kriegen. Innerhalb von Minuten hatten sie ein paar Anzüge um sich geschart, und wenig später hatte man schon eine halbe Flasche Champagner geleert. Sie lachten und warfen ihre gesträhnten Haare zurück und taten so, als wären sie absolut begeistert, in genau dieser engen Bar mit dem langweiligen DJ und den noch langweiligeren Schwimmkerzen in Eisbehältern zu sitzen, und zwar mit genau diesen faszinierend geistreichen Männern, während ihre glücklicheren Kolleginnen an der Riviera schlechtes russisches Koks schnupften. Ich wartete noch zehn Minuten, dann bat ich den Türsteher, mir ein Taxi zur Leopard Lounge zu rufen.

Dort bestellte ich mir einen Bourbon. Niemand tat auch nur so, als handelte es sich um etwas anderes als einen Fleischmarkt. Ein Grüppchen aus Teeniemodels der untersten Kategorie (Unterwäschesegment eines Billigkatalogs) mit einem schwulen »Manager« in weißen D&G-Jeans und ein paar Männern vom Typ alternder Playboy, deren Haar aussah, als wäre es vom Sitz ihrer zweifellos leicht schäbigen Boote gekrabbelt. Noch mehr Blondinen mit Silikonimplantaten in verschiedenen Dimensionen, noch mehr gestärkte Kragen, noch mehr Rolex-Uhren, noch mehr gelaserte Zähne und untote Augen. Die beiden Hedgies, die ich schon im Bergues gesehen hatte, waren vom Wodka inzwischen laut und streitlustig geworden und hatten an jedem Arm ein Mädchen in Skinny Jeans im Lederlook. Überall Mädchen. Aufgebrezelt nach allen Regeln der Frauenzeitschriftenkunst und zu allem bereit. Mädchen, die die Hoffnung in sich nährten, dass sie heute Abend vielleicht ihre Chance haben würden, das Sprungbrett, den Moment, der all die Schrecken im Morgengrauen und die schlechten Blowjobs wieder rausriss. Mädchen, die so waren wie ich früher.

Genf ist eine kleine Stadt, voll von jungen Singlemännern mit Geld, und zweieinhalb Prozent der Einwohner sind im Sexgeschäft tätig. Ich machte mir nicht allzu viele Sorgen wegen der Konkurrenz, aber gegen halb zwölf befiel mich eine gewisse Verzweiflung. Einen weiteren Bourbon durfte ich nicht riskieren. Die Liste, die ich in Como aufgestellt hatte, drehte sich vor meinem inneren Auge wie eine Jukebox: Rupert, Cameron, Leanne, Moncada. Wie viel Zeit blieb mir noch? Wenn ich das hier nicht schaffte, musste ich so viel von der Bank abheben, wie es eben ging, und dann flüchten. Wie viel Bargeld durfte man legal eigentlich bei sich führen? Das ginge auch nur für ein paar Tage, und in dem Fall konnte ich von Glück sagen, wenn ich überhaupt Geld bei Osprey abheben und mich aus Europa verziehen konnte, bevor einer von da Silvas Kollegen sich auf die Suche nach mir machte.

Und dann – denn manchmal, nur manchmal, wenn man die Augen schließt und sich etwas ganz intensiv wünscht, kann das

Leben sein wie ein Film – betrat er die Bar. Um die fünfzig, ergrauendes Haar, nicht zu gut aussehend, aber sichtlich wohlhabend, Ehering, maßgeschneiderter Anzug von der Savile Row, Bulgari-Manschettenknöpfe (exzellent, nicht zu aristokratisch und einen Hauch unsicher), Schuhe und Uhr tadellos. Vor allem die Schuhe. Wenn es eines gab, was ich nach dieser kleinen Europatour nie wieder sehen wollte, waren es diese Scheiß-Loafer mit Bommeln. Er war allein, was bedeuten musste, dass er einen schlechten Abend gehabt hatte und jetzt einen Drink brauchte, oder dass er einen guten Abend gehabt hatte und jetzt einen Drink wollte. So oder so – seinen Drink würde er mit mir trinken.

20. Kapitel

Erst als wir in meinem Hotelzimmer waren und ich ihm den Drink eingegossen hatte, ohne im Voraus zu kassieren, begann es Jean-Christophe zu dämmern, dass ich keine Nutte war. Und nachdem er fünfzehn Minuten mit seinem Gesicht in meiner Möse verbracht und mich drei Minuten von hinten gefickt hatte (was ich mit ermutigenden, melodischen Lauten begleitete) und ich in seinen überraschend stark behaarten Armen ein bisschen gezuckt und gezittert hatte, konnte er es immer noch nicht ganz glauben.

»Na, das hab ich jetzt aber wirklich nicht erwartet.« Er sprach Französisch.

»Ist das jetzt die Stelle, an der ich dir erzählen sollte, dass ich normalerweise nicht so direkt bin, aber leider nicht aus meiner Haut konnte?« Ich wand mich aus seinen Armen und stand nackt auf, um mir ein Glas Wasser zu holen, damit er mich zum ersten Mal richtig mustern konnte.

»Du gefällst mir wirklich«, fuhr ich fort, »aber ich bin erwachsen. Spielchen langweilen mich.«

»Verstehe.«

»Aber ich bin nicht von der klettigen Sorte. Du kannst bleiben, wenn du willst.« Ich ging wieder ins Bett und deckte mich zu. »Oder auch nicht.«

Er schlang von hinten noch einmal die Arme um mich, umfasste meine Brüste und biss mich in den Nacken. Vielleicht würde diese Aufgabe sich gar nicht mal so unangenehm gestalten.

»Ich muss morgen früh im Büro sein.«

»Was hast du für eine Kragenweite?«

»Warum?«

»Ich ruf den Portier an und bitte ihn, dir ein sauberes Hemd zu beschaffen. Er wird sich über die Herausforderung freuen.«

Jean-Christophe blieb wirklich, diesen Abend und auch den nächsten. Dann fragte er mich, ob ich ihn übers Wochenende nach Courchevel begleiten wolle. Die Jahreszeit war auf meiner Seite. Nicht nur waren die Ehefrauen *en vacances*, also schön verräumt (ich überlegte, ob Madame Jean-Christophe sich wohl mit dem Tennistrainer am Cap d'Antibes amüsierte oder in Biarritz gewissenhaft hungerte), wir waren auch noch weit entfernt von der Skisaison. Ich konnte nämlich trotz meiner zahlreichen anderen Talente nicht Ski fahren, und das hätte Lauren, die nette englische Kunsthändlerin, sicher nur schwer erklären können. Lauren war die Art von Mädchen, die sich kindlich erfreut zeigte, aber auch nicht übermäßig beeindruckt war, als Jean-Christophes Jaguar in den General Aviation Sector am Genfer Flughafen bog. Ich war noch nie privat geflogen, aber ich verstand sofort, was Carlotta gemeint hatte. Während der zwanzig Minuten im Sikorsky-Helikopter stieß ich begeisterte Ausrufe aus über den majestätischen Anblick der unter uns schimmernden Alpen, dann landeten wir auf 1850 Metern Höhe. So etwas könnte einen Menschen wirklich auf Lebenszeit verderben.

Wir wohnten in einem Chalet, das ein alter Schulfreund ihm fürs Wochenende überlassen hatte. Sein eigenes lag in Verbier, und ich konnte mir gut vorstellen, dass das eine langjährige Absprache war, die beiden Männern zugutekam. Ich schnüffelte ein wenig herum, während er seine letzten abendlichen

Anrufe im Büro tätigte. Es war keiner von den Squillionen Euro teuren Glaswand-Palästen, die die Russen dorthin bauten, wo im Winter die Pisten waren – eher ein solides Haus für die ganze Familie: drei Schlafzimmer, alles aus Holz, dekoriert in einem Mix aus alpinem Shabby Chic mit ein paar mittelmäßigen, aber hübschen orientalischen Kunstwerken. Die Betten waren mit bunt gestreifter baskischer Bettwäsche bezogen. Der einzige glamouröse Touch war ein heißer Whirlpool aus Zedernholz auf einer Holzterrasse, von der man direkt ins Tal blicken konnte. Ich fand zerfledderte Taschenbücher und Familienfotos, der Freund mit seiner gesträhnten Frau und seinen drei gesunden blonden Kindern auf Skipisten oder an tropischen Stränden. Die Tochter schien ungefähr zehn Jahre jünger als ich zu sein. Ich überlegte, wie ihr Leben wohl aussah, ihr Internat und ihre Kleidung und ihre Urlaube, und wie es sich anfühlen mochte, so sicher und behütet aufzuwachsen. Garantiert verbrachte sie ihre Tage damit, zu rauchen und sich bei ihren Facebook-Freunden darüber auszulassen, was für ein Scheißleben sie hatte.

Jean-Christophe entschuldigte sich, dass er mich nicht ins La Mangeoire ausführen konnte, das Restaurant, das sich um halb elf in den teuersten Nachtclub von Courchevel verwandelte, aber ich versicherte ihm, dass ich sowieso viel lieber etwas ganz Schlichtes unternehmen wollte. Wir zogen uns Jeans und Kaschmirpullover an, liefen händchenhaltend durch die Stadt und gingen in ein kleines Bistro, dessen Besitzer Monsieur offensichtlich erkannte. Jean-Christophe erkundigte sich höflich, ob mir ein Raclette zu schwer sei, und ich antwortete höflich, das sei bei dieser Kälte genau das Richtige. Also schabten wir schmelzenden Käse von einem Gerät, das aussah wie eine mittelalterliche Folterapparatur, legten ihn auf dünne Scheiben Räucherschinken und Rehfleisch, und dazu tranken wir einen Burgunder. Ich mochte Jean-Christophe wirklich ganz gern, obwohl natürlich nicht so leidenschaftlich, wie ich vorgab. Im Gegensatz zu James hatte er gute Manieren und konnte angenehm locker plaudern, meistens ging es dabei um Reisen. Er stellte mir nicht viele Fragen, aber ich erwähnte, dass ich vorhätte, eine eigene Galerie aufzumachen. Als die Flasche so gut wie leer war, griff er über den Tisch, nahm meine Hand und küsste sie.

»*Mais que tu es belle.*«

Ich hätte am liebsten losgekichert. In einem anderen Leben hätte dies hier alles sein können, wovon ich je geträumt hatte. Distinguierter älterer Herr, exklusive Location. Du liebe Güte. Doch jetzt saß ich hier und zählte die Minuten, bis ich ihn wieder schön in den Whirlpool verfrachten konnte. Wir spazierten also zurück, und ich machte noch ein paar begeisterte Bemerkungen zum Sternenhimmel, der aber auch wirklich bemerkenswert war, ein zum Greifen nahes helles Leuchten. Dann lief ich ihm voraus, um in Windeseile eine Flasche Champagner und zwei Gläser zu holen und meine Knöpfe aufzufummeln, sodass ich schon nackt im herrlich dampfenden Wasser lag, als er auf die Terrasse kam. Jean-Christophe kam dazu, steckte sich eine Zigarre an und ließ den Kopf zurückfallen. Ein paar Minuten schwiegen wir, nippten am Champagner und starrten in die Nacht. Seine Finger schwammen zu mir herüber, berührten träge meine Nippel, aber statt darauf einzusteigen, setzte ich mich ganz aufrecht hin.

»Schatz, ich möchte dich was fragen.«

Er erstarrte sofort. Wenn jetzt der Preis genannt wurde, dann wäre er bereit und würde zweifellos auch absolut höflich bleiben, doch innerlich schrecklich enttäuscht sein, vielleicht sogar ein wenig traurig. Ich ließ ihn einen Moment schmoren.

»Weißt du, es gibt da was, da könnte ich Hilfe gebrauchen.«

»*Oui.*«

Sein Ton war flach und entmutigend. Was kommt jetzt?, sah

ich ihn argwöhnisch denken. Der hartnäckige Vermieter, die überteuerte Collegegebühr? Die kranke Mutter? Doch bestimmt nicht die kranke Mutter?

»Ich würde dir natürlich etwas dafür zahlen. Eine Gebühr. Vielleicht hunderttausend Euro?«

»*Du* würdest *mir* etwas bezahlen?«

»Ja, natürlich. Weißt du, ich hab mir überlegt … also, weißt du noch, dass ich dir beim Abendessen von der Galerie erzählt habe?«

»Ja.«

»Ich war in Genf, weil ich einen Investor habe. Es ist ein seriöser Käufer, und er ist bereit, mich zu unterstützen. Ich hab mich um die praktischen Dinge gekümmert. Mein Geld liegt im Moment bei Osprey.«

Jetzt war er interessiert und begann, wie ein Finanzmann zu denken, nicht wie ein Freier.

»Bei Osprey? Ja, da kenne ich jemand.«

»Aber ich will das Geld bewegen. Mein Kunde ist sehr … anspruchsvoll. Er will eine bedeutende Sammlung anlegen, und mir ist absolut klar, dass er ein Risiko eingeht, mir aber die Chance geben will. Aber er muss auch sehr diskret sein – verstehst du? Er möchte nicht unbedingt, dass die ganze Welt weiß, was er kauft. Und ich glaube, die Schweiz ist nicht so verschwiegen, wie man denkt. Nicht nach diesem UBS-Milliarden-Skandal letztes Jahr.«

»*Alors?*«

»Ich will das Geld bewegen. Ich will es abheben. Aber ich muss es schnell tun, weil ich glaube, dass mein Kunde eine sehr kurze Aufmerksamkeitsspanne hat, und wenn ich nicht bald die Stücke für ihn zusammentrage, kann es gut sein, dass er die Geduld verliert. Die Shanghai Contemporary beginnt Anfang September, bis dahin muss ich bereit sein. Und im Frühjahr stellen ein paar Künstler auf der Art Basel Hongkong aus – ich kann mir diese Art von Bürokratie einfach nicht leisten. Deswegen dachte ich, du kannst mir da vielleicht helfen«, schloss ich und sah ihm so fest in die Augen, wie es die Teelichter und der Wasserdampf zuließen.

»Und wie hast du dir diese Hilfe vorgestellt?«

»Jean-Christophe, ich kenne dich nicht sehr gut. Aber ich hab das Gefühl, ich kann dir vertrauen. Es ist eine beträchtliche Summe – ungefähr sechs Millionen Euro. Ich möchte, dass du die für mich auf ein Firmenkonto in Panama überweist, so schnell du kannst. Ich bezahl dir dafür hunderttausend Euro, ich schick dir das Geld, wohin du willst. Das ist alles.«

»Sechs Millionen?«

»Ein günstiger Rothko. Im Grunde nicht besonders viel.«

»Du bist eine ziemlich verblüffende junge Frau.«

»Ja«, antwortete ich, bevor ich unter Wasser tauchte. »Ziemlich verblüffend.« Ich war froh, dass ich meinen Rettungsschwimmer hatte. Es stimmte, was der Lehrer damals gesagt hatte: Solche Fähigkeiten kann man immer wieder brauchen.

Nach einem für mich ziemlich strapaziösen und für Jean-Christophe sehr entspannenden Wochenende flogen wir am Montagmorgen mit dem Helikopter zurück nach Genf und fuhren mit dem Taxi direkt zu Osprey. Ich erklärte Jean-Christophe, dass ich nicht mit hineingehen wolle, aber er sagte, dass ich ihn begleiten müsse, sonst würden sie das Konto nicht auflösen. Aber wie es aussah, schwebte der Segen von Steves Milliarden immer noch über mir wie eine gute Fee. Jean-Christophes Kontakt war unterwürfiger und entgegenkommender als der Direktor. Ich gab ihm meine Kontonummer und beschloss am Ende, die ursprünglichen Zehntausend dort zu lassen, wo sie waren – man weiß ja nie. Wenn Jean-Christophes Bekannter bei Osprey überrascht war, dann zeigte er es nicht, aber das ist ja auch der Witz an der Schweiz. Wenn man da Geld hat, kann man hier alles verstecken. Als wir hinausgingen, war Jean-

Christophe um Hunderttausend reicher, und ich war die stolze einzige Angestellte von Gentileschi Ltd., eingetragen bei Klein Fenyves, Panama, mit einem Gehalt von hunderttausend pro Jahr, mit einer Kontovollmacht für Käufe, bei denen das Geld auf ein Konto meiner Wahl überwiesen werden sollte. Alles versteuert, alles offen, alles sicher, alles auf meinen eigenen Namen. Keine Verbindungen mehr zur Überweisung von Moncada oder zu dem mageren Konto auf den Cook Islands.

Es war zu früh, das Ganze mit einem Drink zu feiern, also gaben wir uns auf den Stufen vor der Bank verlegen die Hand, und ich deutete an, ich würde mich bei meinem nächsten Aufenthalt in der Stadt bei ihm melden, aber wir wussten beide, dass ich nichts dergleichen tun würde. Sein Fahrer brachte das Auto, und er verschwand. Ein wenig gerührt war ich, dass er durch die Heckscheibe zurückschaute, bevor sie um die Ecke bogen und er sein Handy herausholte. Ich fragte mich, ob er das Gefühl hatte, zum Narren gehalten worden zu sein. Ich kam zu dem Schluss, dass er das wahrscheinlich wirklich dachte, aber auf der anderen Seite werden nicht viele Narren so gut bezahlt, und das gleich in mehrfacher Hinsicht.

Ich ging durch deprimierenden Nieselregen zurück zum Bergues. Als ich den kunterbunt zusammengewürfelten Haufen im Gepäckraum sah, wurde mir klar, dass ich mittlerweile eine überraschende Menge von Sachen angesammelt hatte. Ich konnte mir jetzt wirklich bessere Koffer leisten. Alles aus der gleichen Serie, so richtig nobel. Irgendwie bescherte mir das aber nicht so gute Laune, wie ich gedacht hätte. Müde ging ich in die Lounge und bestellte mir einen Kaffee und loggte mich auf der Seite des *Corriere della Sera* ein. Da stand es: »Brutaler Mord an britischem Geschäftsmann.« Ich zwang mich, es langsam zu lesen, drei Mal. Mein Name wurde nicht erwähnt, es hieß nur: »Die Polizei hat eine Kollegin des Opfers vernommen, die bestätigte, dass er vorhatte, einen unbekannten Kunden zu treffen.« Wenn es heute in Italien an die Öffentlichkeit gegangen war, dann würde es definitiv morgen in der englischen Presse zu lesen sein, gerade im August, wo es sonst nicht viel zu berichten gab. Aber ich war aus dem Schneider, oder? Rupert wäre in Panik geraten, wenn er sah, dass das Geld auf ein Schweizer Konto gegangen war, aber jetzt war es einfach verschwunden. Osprey würde niemals irgendwelche Angaben herausrücken, wohin das Geld geschickt worden war, egal welche Fäden der fette Wichser zog.

Inzwischen hatte ich eine geeignete Geschichte ausgearbeitet: Selbst wenn er wusste, dass ich Moncada getroffen hatte, selbst wenn er mich fand – ich konnte immer noch behaupten, dass ich ihren Betrug mit dem Stubbs durchschaut und daraufhin Cameron überredet hätte, mich für zehntausend einsteigen zu lassen. Genau so eine jämmerliche Summe, die jemand wie Judith Rashleigh brauchte. Doch dann sei Cameron nicht aufgetaucht, und ich sei allein zum Treffen mit Moncada gegangen und hätte gesehen, dass das Geld auf das Konto überwiesen wurde, das Cameron mir genannt hatte, und mehr wisse ich nicht. Rupert konnte Moncada die Schuld geben, er konnte Cameron die Schuld geben, er konnte jedem die Schuld geben, der ihm einfiel, aber gegen mich hatte man nichts in der Hand. Warum ich über Ruperts Verbindungen zur italienischen Polizei geschwiegen hatte? Reste von Loyalität, immer schön mitspielen, die alte Garde nicht verraten. Wieder diese hündische Treue gegenüber ihren Werten, von der ich früher gedacht hatte, dass sie sie beeindrucken würde.

Ich schloss die Augen. Wie lange war es her, dass ich richtig geatmet hatte? Ich hätte mich beeilen müssen, das verdammte Gepäck zusammensammeln, ein Taxi zum Bahnhof nehmen, um den nächsten Punkt abzuhaken und danach den übernächsten. Aber ich tat es nicht. Ich saß einfach nur da und starrte in den Regen.

4. DRAUSSEN

21. Kapitel

Der Stubbs tauchte im Winter auf einer Auktion auf. Zehn Millionen Pfund über einen Händler aus Beijing, der für einen privaten Kunden bot. Fünf Millionen Profit für Moncadas unsichtbaren Verkäufer und die Sauermilchvorräte eines ganzen Supermarkts auf Ruperts Gesicht. Mr und Mrs Tiger lasen offenbar keine Nachrichten über den Kunstmarkt, beziehungsweise wenn sie es taten, hielten sie schön den Mund. Ich versuchte den Kauf zu verfolgen, weil ich wissen wollte, ob es noch jemanden gab, den ich lieber meiden sollte, aber das Gemälde verschwand einfach von der Bildfläche. Irgendwo verstaut in einem Safe, zusammen mit ein paar Nazi-Chagalls, von wo es in ein paar Jahrzehnten vermutlich wieder auftauchen würde.

Ich werde mal ein paar Dinge aufzählen, die passieren, wenn man jemanden ermordet hat: Man fährt zusammen, wenn das Radio angeht. Man betritt niemals ein leeres Zimmer. Das weiße Rauschen des eigenen Wissens wird nie verstummen, und manchmal erscheinen einem nachts im Traum Monster. Doch mit dem Verschwinden des Stubbs war die letzte Verbindung zu meinem eigenen Leben sanft abgerissen. Im Nachhinein war mir klar, dass ich bis Rom nur auf die Ereignisse reagiert hatte, die durch die Umstände diktiert gewesen waren. Ich hatte geglaubt, einen Plan zu haben, doch der war nicht wesentlich darüber hinausgegangen, dass ich um Gottes willen verschwinden musste, egal wie. Jetzt hatte sich die Situation verändert. Der Vorfall mit Cameron war bedauerlich gewesen, natürlich, und da Silva war sozusagen eine kleine Fliege in meiner La-Prairie-Gesichtscreme, doch im Laufe der Zeit stellte ich fest, dass ich gar nicht mehr an die beiden dachte. Hundert Verdachtsmomente ergeben schließlich noch keinen Beweis. Ich hatte jetzt ein neues Leben.

Zu dem Zeitpunkt, als das Bild verkauft wurde, hatte ich schon alles arrangiert. Beim Verlassen der Schweiz gab es für mich keinen Zweifel, wohin ich gehen würde. Da ich nicht glaubte, dass *Sex and the City* ein Dokumentarfilm war, hatte ich nie viel Sinn darin gesehen, nach New York zu gehen. Außerdem bedeutet Amerika jede Menge Papierkram und Stress mit Green Cards. Ich hatte auch schon den südamerikanischen Klassiker in Erwägung gezogen, Buenos Aires, aber mein Spanisch war auf Schulmädchenniveau. Und Asien schien mir einfach zu weit weg. Ich sehe meine Mutter nicht oft, aber irgendwie gefiel mir der Gedanke nicht, so weit von ihr weg zu sein. Bevor ich Como verließ, hatte ich ihr eine Karte geschickt, auf der ich geschrieben hatte, dass ich noch eine Weile weiterreisen würde. Es machte mich ein bisschen traurig, dass sie wahrscheinlich nicht viel mehr erwartete. Seit ich seriös war, gab es nur eine Stadt, in der ich leben wollte – Paris. Dort hatte ich nach dem Schulabschluss ein Jahr verbracht, das allerdings nicht viel Ähnlichkeit mit dem hatte, was die anderen am College so von ihrem Pausenjahr erzählten. Endlose Drecksjobs, um mir ein grässliches Mansardenstübchen außerhalb der Périphérique leisten zu können, nach meiner 2-Uhr-morgens-Schicht noch französische Grammatik pauken, sonntägliche Ausflüge zum Louvre, wenn ich lieber ausgeschlafen hätte. Ich armes Ding. Aber die Stadt hatte mich so gründlich erwischt wie seitdem keine andere, und sobald ich – zum ersten Mal in meinem Leben – tun konnte, was mir gefiel, zog ich dorthin.

Während ich alles organisierte, verbrachte ich eine Woche oder so im Holiday Inn am Boulevard Haussmann, in dem Teil der Stadt, den ich am wenigsten mochte. Diese breiten Straßen, die irgendwie immer staubig aussehen, langweilig mit ihren Bürogebäuden und vom Wind zerzausten, enttäuschten Touristen. Ich eröffnete zwei Konten, ein privates und ein geschäftliches, und beantragte eine *carte de séjour,* eine langfristige Aufenthaltsgenehmigung – alles ganz korrekt. Ich brauchte keinen Stadtplan, um zu wissen, wo ich wohnen wollte. Auf der anderen Seite des Flusses im fünften Arrondissement, rund um den Panthéon, in den Straßen, die zum Jardin du Luxembourg führen. Dort war ich immer hingegangen, nachdem ich pflichtschuldig die Galerien abgeklappert hatte. Dann hatte ich den reichen Männern zugesehen, die in Marie de Medicis Garten Tennis spielten, oder mich an den Brunnen gesetzt, wo Sartre und de Beauvoir sich zum ersten Mal getroffen hatten. Damals hatte ich dieses Viertel geliebt, und für mich hatte es noch immer einen besonderen Zauber, mit seinen vertrauten Düften von heißen Maroni und Platanen.

Die Wohnung, auf die ich schließlich stieß, befand sich in einem Gebäude aus dem achtzehnten Jahrhundert in der Rue de l'Abbé de l'Epée, hinter der Rue Saint-Jacques. Sie lag im zweiten Stock und ging auf einen gepflasterten Hof mit einer richtigen Concierge, einer gedrungenen Frau, die mit Schluppenbluse und Freizeithose, einer steifen hellgelben Dauerwelle und Märtyrermiene herumwatschelte. Ich glaube, ich entschied mich wirklich wegen der Concierge für die Wohnung, aber sie hatte auch golden glänzendes Parkett (von der alten Sorte, die kreuzweise verlegt ist, wie auf dem berühmten Caillebotte-Gemälde), ein riesiges Badezimmer, weiße Wände und gestrichene Dachbalken über dem Bett, dazu grob ausgeführte Friese in Karminrot und Türkis. Rilke hatte in dieser Straße gewohnt, verriet mir mein Reiseführer.

Das Erste, was ich kaufte, war ein grässlicher Ule Andresson aus den Paradise Galleries in New York, eine stumpf-grüne Leinwand mit verschmierten Fäkalien in einer Ecke. Ich hatte es an Steves Büro auf Guernsey schicken lassen, begleitet von einem Blatt Papier mit einem Smiley, das sagte: »Danke, dass du mir in die Startlöcher geholfen hast.« Die Ergebnisse meiner kleinen Recherche an Bord von Balenskys Yacht hatte ich auch in der *Financial Times* nachlesen können: Steve hatte guten Gewinn damit gemacht. Er hatte den Handel auf die klassische Art verborgen: Steve hatte – zusammen mit der Rivoli-Hotelgruppe, die er beriet – die Zinsen für seine Anlage eingestrichen, und als »The Man from the Stan« sie erwarb, konnte er in Ruhe zusehen, wie seine Anteile in die Höhe katapultiert wurden. Sauber und absolut illegal. Doch Steve reagierte nicht auf meine Sendung, er war weg, in New York oder Dubai oder Sydney, und ich war überrascht, als ich feststellte, dass mich das kein bisschen kratzte. Ich hätte gern etwas Geld an Dave geschickt, meinen einzigen nichtautistischen männlichen Freund, aber mir wollte kein Weg einfallen, auf dem ich das unauffällig hätte tun können. Außerdem war er stinksauer auf mich.

Doch das konnte ja nicht ewig so weitergehen. Ich schrieb ihm eine bange SMS und erkundigte mich nach seinem Befinden. Er schrieb nur ein Wort zurück: »Bonham's«, daneben ein Ausrufezeichen und ein Smiley. Kein x, aber ich war trotzdem furchtbar erleichtert. Bonham's spielte nun nicht gerade in derselben Liga wie die Big Two, aber es war ein anständiges Haus, und Dave hatte wieder Arbeit. Als ich antwortete und diskret fragte, ob ich ihm mit irgendwas aushelfen könne, schrieb er zurück: »Summen maximal in Höhe von Söldnerzahlungen. X« Er hatte früher immer gewitzelt, dass er in einer privaten Security-Truppe irgendwo in Somalia oder so geendet hätte, wie viele seiner ehemaligen Kameraden in der Armee, wenn ihn nicht sein verlorenes Bein davor bewahrt hätte. Ich war erfreut, wenn auch nicht völlig überrascht, dass er mir verziehen hatte. Dave war klug genug, um zu erkennen, dass Groll meistens nur Zeitverschwendung ist.

Dann ging ich shoppen. Erst zum Hôtel Drouot, wo ich einen Schreibtisch aus dem achtzehnten Jahrhundert ersteigerte, einen echten *bonheur du jour* mit einem Geheimfach auf der Rückseite und Einlagen aus erdbeerfarbenem getriebenem Leder, dann zu La Maison du Kilim im Marais-Viertel, wo ich einen anatolischen Teppich in Bronzefarben, Smaragdgrün und Türkis erstand. Bei Artemide kaufte ich Lampen und bei Thonet ein Sofa, auf dem *marché aux puces* eine Anrichte aus Rosenholz aus dem neunzehnten Jahrhundert und einen Art-déco-Esstisch. Gentileschi ließ noch einen Lucio Fontana springen, mal eben eine halbe Million, aber ich konnte es mir schließlich leisten. Demnächst würde ich ja verkaufen, und mein Zuhause würde meine Galerie sein. Ich fand ein Bild aus der Schule von Orazio Gentileschi, *Susanna und die beiden Alten*, nichts Besonderes, ein Lehrlingsstück, aber es gefiel mir, der dichte, stille Raum zwischen den Gliedmaßen des erschrockenen jungen Mädchens und der Masse der schmutzigen, bösartigen Greise, die sich über ihrer Schulter etwas zuflüstern. Ich hängte es an die weiße Wand zwischen den Fontana und eine Skizze von Cocteau, die ein negroides Profil mit einem Fisch anstelle eines Auges zeigte. Ich ließ die Bilder sogar versichern.

Ich hatte mir vorgenommen, ein Jahr lang den Ball flach zu halten und in dieser Zeit so zu leben, wie ich es mir schon immer erträumt hatte. Und wenn ich mich sicher genug fühlte, konnte ich anfangen, ernsthaft zu kaufen. London und Paris waren zwar sehr nah beieinander, aber hübsche Mädchen mit reichen, nachgiebigen Freunden spielen ja gern mal Galeristin. Das wäre die Story, die ich erzählen würde, wenn im Haus irgendwie bekannt wurde, dass Judith Rashleigh im Geschäft war. Und ich hatte weiß Gott vor, ins Geschäft einzusteigen. Ich plante, ein paar weniger teure Stücke zu kaufen, die ich zusammen mit dem Fontana zeigen wollte, anschließend wollte ich die europäischen Kunstmessen besuchen, um Kontakte zu knüpfen, und dann anfangen zu handeln. Ich wusste, wie das Ganze funktioniert, und wenn ich das Geld nicht gerade mit vollen Händen hinauswarf, konnte ich allmählich darüber nachdenken, richtige Geschäftsräume für meine Galerie anzumieten, zu reisen und selbst Künstler zu entdecken. Doch ich musste abwarten, mir Zeit zum Lernen nehmen und am Ende ganz sicher sein, dass die bösen alten Männer schön in ihrem Rahmen an meiner Wand blieben.

Ich war kein bisschen gelangweilt. Erstens liebte ich meine Wohnung nach wie vor. Manchmal verbrachte ich schräge zehn Minuten damit, sie einfach nur zu … liebkosen. Meine Handflächen über die Konturen des Holzes wandern zu lassen, die Linie zu verfolgen, die das Sonnenlicht durch meine Leinenvorhänge auf die Borte des Kelim zeichnete. Ich liebte den Geruch von Bienenwachs und Trudon-Kerzen und Tabak. Ich liebte es, mir eine Flasche Wein aufzumachen und ihn in eines der schweren jadegrünen Art-nouveau-Gläser zu gießen, die ich an einem Trödelstand in der Nähe des Blumenmarkts gefunden hatte. Ich liebte das schwere Klicken, wenn ich die Tür hinter mir schloss, und die Stille in der Wohnung. Manchmal machte mich das alles so glücklich, dass ich nackt Pirouetten auf dem breiten Flur drehte, vom Bad bis ins Schlafzimmer. Gäste hatte ich nie. Dafür gab es das, was die Pariser *la nuit* nennen.

Das wirkliche Paris ist eine kleine Stadt, schön ordentlich liegt sie innerhalb des schützenden Gürtels der *autoroute*. Die Vorstädte, in denen sich müde *fonctionnaires* und unzufriedene, gewalttätige arabische Jugendliche drängen, zählen nicht. Wie jede andere Stadt hat auch sie ihre Stämme, aber die sind säuberlich angeordnet wie bei einer Matrioschka, eine hübsch fein in der anderen. Diejenigen, die man in den Zeitschriften *the happy few* nennt, wohnen im Zentrum, aber ich interessierte mich nicht für die Fashion-Partys der reichen Jugend in Paris Ouest, ich suchte etwas Spezielleres. Die Anzeigen auf den letzten Seiten des *Pariscope* ignorierte ich ebenfalls. Die hatte ich ein paar Mal ausprobiert, als ich nach der Schule ein Jahr hier lebte, die Kellerbars, die spärlich besetzt waren mit Masturbatoren mittleren Alters und Touristen, die auf der Suche nach dem besonderen Kick waren. Dabei hatte ich generell gar nichts dagegen, hässliche Leute zu ficken, da bin ich ganz demokratisch, aber ich konnte es mir jetzt leisten, meine Standards zu heben. Also suchte ich zunächst die einschlägigen Orte auf, Le Baron und La Maison Blanche, sogar das gute alte Queen auf den Champs-Élysées und Le Cab an der Place du Palais Royal. Ich ging so eifrig und oft in diese Lokale, bis die Türsteher mich mit *»Salut, chérie«* begrüßten und die Absperrung aufhakten, sobald sie mich sahen. Ich setzte mich hin und plauderte und trank und kaufte Koks zum Weiterverschenken und Hundert-Euro-Flaschen schlechten Wodka, den ich mir mit den lesbischen DJanes und den italienischen Playboys teilte, wobei ich mich auf die Frauen konzentrierte, immer auf die Frauen, bis der Posteingang meines neuen Telefons voll mit belanglosen SMS und Küsschen war und eine andere an meiner Stelle vielleicht geglaubt hätte, sie habe ein paar Freundinnen gefunden.

Yvette lernte ich auf einer Privatparty im Castel kennen, das voll war von dünnen Jungs in Samtjacken und Models mit demonstrativ ungeschminkten Gesichtern. Sie trug einen weißen Stetson, tanzte auf einer Bank – denn wer wirklich crazy ist, der tanzt ja nicht auf dem Boden –, nahm immer wieder einen Schluck aus einer Flasche Jack Daniel's und ließ verächtlich ein Lasso über einer Gruppe aus sabbernden Euro-Schnuckelchen kreisen, während ihre platinblonden Dreads zu Daft Punk wippten. Ihr Style gefiel mir, ich mochte es schon immer, wenn Leute sich selbst erfinden. Ich bot ihr eine Line Koks an, und gegen vier Uhr morgens, in der weißen Stunde, waren wir bereits die besten Freundinnen. Sie stellte mir die anderen vor: Stéphane, einen Dealer, der aussah wie ein Philosophiestudent, zwei eins neunzig große Laufstegmodels aus dem mittleren Westen, die Kansas definitiv hinter sich gelassen hatten, und einen Vicomte im ledernen Harley-Davidson-Dress, der behauptete, Filmproduzent zu sein. Alle glitzerten sie, alle waren sie hübsch.

Später nahm mich Yvette zum Nachglühen mit in ein Penthouse im siebten Arrondissement, wo die Wände in Trompe-l'œil-Manier so bemalt waren, dass sie aussahen wie Grünspan, dazu vollkommen dicht schließende Jalousien, die die Morgendämmerung aussperrten, ein kunterbunt zusammengewürfelter Haufen an einem Tisch, auf dem sich die Kunstbücher stapelten. Ihre Kiefer arbeiteten, ihre Nasen liefen, während sie ihr High nach der Marc-Quinn-Retrospektive genossen. Die freudlose Luft war mit Nikotin und Blödsinn geschwängert. Ein Mädchen stand auf und begann einen impressionistischen Striptease, hielt sich angedeutet an einer nicht-existenten Stripteasestange fest und zog dabei an ihrem ruinierten Fetzen von pfirsichfarbenem Chloé-Chiffon. Ein paar Hände legten sich ebenso halbherzig auf ihre flachen Brüste und drehten an den braunen Nippeln wie an den Knöpfen einer altmodischen Stereoanlage.

»Ich gehe«, zischte ich Yvette zu.

»Was ist denn? Nicht so deine Szene?«

»Ich mag das schon …« Ich deutete mit einer Kopfbewegung dorthin, wo das verlorene Mädchen mit seinem trockenen Mund im Schritt des nächstbesten Typen herumstocherte, hilflos wie ein Vampirbaby. »… aber nicht so. Verstehst du?«

Yvette nickte wissend.

»Versteh schon. Keine Anfänger, oder?«

»Genau. Keine Anfänger.«

»Ruf mich morgen an. Ich nehm dich zu was Besserem mit.«

Was Besseres war ein Abend bei Julien, den ich später in seinem Club kennenlernte, La Lumière. Ich traf mich mit Yvette an der Bar im Lutetia. Sie war nüchtern, allerdings ein bisschen nervös. Die Dreadlocks waren nur Clips gewesen, wie sich herausstellte, ihr eigenes Haar war in Wirklichkeit ein strenger weißblonder Stoppelschnitt, der sich dramatisch von ihrer blauvioletten Haut und dem orangen Lanvin-Shiftkleid (neueste Kollektion) abhob, das sie mit Louboutins aus Pythonleder kombiniert hatte. Kein Schmuck. Ich sah genauer hin.

»Schönes Kleid.«

»Mango. Verrat's keinem.«

»Tu ich nicht. Geht's dir gut?«

»Gib mir eine Minute. Hier, willst du eine? Nur ein kleiner Betablocker. Macht alles ein bisschen langsamer und relaxter.«

»Klar.« Ich ließ die kleine braune Tablette in meinen Kir Framboise fallen.

Halbherzig erkundigte ich mich, was sie tagsüber gemacht habe. Sie sei Stylistin, sagte sie. Ich erzählte ihr, dass ich mit Gemälden arbeitete. Keine von uns interessierte sich wirklich für dieses Thema, nachdem das Koks verflogen war, aber ich hatte das Gefühl, dass wir die Formalitäten der Reihe nach abhaken mussten.

»Und wo gehen wir heute hin?«

»Hab ich dir von Julien erzählt? Er hat einen Club im Zentrum, aber er organisiert auch Partys – für den etwas spezielleren Geschmack.«

»Klingt perfekt.«

Um zehn Uhr nahmen wir ein Taxi zum Montmartre. Ich

sah, wie sie das Taxameter im Auge behielt. »Die Nächte bei meinem Freund Julien sind nicht gerade billig, weißt du?«

»Keine Sorge. Ich lad dich ein.« Ihre Miene entspannte sich sichtlich. Schmarotzerin.

Julien begrüßte uns an der Tür eines düsteren Hauses aus dem neunzehnten Jahrhundert. Ein schlanker Mann, der sein mittelmäßiges Aussehen mit einem schmal geschnittenen italienischen Anzug und hochglanzpolierten Brogues von Aubercy kompensierte – so übermäßig elegant-gepflegt, dass es schon wieder zwielichtig aussah. Yvette stellte uns vor, und ich griff in meine Tasche, doch er winkte uns lässig in den Hof durch. »Später, meine Liebe, später.« Drinnen sorgten bunte Glaslaternen und diskrete Heizstrahler dafür, dass die Luft trotz der Aprilkühle angenehm lau war. Meine Absätze verhakten sich, und als ich zu Boden blickte, entdeckte ich, dass ich über einen Perserteppich ging. Schwere Chaiselongues und Sessel aus Mahagoni, Pflanzenständer aus Messing und Beistelltische mit Goldverzierungen waren in den Hof geschleppt worden, um einen Salon im Freien zu schaffen. Eine schwerfällig wirkende junge Frau im langen schwarzen Kleid spielte Harfe. Es sah aus wie das Setting für einen bürgerlichen Romane des viktorianischen Zeitalters, wären da nicht die Kellnerinnen gewesen, die Tabletts mit eisgekühltem Sauternes und kleinen fettig glänzenden Foie-gras-Stückchen herumreichten und nackt waren bis auf schwarze Schnürstiefel, lange schwarze Satinhandschuhe und Strohhüte mit dickem schwarzem Ripsband. Etwa dreißig Leute rauchten und plauderten im warmen Schimmer der kunstvollen Fortuny-Laternen, die Frauen in schlichten eleganten Cocktailkleidern, die Männer in dunklen Anzügen.

»Wow«, sagte ich zu Yvette und meinte es auch so. Sie lächelte, ein aufrichtiges Lächeln.

»Gefällt es dir?«

»Sehr. Danke, dass du mich hergebracht hast.«

»Also … wir essen gleich zu Abend, und danach …«

»Und danach …« Ich lächelte zurück.

Yvette begrüßte ein paar Bekannte und stellte mich vor. Die Frauen benutzten das formelle *vous*, die Männer verbeugten sich zu einem überkorrekten Handkuss. Nichts von dem nervösen Statuscheck wie auf Balenskys Yacht – und wenn »Yvettes« Karriere nicht ganz so aussah, wie sie es vorgab (und den Verdacht hatte ich fast), dann war es auch egal. Schönheit war genug, und wo es keinen Schatten gibt, gibt es eben auch keine Schönheit. Man hätte meinen können, wir wären auf einer altmodischen Hochzeit der besseren Gesellschaft, wir jonglierten unsere Canapés und machten Small Talk, wären da nicht die selbstbewussten, wenn auch verhaltenen Blicke gewesen, die die Gäste untereinander tauschten, der unterschwellig summende Sexradar. Eine der Kellnerinnen schlug auf einen kleinen Essensgong, und wir marschierten brav ins Haus. Hinter dem Vorzimmer befand sich eine Treppe.

Julien tauchte wieder auf. »Ladys, die Treppen hoch, bitte, die Gentlemen nach rechts. *Voilà, comme ça*. Das Dinner wird in fünfzehn Minuten serviert.«

Ich folgte Yvettes hohen Absätzen nach oben, in einen großen Raum mit Frisierkommoden und heller Beleuchtung. Hier schwang eine gedrungene, ernste Frau in Schwarz das Zepter, die den Mund voller Stecknadeln hatte. »Sie ist eine von *les mains* bei Chanel«, flüsterte Yvette. *Les mains*, das sind die Kunsthandwerker, die die Perlen und Federn für die großen Couturiers von Hand aufsticken. Rundherum zogen sich die Frauen aus, wobei sie teure Wäsche in kaffeebrauner Spitze oder fuchsiafarbener Seide enthüllten, falteten ihre Kleidung zusammen und schlüpften in schwere, kunstvoll bestickte Kimonos. Die Luft füllte sich mit einer Mischung aus all unseren Parfums. Während die Frauen ihre Kimonos zumachten, kam *la main* mit einem Körbchen. Die Gäste wirkten irgendwie fremdartig, wie sie in ihren hohen Schuhen über die plumpen Schultern der kleinen Frau aufragten, wie Kreaturen einer anderen Art. Ich schätze, es war durchaus beabsichtigt, dass wir uns so fühlten. Unter Gemurmel steckte die Frau hier eine Brosche an einen Kimono, befestigte da eine Blume in einem Chignon oder an einem Halsband, wickelte dort eine mit Edelsteinen und Federn besetzte Kette um ein Handgelenk. Nachdem sie mich lange betrachtet hatte, wühlte sie in ihrem Korb und zog eine erlesene weiße Seidengardenie hervor, die so perfekt aussah, dass ich am liebsten daran gerochen hätte.

»Bücken Sie sich.«

Ich senkte den Kopf und fühlte, wie ihre Finger meine schlichte Hochsteckfrisur lösten und wieder neu befestigten.

»Nichts Überladenes für Sie, Mademoiselle. *Très simple*. Ja, das gefällt mir.«

Sie trat einen Schritt zurück, befestigte nachdenklich noch einmal einen anderen Schmuck in meinen Haaren, zog ihn aber wieder heraus.

»Sehr gut.«

Als sie weiterging, setzte ich mich an eine der Frisierkommoden. Mein Haar war zusammengedreht und hochgesteckt, mittendrin war die Blume befestigt. Ich hatte einen Kimono in einem dunklen Bronzeton bekommen, mit weißer und kobaltblauer Stickerei. Die silbernen Stickereien nahmen den blassen Schimmer der Blütenblätter auf. Der Tisch sah aus wie ein Tresen bei Sephora – alle Arten von Cremes und Kosmetika. Ich nahm mir ein Wattebäuschchen und entfernte mein Make-up, das mir für diese Kulisse viel zu modern erschien. Stattdessen tupfte ich mir nur etwas dunkelrote Farbe auf die Lippen. Mein Spiegelbild wirkte ein wenig seltsam, als wäre ich von Ingres neu erfunden worden. Als ich mich umschaute, entdeckte ich, dass die anderen Frauen ebenfalls verändert aussahen. Yvette trug einen scharlachroten Kimono, mit weiten Ärmeln bis zu den Ellbogen. Die Arme waren umwickelt mit einer Filigranarbeit aus goldenen Ketten, die mit Leder und Pfauenfedern durchwoben waren, wie die Fesseln eines Jagdfalken. Die kleine Frau klatschte in die Hände, obwohl der Raum ohnehin merkwürdig still war, ganz ohne das Gekicher und die kleine Ausrufe, die man normalerweise hört, wenn Frauen sich gemeinsam anziehen.

»*Allez, mesdames.*« Ihre Stimme war so sachlich, als wären wir eine Gruppe von Schulmädchen bei einem würdevollen Museumsbesuch.

Schwere Kleidersäume und gemeingefährliche Absätze rauschten und klackerten übers Parkett. Wir durchquerten den Eingangsbereich und gingen auf die Flügeltüren zu. Das gedämpfte Summen, das zu uns herausdrang, verriet, dass die Männer schon drinnen waren. Der Raum war mit Kerzen beleuchtet, zwischen den Sofas und den niedrigen Esszimmerstühlen standen kleine Beistelltische. Die wartenden Herren trugen feste schwarze Satinpyjamas mit litzengeschmückten Jacketts, deren Glanz die gestärkten Hemden erst richtig zur Geltung brachten. Hie und da blitzte ein massiver Manschettenknopf oder eine schmale Armbanduhr golden im Kerzenlicht auf, aufgestickte Monogramme zogen sich über prächtige Seidentaschentücher.

Das Ganze hätte einem albern und theatralisch vorkommen können, wären die Details nicht so perfekt gewesen. Doch ich war ohnehin wie hypnotisiert, und mein Puls schlug langsam und kräftig. Yvette wurde von einem Mann mit einer Pfauenfeder am Ärmelaufschlag fortgeführt – ich blickte auf und sah einen anderen Mann auf mich zukommen, der am Revers genau so eine Gardenie trug wie ich.

»So funktioniert das also?«

»Nur während des Essens. Danach können Sie selbst wählen. *Bonsoir.*«

»Bonsoir.«

Er war groß und schlank, aber sein Körper wirkte jünger als sein Gesicht. Die Züge waren hart und zeigten deutliche Falten, das bereits leicht ergraute Haar war über der hohen Stirn zurückgekämmt, und seine großen, leicht verschleierten Augen erinnerten an einen byzantinischen Heiligen. Er führte mich zu einem Sofa, wartete, bis ich saß, und drückte mir dann ein schlichtes Kristallglas mit Weißwein in die Hand, klar und streng. Die Förmlichkeit hatte etwas Verschmitztes, aber im Grunde gefiel mir die Choreografie des Ganzen.

Der Gastgeber Julien genoss ganz offensichtlich die Vorfreude. Die größtenteils nackten Kellnerinnen erschienen mit winzigen Hummerpasteten auf kleinen Platten, dann kamen hauchdünne Entenbrustscheiben in einer Honig-Ingwer-Paste, luftige Hippenröllchen mit Himbeer- und Erdbeerfüllung. Nichts, wovon man satt wurde, eher kulinarische Gesten.

»Rote Früchte verleihen der Möse einen wunderbaren Geschmack«, bemerkte mein Begleiter.

»Ich weiß.«

Man unterhielt sich gedämpft, aber die meisten Leute sahen nur zu und tranken, ihre Augen bewegten sich zu den anderen Gästen und dann zu den geschmeidigen Bewegungen der Kellnerinnen, die die Körper von Tänzerinnen hatten – schlank, aber muskulös, ihre Waden kräftig über den eng anliegenden Stiefeln. Ein kleiner Nebenverdienst fürs *corps de ballet?* Ich konnte Yvette undeutlich auf der anderen Seite des Raumes erkennen. Sie ließ sich gerade mit spitzen Silbergabeln ein paar Feigen mit Mandelfüllung in den Mund schieben. Ihr Körper lag da wie der einer Schlange, man konnte zwischen der roten Seide einen Oberschenkel ausmachen. Gemessenen Schrittes gingen die Kellnerinnen mit Kerzenlöschern herum und verdunkelten den Raum in einer Wolke aus Bienenwachs. Währenddessen spürte ich die Hand des Mannes auf meinem

Oberschenkel, sie kreiste und streichelte mich, ganz ohne Eile, und ich spürte, wie sich meine Beine anspannten. Die Mädchen verteilten flache Lacktabletts, auf denen Kondome, kleine Kristallfläschchen mit Monoi-Öl und Bonbonschälchen mit Gleitmittel standen. Manche Paare küssten sich, sie schienen mit den zugelosten Partnern glücklich zu sein, andere Gäste standen höflich auf und durchquerten den Raum, um die Beute zu finden, die sie sich vorher ausgesucht hatten. Yvette hatte ihre Beine gespreizt, ihr Kleid war nach oben geschoben, und nun tauchte der Kopf eines Mannes zu ihr hinab. Ich fing ihren Blick auf, und sie lächelte mir wohlig zu, bevor sie mit der langsamen und zugleich ekstatischen Bewegung eines Junkies auf dem Weg in den seligen Rausch den Kopf nach hinten in die Kissen fallen ließ.

Die Hände meines Begleiters mit dem Heiligengesicht, nennen wir ihn Saint, hatten jetzt meine Möse erreicht. Er hielt inne, öffnete den Gürtel meines Kimonos, fuhr mit den Fingern über meine Brüste und drehte sanft an einem Nippel. Unwillkürlich dachte ich an das arme zugekokste Mädchen im Penthouse vergangene Nacht.

»Gefällt Ihnen das?«

»Ja. Das gefällt mir.«

Und es gefiel mir wirklich. Ich mochte es, wie seine Hände über meinen Körper glitten, leicht wie Wasser. Ich mochte es, wie er seine Zungenspitze von meinem Schlüsselbein über den Bauch zu den Schamlippen wandern ließ. Das flirrende Klopfen seiner Zunge verwandelte sich in feste Striche, feucht, durchdringend. Ich spreizte meine Beine ein wenig.

»Tiefer.«

Er kniete sich auf den Boden, mit einer Hand liebkoste er mich weiter, seine Augen waren auf gleicher Höhe mit den geschwollenen Lippen meiner Möse. Er fuhr mit einem Finger in mich, zwei, dann drei, öffnete mich ganz, wobei seine Zunge die ganze Zeit an meiner Klit blieb. Ich schloss die Augen, aber es nützte nichts. Ich wollte mehr.

»Hast du einen Freund dabei?«

»Natürlich. Komm mit.«

Wir standen auf, er nahm meine Hand und schaute sich um. Der Raum schien jetzt nur noch aus Körpern zu bestehen, die zuckten und sich wanden, dazu waren halb erstickte Wonneseufzer zu hören und Betteln um mehr. Er nickte einem Mann zu, der gerade unter einer vanillehäutigen Brünetten lag. Dieser hob seine Partnerin von sich herunter, und ihr Mund suchte die Lippen der Blondine, die neben ihr lag, und ihre blonden und braunen Haare mischten sich, als sie sich küssten und nach einem anderen Mann griffen, der rasch aus seinem Jackett schlüpfte, bevor er sich zwischen die beiden sinken ließ.

Selbst im dämmrigen, schmeichelhaften Licht sah Saints Freund ein wenig verlebt aus, er war noch ziemlich jung, aber blass, und sein Hemd mit dem Monogramm spannte sich ganz leicht über einem allerersten Bauchansatz.

»Mademoiselle braucht ein wenig Hilfe.«

Wäre es nicht so heiß gewesen, ich hätte lachen müssen. Wann wollten sie endlich mit ihren gefakten Fin-de-Siècle-Manieren aufhören?

Er nahm meine andere Hand, und ich ging vorsichtig zwischen den beiden Männern weiter, um mit meinen hohen Absätzen nicht den Saum meines Kimonos aufzuspießen. Sie führten mich durch ein kleines, dämmriges Boudoir, das mit einem Diwan gänzlich ausgefüllt war und nur von einem hohen Kandelaber erleuchtet wurde. Ein Räuchergefäß verströmte einen intensiven Duft von Zimt und Moschus, Lederriemen hingen von der Decke wie die Ranken von Weinreben. Ich fasste nach einem der Riemen, nahm ihn zwischen beide Hände, spürte die Länge meiner Beine, spürte meine prallen Brüste und die aufgerichteten Nippel an der kühlen Seide, und ich wusste, ich war wunderbar, ich war mächtig. Ich nickte Saint zu, und er brachte sich hinter mir in Position, hantierte einen Moment mit seinem Kondom herum, dann war er in mir. Gut, fest, sehr selbstbewusst, er legte mir die Hände flach auf die Hinterbacken und stieß hart zu.

»Gefällt dir das?«

Ich nickte Saint zu, fasste mir an die Klit, schloss die Augen und verlor mich in seinen Stößen. Die Hände des zweiten Mannes streichelten unterdessen meinen Rücken und die Innenseite meiner Oberschenkel. Ich spannte meinen Beckenboden an, drückte den Daumen flach auf meinen Kitzler und merkte, wie rote und schwarze Wellen aus meiner Körpermitte aufstiegen, immer tiefer, immer härter. Ich kam, rammte meine Hüften wieder und wieder auf seinen Schwanz und spürte wenig später seinen Orgasmus. Dann tauschten die beiden Plätze.

»Willst du noch weiterficken?«

»Natürlich.«

»Wie heißt du?«

»Ich habe keinen Namen.«

»Ich möchte dich in den Arsch ficken. Darf ich?«

Saint hatte sich zurückgelehnt und auf den Ellenbogen gestützt. Nun reichte er uns ein kleines Porzellangefäß mit Gleitmittel und richtete sich auf, um uns begierig zuzusehen.

»Macht weiter.«

Ich atmete tief ein und biss mir auf die Lippe, um mich auf den ersten kurzen Schmerz gefasst zu machen. Der andere Mann war umwerfend schön ausgestattet, offenbar stolz auf seinen unvermuteten Schatz. Er manövrierte sich geschickt in mich hinein und zog ihn nicht heraus, bevor er ganz in mir war. Seine Finger arbeiteten tief in meiner Möse, bis sie an der Wand aus Fleisch lagen, die seine Hand von seinem Schwanz trennten. Ich stöhnte leicht auf, drückte mich ihm entgegen und begann, mit dem Becken zu kreisen und seinen Druck zu erwidern. Ich fühlte mich übervoll, ausgefüllt bis ins Letzte. Ich wollte nur, dass er mich kommen ließ, bevor er kam. Ich liebte das. Ich liebe es, wenn sich ein harter Schwanz tief in mich bohrt, und im Arsch mag ich es lieber ohne Kondom, damit ich nach dem ersten heißen Schmerz des Geöffnetwerdens den Balsam des Spermas spüre. Er schlug mich kräftig mit der Handfläche auf den Hintern.

»Noch mal.« Ich fühlte, wie das Blut unter meiner Haut vermehrt an diese Stelle strömte, wie sich die Empfindlichkeit meiner Nerven noch einmal aufs Köstlichste steigerte.

Er wusste, was ich wollte, machte es noch einmal und legte sein ganzes Gewicht in den Schlag, sodass ich an meinem Lederriemen wankte und mich etwas drehte.

»So?«

»Ja. Ja, genau so mag …«

Der Kinnhaken kam aus dem Nirgendwo. Ich spürte, wie meine Augenlider vibrierten.

»Und das?«

»Danke«, stöhnte ich.

»Spreiz sie noch weiter. Ja, so ist es recht. Braves Mädchen.«

Meine Haare lösten sich und fielen herab, er wickelte sie sich fest um die Faust und zog meinen Kopf nach hinten, riss daran, als er in mich hineinstieß, und es kam mir vor, als würde er seinen Schwanz bis in meine Kehle rammen. Er war großartig. Ich schob zwei Finger in mich, fühlte die geschwollene Eichel durch die dünne Wand aus Fleisch. Er stieß mich, bis ich kam, einmal, zweimal, dreimal. Ich war schweißgebadet und hing wie eine defekte Marionette an den Lederriemen. Er drückte mich nach vorn und zog die Riemen unter meinen Armen durch, schirrte mich an wie ein Pferd und hörte dabei keine Sekunde auf, mich zu ficken. Er hob meine Oberschenkel, legte sie sich um seine dickliche Taille und drückte einen Arm fest gegen meine Rippen, sodass ich mehr oder weniger an ihm hing, und der Winkel gestattete ihm, noch tiefer in mich einzudringen. Ich konnte meine Finger nicht von meiner Klit lassen, obwohl ich inzwischen aufgehört hatte mitzuzählen. Ich keuchte, stöhnte, wollte, dass er auch kam und mich überschwemmte, aber dann spürte ich, wie seine Hände meine Handgelenke aus den Lederriemen lösten. Er legte mich mit gespreizten Armen und Beinen auf den Diwan, wo Saint bereits auf dem Rücken lag und auch wieder bereit war. Sein Freund zog sich aus mir zurück.

Ich war so feucht, dass Saint mit dem ersten Stoß so schnell und so tief in mich eindrang, dass ich laut aufstöhnte. Dann lehnte ich mich zurück und suchte die richtige Stelle, ritt ihn, während ich mein Gesicht unter dem Vorhang meiner Haare gesenkt hielt, und die Stimme seines Freundes murmelte mir rhythmisch ins Ohr: »So, genau so, Schätzchen, nimm seinen Schwanz, nimm ihn ganz in dich auf«, bis ich kam. Ich fühlte, wie auch er zuckte und in mir nachgab, und ich rollte von ihm herunter. Unter meinem Kimono war ich glitschig vor Schweiß. Sein Freund griff über uns hinweg und nahm sich ein Glas, füllte seinen Mund mit Wein und zog mich an sich, sodass ich den Wein von seinen Lippen saugen konnte. Die Kühle breitete sich in meinen Lungen aus. Ich nahm drei Zigaretten aus einem Kästchen, das auf einem Beistelltischchen erschienen war, und steckte für jeden von uns eine an. Saints Freund nahm meine Hand, drehte sie um, bis er einen Kuss auf mein Handgelenk drücken konnte, dann ging er zurück in den Salon. Ich lehnte mich an Saints Brustkorb, während wir rauchten, und seine Hand spielte sanft in meinem Genick. Ich fühlte mich grandios, als wäre ich innerlich ganz aus geschmolzenem Gold.

Später, als die Zigaretten aufgeraucht waren, nahm er meine an sich und beugte sich vor, um sie auszudrücken. Dabei ließ er mich los. Ich gab ihm einen zarten Kuss auf den Mundwinkel, roch den frischen Tabak, brachte mein Haar in Ordnung und steckte die Blume wieder hinein, die vorher herausgefallen war.

»Ça a été?«

Ich lehnte mich noch einmal zu ihm hinunter und legte meinen Mund neben sein Ohr. »Danke. Du warst einfach großartig. Aber jetzt habe ich noch zu tun.«

»Geh nur, Schätzchen. Amüsier dich.«

Und das tat ich auch. Bis ich ... Wie könnte man es am besten ausdrücken? Bis ich meinen Hunger gestillt hatte. Als Yvette und ich – Stunden später und tausend Euro ärmer – Hand in Hand auf die Straße traten, fühlte ich in mir eine zärtliche Zuneigung aufwallen, Dankbarkeit, weil sie mir genau das gegeben hatte, was ich brauchte. Juliens Karte hatte ich in der Tasche, zusammen mit der zerdrückten Seidenblume.

»Lass uns zum Boulevard runtergehen«, schlug Yvette vor. »Mal sehen, ob wir ein Taxi kriegen.«

»Ich glaube, ich nehm lieber die Métro, die fährt ja noch um diese Zeit.«

Wir waren nüchtern und seltsam höflich, als wäre das, was wir die andere hatten machen sehen, in einem Traum passiert, weit von uns entfernt. Mir war es ein Bedürfnis, etwas für sie tun.

»Ich leih dir was fürs Taxi. Tut mir leid, ich hab's nicht kleiner. Du kannst mir das Wechselgeld ein andermal wiedergeben.« Ich schob ihr einen zerknitterten 500-Euro-Schein in die Hand. Die Glocken von Sacré-Cœur schlugen drei. Wir kamen an einer Boulangerie vorbei, aus deren Fenster gelbes Licht fiel. Aus der Backstube drang der dicke süße Geruch von Butter und Mehl.

»Zieh deine Schuhe aus.«

»Was?«

Ich warf einen raschen Blick durch die Tür, schnappte mir

ein paar heiße *pains au chocolat* und warf sie in meine Tasche, dass der Blätterteig überallhin bröselte. »Hier, Frühstück. Lauf.«

Wir trippelten barfuß zur Rue Rochechouart, und da es bergab ging, wurden wir immer schneller und konnten irgendwann nicht mehr stehen bleiben. Yvette fing an zu lachen, ich ebenfalls, unsere Kleider tanzten uns um die Knie, und irgendwann waren Rennen und Lachen eins, irgendwo über uns rief eine Männerstimme, was denn da los sei, woraufhin wir nur noch mehr lachen und schneller rennen mussten, bis wir uns irgendwann aneinanderklammerten, um am Straßenrand zum Stehen zu kommen. Wir keuchten und rieben uns die Augen. Im Rinnstein gurgelte violett verfärbtes Wasser, und wir setzten uns auf den Gehweg, hielten unsere schmerzenden Füße ins schmutzige, angenehm kühle Nass und stopften uns riesige Stücke Teig und Schokolade in den Mund, prusteten und schluckten und leckten uns die Butter von den Händen.

22. Kapitel

Ein paar Monate später fiel er mir zum ersten Mal auf, im Café an der Ecke der Place du Panthéon. Vom ersten Augenblick an witterte ich irgendetwas Seltsames. Dabei gab es keinen besonderen Grund, er war nur ein beliebiger Gast in einem beliebigen netten Lokal in Paris. Im Laufe des klebrigen Stadtsommers hatte ich mir angewöhnt, meine Tage in diesem Café zu beginnen, nach meinen Joggingrunden im Jardin du Luxembourg und einer Dusche. Es war nicht weit zu Fuß von der Rue de l'Abbé de l'Epée, und man hatte einen fantastischen Blick auf das strenge Monument zur Rechten und auf die Gärten, die unten zur Linken lagen. Es wimmelte hier von Studenten, die sich auf der Rauchterrasse in ihren Marlboro-Lights-Mief hüllten, keine Hipster, sondern Möchtegernbohemiens aus dem sechsten und siebten Arrondissement, denen man den Wohlstand am Teint ansah und am Kragen. Die Mädchen banden sich ihre glänzenden Haare mit Vintage-Hermès-Schals zusammen. Immer wieder freute ich mich, wie perfekt ich dazupasste, obwohl ich nie mit ihnen sprach. Ein paar Mal nickte mir einer von den Jungs zu, und ich tauschte ab und zu ein »*Salut*« mit ein paar Mädchen, aber das war alles. Diese Art von Freunden konnte ich nicht haben, selbst wenn ich sie hätte haben wollen.

Wenn man ein Niemand aus Nirgendwo ist, dann ist es besser, seine Grenzen zu kennen. Reiche Kinder können jederzeit einen auf Bohemien machen, aber der Wohlstand hat lange Ranken – er verschlingt sich zu einem Sicherheitsnetz, das schnell zur Falle werden kann, wenn man sich nicht vorsieht. Reiche Kinder haben Familien und Herkunft und Verbindungen, sie stellen Fragen, weil ihre Welt dadurch funktioniert, dass sie die Leute einordnen können. Dem konnte ich mich nicht aussetzen. Trotzdem bestellte ich meinen *grand crème* und einen *orange pressé*, und nach einer Weile brachte mir der Kellner meine Getränke unaufgefordert, mit dieser vertrauten Pariser Effizienz, die mir wiederum das angenehme Gefühl gab, hierherzugehören. Normalerweise hatte ich immer ein paar Auktionskataloge dabei, dazu das *Pariscope*, um mich über öffentliche und private Ausstellungen zu informieren, und *Le Monde* für die Konversation. Für den Fall, dass ich mit irgendjemandem Konversation treiben musste. Und natürlich überflog ich jeden Tag sicherheitshalber die Onlinezeitungen.

Er fiel mir in der Menge nicht sofort auf, es mag mehrere Tage gedauert haben, bis ich mir seiner Gegenwart bewusst wurde. Aber wie gesagt, als er mir schließlich auffiel, fing mein Körper eine Spannung auf, die schon eine ganze Weile in der Luft gelegen hatte, wie ich im Nachhinein merkte. Kein geschniegelter Rechtsanwalt oder Banker, sondern einer von diesen ungeschickt gekleideten französischen Geschäftsleuten, deren Jacketts immer zu kastig ausfallen und deren Krawatten immer zu bunt sind für eine Nation mit einem Ruf für modischen Chic. Beamter oder mittlere Führungsebene vielleicht. Sein blaues Hemd trug ein Monogramm, sein ungesund gerundeter Bauch sah aus, als hätte er ihn sich erst in letzter Zeit zugelegt, das Fett eines im Grunde aktiven Mannes, der zu beschäftigt ist oder zu wenig geliebt wird, um Abhilfe zu schaffen. Die Hemden selbst waren billig, die Manschetten geknöpft, die Initialen eine affektierte Grille, die er sich wahrscheinlich in einer Reinigung hatte aufsticken lassen. Ich begann ihn zu beobachten. Kein Ehering, miese Schuhe. Normalerweise hatte er eine Ausgabe des *Figaro* dabei und bestellte sich einen doppelten Espresso, zu dem ein Glas Wasser serviert wurde, das er nie trank. Er sah aus, als würde sein Atem herb und muffig riechen. Wie lange hatte es gedauert, bis mir klar wurde, dass er mich beobachtete?

Zunächst ging ich einfach davon aus, dass ich ihm gefiel. Ich quittierte das weder mit den Augen noch mit einem höflichen Nicken – er war wirklich nicht mein Typ. Dann dachte ich, er könnte sich sogar verliebt haben – er war immer da, wenn ich kam, und blieb an seinem Tisch sitzen, bis ich meine luxuriöse Nach-Frühstücks-Zigarette geraucht hatte, meine Sachen zusammensammelte und sechs Euro fünfzig in die Untertasse legte. Ich begann mir über die Schulter zu schauen, wenn ich auf die Tür zuging und nach rechts abbog. Seine Augen folgten mir immer, knapp über dem Horizont seiner aufgeschlagenen Zeitung. Da bekam ich Angst. Ich tat so, als würde ich telefonieren, und machte mit dem Handy ein Foto von ihm, das ich anschließend genau betrachtete, wobei ich mir immer noch einredete, dass es eine reine Vorsichtsmaßnahme war. Er hatte ein absolut durchschnittliches Gesicht, das mir überhaupt nicht bekannt vorkam. Nur ein sentimentaler Verrückter mittleren Alters, der eine geheime Leidenschaft für ein Mädchen mit schwingenden Haaren und gutem Zeitungsgeschmack hegte.

Ich wusste, dass er mich beschattete, als ich zum Zigarettenkaufen in den arabischen Supermarkt an meiner Straßenecke ging und ihn prompt an der Bushaltestelle entdeckte, wo er immer noch seine blöde Zeitung las. Ich versuchte mir einzureden, dass es ein Zufall war – wir waren schließlich in Paris, einer Metropole aus Stadtvierteln, in der man die Leute aus dem eigenen *quartier* wiedererkennt. Es war jederzeit möglich, dass er gleich um die Ecke wohnte, in einer 23-Quadratmeter-Einzimmerwohnung mit einem riesigen Flatscreen und den Fotos der Kinder aus seiner geschiedenen Ehe auf einem IKEA-Regal. Aber ich wusste es. In diesem winzigen Moment des Wiedererkennens begannen die Monster auszuschwärmen, sie kicherten und plapperten und zwickten mich mit abgetrennten Daumen in die fröstelnde Haut. Er beobachtete mich, und unter seinem Blick sah ich die sorgfältig errichteten Mauern meines Lebens auf einen Schlag in sich zusammenstürzen, ihre Stabilität war dahin, als hätten sie sich in Luft aufgelöst.

Mich befiel das primitive Gefühl, gejagt zu werden. Ich verspürte den wahnwitzigen Drang, den Gehweg hinunterzulaufen und ihn vor die fahrenden Autos zu stoßen. Natürlich tat ich nichts dergleichen. Ich ging in den Laden und hielt mich etwas länger darin auf, kaufte ein paar Sachen, die ich gar nicht brauchte, Putzmittel, Kaugummi, eine Packung Topflappen, ließ mir Zeit, während ich das Geld passend aus dem Portemonnaie klaubte, und unterhielt mich freundlich mit dem lederbejackten Sohn des Paares, dem der Laden gehörte. Als ich wieder hinaustrat, sah ich die Straße hinunter und stellte fest, dass gerade ein Bus von der Haltestelle losfuhr. Er stand immer noch da. Vielleicht war er mit jemandem verabredet und wartete zufällig dort? Nein. Er wartete bloß auf mich. Ich versuchte, meinen Atem zu beherrschen, aber ich konnte nicht anders, ich sah mich ängstlich um, als ich den Türcode eingab, und ich rief der Concierge ein *»Bonsoir«* zu, obwohl ich ihr beim Hinausgehen gerade erst einen guten Abend gewünscht hatte. Falls er hinter mir im Zwielicht lauerte, sollte er wissen, dass hier ein weiterer Mensch war. Ich schloss meine Wohnung auf, ließ die dünne Plastiktüte fallen und lehnte mich an die Wand. Ich machte das Licht nicht an. Wer auch immer er sein mochte – war das wichtig? Ich könnte mir sofort ein Taxi zum Flughafen rufen.

Jeden Tag nachdem ich die internationalen Nachrichten auf

meinem Notebook durchgesehen hatte, überprüfte ich meine Tasche, eine schlichte Reisetasche aus Leder, die ich einem tunesischen Straßenhändler abgekauft hatte. Darin steckten fünftausend Euro in bar, dasselbe in amerikanischen Dollars, in den Touristenläden des Quartier Latin sorgfältig in kleine Scheine gewechselt und in Frotteesocken gestopft. Kleidung zum Wechseln, meine Kulturtasche, ein paar Taschenbücher, eine stählerne Rolex in ihrer Box und ein paar protzige Goldohrringe, für den Fall, dass ich irgendwo landete, wo Geld nicht funktionierte, außerdem Kopien meiner Dokumente und die Unterlagen für die Gemälde. Nicht unbedingt das Fluchtgepäck eines professionellen Verbrechers, aber ich hielt es für ausreichend.

Trotzdem hatte ich das gruselige Gefühl, dass ich, egal wohin ich flog, mich nach Erlöschen des Anschnallsymbols im Flieger nur umdrehen musste und ihn wiedersehen würde, wie er dasaß und mich beobachtete. Hör auf, ermahnte ich mich. Es war wahnsinnig, es war dumm. Wie immer – Begehren und Mangel. Du musst nach dem suchen, was dazwischenliegt, Judith. Ich holte mein Handy heraus und scrollte zurück zu seinem Foto. Gleichzeitig scrollte ich durch meine Erinnerungen, mein exzellentes Gedächtnis für Gesichter. Immer noch nichts. Ich goss mir ein ordentliches Glas Kognak ein und zündete mir eine Zigarette an. Mein Handy blinkte mich aufreizend an. Wen würdest du anrufen, wenn du in der Nacht allein bist? Niemanden, fertig.

Die Türklingel war so durchdringend, als wären ihre Drähte direkt mit meinen Sehnen verbunden. Ich drückte die Zigarette aus, stellte das Glas behutsam auf den Boden und kroch ans Fenster. Was ich an dieser Wohnung unter anderem liebte, waren die zurückgesetzten Fensterbänke in den dicken Mauern aus dem achtzehnten Jahrhundert. Ich reckte mich, blinzelte nach unten in den Hof und versuchte, etwas zu erkennen, ohne meine eigene Silhouette zu zeigen. Wieder klingelte es. Ich hatte Zeit, bis zehn zu zählen, bevor ich unten das leise elektrische Pulsieren des Türöffners eher spürte als hörte. Die Tür klickte und schwang mit ihrem ganzen Gewicht wieder zu. Er war drinnen. Ich sah seine Gestalt im Eingangsbereich, im bläulichen Schein vom Fernseher unserer Concierge. Ich konnte unmöglich erraten, was er sagte. Dann sah ich, wie die Concierge sich mit maximalem gallischem Grant aus ihrem bequemen Stuhl hochwuchtete, das Pförtnerhäuschen verließ und über den Hof zum Treppenhaus ging. Ich hielt die Luft an. Mit schweren Schritten kam sie die Treppe hoch, und ich hörte, wie sie etwas auf Portugiesisch in sich hineinmurmelte. Sie klingelte an meiner Tür. Ich blieb so starr wie eine Katze vor dem Beutesprung. Noch ein Klingeln, dann hörte ich, wie sich ihr Gewicht in den ausgelatschten Dr.-Scholl-Pantoffeln entfernte, das Geländer knarzte, und dann erschien sie wieder unten, wo er wartete. Ich sah, wie sie eine abschätzige Handbewegung machte und den Kopf schüttelte. Als er wieder auf den Hof trat, achtete er darauf, sich direkt unter die Hofbeleuchtung zu stellen, sodass sein Gesicht im Schatten lag. Aber ich spürte, wie er schaute. Er rief der Concierge ein *»Merci, madame«* zu und drückte auf den beleuchteten, plastikfolienüberzogenen Knopf, mit dem man die Haustür von innen öffnete, dann war er verschwunden.

Ich brauchte eine Weile, bis ich wieder gerade stehen konnte. Ich fühlte mich wie eine alte Frau. Ich machte die Badezimmertür zu, bevor ich das Licht anschaltete und mich unter die Dusche stellte. Ich drehte das Wasser so heiß, wie ich es eben aushielt, und führte dabei mechanisch die erforderlichen Handgriffe aus, Seife, Ganzkörperpeeling, Reinigungsöl, Gesichtswäsche, Gesichtspeeling, Shampoo, Spülung. Ich rasierte mir Beine und Unterarme, legte eine Feuchtigkeitsmaske auf, verbrachte ein paar Minuten mit dem Einmassieren einer Körperlotion, Monoi an die wichtigen Stellen, Deo, Parfum. Ich schminkte mich – Primer, Grundierung, Concealer, Rouge, Augenbrauengel, Eyeliner, Wimperntusche. Dann föhnte ich mir kopfüber die Haare. Nach all diesen Ritualen zitterten mir zwar immer noch die Hände, aber ich hatte mich so weit beruhigt, dass ich nachdenken konnte. Ich entschied mich für ein kurzes graues Kleid in A-Linie von A. P. C., schwarze halterlose Strümpfe, Ankleboots, einen Schal, Diamantstecker und meinen Vuitton-Regenmantel. Ich rief bei Taxis Bleus an und trank ein Glas Wasser, während ich in der Warteschleife hing, und bestellte mir schließlich einen Wagen. Nachdem ich die Wohnungstür abgeschlossen hatte, ging ich noch einmal zurück, um zu überprüfen, ob sie auch ganz bestimmt zu war.

Die Concierge klebte immer noch vor ihrer brasilianischen Telenovela. Eine Frau mit absurden Brüsten und Pobacken, die man in ein lächerliches Businesskostüm gepfropft hatte, kreischte auf Portugiesisch einen schuldbewusst dreinblickenden Mann mit Schnurrbart an. Jedes Mal, wenn sie schrie, sah man die Kulissen zittern.

»Entschuldigen Sie, Madame? Tut mir leid, wenn ich Sie störe, aber hat jemand eine Nachricht für mich hinterlassen?«

Es sei ein Besucher da gewesen, ein Mann, der seinen Namen nicht genannt habe, und wozu gebe es eigentlich Handys?, wollte die Concierge wissen, also wirklich, Leute mitten in der Nacht zu stören. Nein, keine Nachricht, aber er habe sich namentlich nach mir erkundigt, Mademoiselle Rashleigh, ganz so, als hätte sie nichts Besseres zu tun, als abends Treppen rauf- und runterzulaufen, nein, er habe sicher keine Nachricht dagelassen, habe auch nicht gesagt, ob er noch einmal wiederkommen wolle, und wenn ja, könnte er dann bitte direkt bei Mademoiselle klingeln? Nicht wahr, die Leute haben einfach keine Manieren. Und so weiter und so fort, bis ich mich oft genug entschuldigt und ihr so weit beigepflichtet hatte, dass sie sanfter gestimmt war. Wir waren uns einig, dass die Leute schrecklich rücksichtslos waren, vor allem im Hinblick auf die kaputte Hüfte der Concierge. Da hupte das Taxi ungeduldig auf der Straße, und ich verließ das Haus unter vielen Mitleidsbekundungen.

Es war immer noch früh, kurz nach Mitternacht, als ich in die Rue Thérèse kam. Seit der Party bei Julien hatte ich den Club mehrmals allein besucht, denn es gefiel mir, wie die Dinge hier gehandhabt wurden. Juliens Türpolitik war demokratisch, dabei aber auch etwas unberechenbar, und schuf dadurch ein Gleichgewicht der beiden Kräfte, die im Nachtleben zählen: Geld und Schönheit. Je hübscher man war, desto weniger musste man zahlen, obwohl einem beim Anblick der Rechnung, die einem beim Verlassen des Clubs diskret überreicht wurde, immer noch die Augen feucht werden konnten. Aber mit dem Geld erkaufte man sich eben auch Diskretion: Im La Lumière verkehrten bekanntermaßen ein paar überraschend respektable Persönlichkeiten, aber vor der schlichten schwarzen Tür des berüchtigten Clubs lungerten trotzdem niemals Journalisten herum. Drinnen sah es ganz anders aus. Als ich zur Bar hinunterging und einen schrecklichen Kognak bestellte (der Kognak in solchen Lokalen ist grundsätzlich schrecklich), fiel mir auf, dass die Bänke neue Bezüge mit Zebramuster bekommen hatten, und wie immer fragte ich mich, was zuerst da gewesen war, das Dekor oder der Geschmack. Sind Europäer einfach so konditioniert, dass sie bei Animal Prints und roter Wandfarbe und schwarzem Leder an Sex denken, oder ist das nur Gewohnheit? Andererseits konnte man sich eine Sexparty schlecht in einem Club mit geschmackvoll-neutraler Einrichtung vorstellen.

Von Julien war weit und breit nichts zu sehen, also glitt ich von meinem Barhocker, überquerte die Tanzfläche und ging in den Darkroom. Auf den Diwanen hatten sich schon mehrere Grüppchen gefunden. Eine schlanke Brünette steckte gerade mitten in einem komplizierten Gruppensex-Arrangement mit drei Männern, einer in ihrem Mund, einer von hinten, einer von unten, und ihr stetes lustvolles Keuchen hallte zwischen den glänzenden Wänden wider. Doch all das Murmeln und Keuchen war nicht für Publikum gedacht, denn die Gäste dieses Etablissements kamen eher wegen der Action und nicht wegen der Show. Ein sehr junger Mann sah auf und schaute mich erwartungsvoll an. Sein kaffeebraunes Haar fiel ihm bis zum Kinn – ein Südamerikaner vielleicht? Ich hätte nichts dagegen gehabt, aber heute Abend hatte ich keine Zeit. Widerstrebend schüttelte ich den Kopf und ging den Flur entlang, vorbei an den verschiedenen Umkleidekabinen, hinter deren kurzen, schwarz lackierten Türen sich Duschen, Spiegel und netterweise Pflegeprodukte von Acqua di Parma fanden. Ich traf Julien hinten in der Bar an. Er nickte mir zu, als ich näher kam.

»Ich bleibe nicht«, sagte ich. »Aber hätten Sie einen Moment Zeit? Ich müsste Sie kurz sprechen.«

Julien wirkte perplex und ein wenig pikiert. So etwas gehörte sich nicht. Aber ich stellte fest, dass er offenbar nicht ganz überrascht war. Ich folgte ihm nach oben in die kleine Lobby mit den Samtvorhängen. Dort beugte ich mich über den Tresen und ließ ihn die 500-Euro-Scheine in meiner schwarz behandschuhten Hand sehen.

»Tut mir leid, dass ich Sie belästige …« Das war offenbar die Nacht der Entschuldigungen. »… aber ich muss wissen, ob jemand hier war und mich gesucht hat. Ein Mann. Es ist ziemlich wichtig.«

Julien ließ sich Zeit und genoss meine Aufmerksamkeit.

»Ja, Mademoiselle Lauren. Ein Mann war hier und hat nach Ihnen gesucht. Er hatte ein Foto.«

»Ein Foto?«

»Ja, Mademoiselle. Von Ihnen und einer anderen jungen Dame.«

»Wie sah die junge Dame aus?«

»Das kann ich nicht sagen, Mademoiselle.«

Ich schob ihm einen Schein hin.

»Vielleicht hatte sie auffällige Haare. Rote Haare?«

Leanne. Verdammt. Das war bestimmt ein Foto von mir und Leanne gewesen.

»Und der Mann? Haben Sie ihm gesagt, dass Sie mich kennen?«

Julien hatte die Augen auf den zweiten Fünfhunderter gerichtet. Ich schloss die Hand etwas fester um den Schein.

»Ich habe ihm natürlich gesagt, dass ich Sie noch nie in meinem ganzen Leben gesehen habe, Mademoiselle.«

»Hat er sonst noch etwas gesagt? Irgendwas?«

»Nein. Nichts. Er war sehr korrekt.«

Ich ließ das Geld los, und er schob es ein, ohne meinen Blick loszulassen.

»Würden Sie gerne eine Nummer hinterlassen? Ich kann Ihnen Bescheid sagen, wenn er wiederkommt.«

Ich fragte mich, wen Julien eigentlich zum Narren halten wollte. Und ich fragte mich, wie viel der Kerl ihm gegeben hatte. Aus dem Keller hörte man ganz schwach die Musik und den Klang von weiblichen Absätzen. Dort unten war es so einfach, den Leuten zu zeigen, wer man wirklich war, deswegen war es auch so überraschend liebenswürdig. Das wussten wir beide, Julien und ich. Er handelte mit den Unterschieden zwischen den beiden Welten. Ich konnte ihm seine Gier nicht zum Vorwurf machen.

»Nein. Nein, danke. Vielleicht bis bald mal wieder.«

»Es ist mir immer ein Vergnügen, Mademoiselle.«

Langsam ging ich in Richtung Seine. Paris war immer so

absurd hübsch. Ich hatte noch nicht gegessen, hatte aber auch keinen Hunger. Ich rief Yvette an, aber sie nahm nicht ab, weil heutzutage ja niemand mehr ans Telefon geht. Aber sie rief nach ein paar Minuten zurück.

»Hallo, *chérie*.«

Wir hatten uns seit Ewigkeiten nicht mehr gesprochen, genau genommen seit der Party in Juliens Haus, aber im Pariser Nachtleben kann man jeden mit *»chérie«* ansprechen. Im Hintergrund hörte ich Musik und Stimmengewirr. Sie musste irgendwo draußen im Gedränge einer Raucherecke stehen, unter den Lichterketten neben dem surrenden Heizstrahler.

»Hör mal, ich muss dich um einen Gefallen bitten. Kannst du mir bitte Stéphanes Nummer schicken?«

»Stéphane? Willst du eine Party veranstalten?«

»Ja. So was Ähnliches. Eine Privatparty.«

»Na klar, mach ich. Viel Spaß. Und ruf mich mal wieder an, *chérie*!«

Ich wartete, bis ihre SMS kam, dann schickte ich selbst eine.

Ich bin eine Freundin von Yvette und bräuchte eine Kleinigkeit. Könntest Du mich bitte auf dieser Nummer zurückrufen? Danke.

Ich brachte es noch nicht fertig, in meine Wohnung zurückzugehen, also bog ich links ab und ging ins Le Fumoir. Stéphane brauchte ungefähr eine Stunde, bis er zurückrief. Bis dahin hatte ich drei Grasshopper getrunken und fühlte mich der Welt wieder ein bisschen besser gewachsen.

»Du bist also eine Freundin von Yvette?«

»Ja.« Ich verzichtete darauf, ihn daran zu erinnern, dass wir schon einmal gemeinsam vom Club nach Hause gegangen waren, denn ich bezweifelte, dass er das noch wusste. Aber es war sowieso besser, wenn ich jemand anders war, wenn ich auf Distanz blieb. »Ich bin Carlotta. Danke für deinen Rückruf.«

»Du brauchst also was von mir?«

»Ja. Für eine Freundin. Aber nicht das Übliche, sondern … was

Braunes.« Mein Französisch war für diese Situation nicht ganz ausreichend, ich fühlte mich komisch.

Er zögerte.

»Verstehe«, sagte er schließlich. »Also, besorgen könnte ich das schon. Aber nicht mehr heute Nacht.«

»Morgen Abend wäre prima.«

Wir verabredeten, dass er sich um acht im Café am Panthéon mit »Carlottas Freundin« treffen würde. Ich hatte keine Sorge, dass mein *Figaro*-lesender Freund dort sein würde. Der hatte garantiert seine Sachen gepackt und den ersten Eurostar zurück nach London genommen, um seinem Auftraggeber eifrig Bericht zu erstatten. Er hatte mich identifiziert, meinen Namen und meine Adresse bestätigen können. Da er ein Foto von mir und Leanne dabeigehabt hatte, konnte nur London dahinterstecken. Irgendjemand in London versuchte mich zu finden. Jetzt bereute ich die Grasshopper. Ich brauchte einen klaren Kopf.

Um sechs Uhr zwang ich mich aufzuwachen, nervös und unausgeschlafen. Meine Laufsachen lagen neben dem Bett, es gab keine Ausreden. Es hatte angefangen zu regnen, als ich nach Hause kam, aber mittlerweile stand die spätherbstliche Sonne narzissengelb am Himmel, und die ganze Stadt strahlte wie frisch geschrubbt. Bei meiner zweiten Runde durch den Jardin du Luxembourg fühlte ich mich schon besser, ich legte ein paar Sprints ein, machte ein paar Sit-ups im feuchten Gras und dehnte meine Muskeln. Dann joggte ich langsam zurück in die Rue de l'Abbé de l'Epée und arbeitete mich durch mein Tagesprogramm. In den zehnten Bezirk, wo es Läden gibt, die auf afrikanische Frauenfrisuren spezialisiert sind, nach Belleville zu einer Apotheke, eine kurze Pause in einem Café, um ein paar Recherchen anzustellen, dann zur nächstgelegenen Nicolas-Filiale, um eine Flasche Wein zu kaufen, und am Ende machte ich noch einen Arzttermin aus. Damit war meine Zeit größtenteils gefüllt. Ich würde mir eine Stunde zum Baden gönnen, mich umziehen und dann Stéphane treffen.

Die Drogenszene hatte sich stark verändert, seit ich zum letzten Mal Stoff in Toxteth gekauft hatte. Es fing schon damit an, dass Stéphane weiß war. Trotz der feuchten Luft, die dem perfekten Herbsttag folgte und Regen ankündigte, hatte ich mich entschieden, draußen auf ihn zu warten. Als er auf seiner flotten Vintage-Lambretta ankam, fiel er nicht weiter auf zwischen den ganzen Intellektuellen. Er war dürr und wirkte ernsthaft, trug einen Achtzigerjahre-Haarschnitt, so mies, dass er schon wieder gut war, und eine schwere Brille mit schwarzem Gestell – kurz und gut, er tat alles, um nicht wie ein Drogendealer auszusehen. Ich sah, wie er langsam die Leute unter der Markise musterte, und stand ein wenig auf, sodass sich das Licht in meinen Haaren fing. Die Perücke war ganz schön grässlich, aber ich hatte mein Bestes gegeben, die Kunsthaare zu einem nachlässigen Chignon hochgesteckt, damit es natürlicher aussah, und mir am Ende meinen großen Sprouse-Schal fest um den Hals gewickelt. Ich war lässig gekleidet, aber bewusst stark geschminkt, und wir sprachen Englisch. Ich fragte mich, wie überzeugend meine alte Stimme nach so langer Zeit klang, aber andererseits konnte ich davon ausgehen, dass Stéphane das nicht wahrnehmen würde. Er setzte sich hin und wartete, bis er beim Kellner seinen Espresso bestellt hatte, dann legte er eine Schachtel Camel Lights auf den Tisch, neben meine Marlboro Gold. Er lächelte aufmunternd – fand er am Ende tatsächlich, dass ich gut aussah?

»Du bist also eine Freundin von Yvette?«, fragte er. Ich entspannte mich. Es bestand also wirklich keine Gefahr, dass er mich erkannte.

»Eigentlich bin ich eher mit Carlotta befreundet, aber über sie kenne ich Yvette ein bisschen.«

Wir schwiegen eine Weile. Dann steckte ich die Camel-Lights-Schachtel ein, stand auf und ließ die Marlboro-Gold-Packung auf dem Tisch liegen.

»Viel Spaß«, sagte Stéphane. »Willst du meine Nummer?«

»Gern.«

Ich tat so, als speicherte ich sie in meinem Handy, denn die Freundin von Carlotta hatte seine Nummer ja noch nicht. »Ich bin nicht lange in Paris, aber man weiß ja nie.«

»Gut, also dann ciao.«

»Ciao.«

Er kickstartete seinen Roller, während er sein Smartphone checkte. Zweifellos war er schon wieder auf dem Weg zur nächsten Übergabe. Wahrscheinlich hatte er eine entsprechende App. Ich wartete, bis er weg war, dann bahnte ich mir einen Weg zur Toilette und nahm die Perücke ab. In meine Tasche gestopft sah sie unheimlich aus, ich musste irgendwie an Voodoo denken. Aber wenn ich auf meinem Heimweg am Ende Leanne über den Weg lief, durfte ich nichts riskieren.

Auf die Frage, woher ich wusste, dass Leanne auftauchen würde, hätte ich keine Antwort geben können. Irgendwie wusste ich einfach, dass das aus logischen Gründen geschehen musste. Hätte da Silva mich verhaften wollen, hätte er mich einfach verhaftet und mir keine Zeit gelassen zu verschwinden. Da ich davon ausgehen musste, dass mein neuer Kamerad mit London in Verbindung stand, und da Julien obendrein die auffällige Haarfarbe erwähnt hatte, musste London Leanne bedeuten. Sie tauchte erst nach zehn auf, als ich schon langsam an mir zweifelte. Mir wurde ganz anders, vielleicht hatte ich mich in da Silva ja doch getäuscht. Ich hatte geduscht und einen weißen Männerpyjama von Charvet angezogen. Die Concierge hatte ich bereits mit einem Strauß hässlicher Chrysanthemen in Zellophan vorbereitet, um sie im Voraus zu entschädigen, wenn sie eventuelle spätabendliche Gäste zu meiner Wohnung führen musste. Ich hatte Kerzen angezündet, mir ein meditatives Glas Rotwein eingeschenkt, ich hatte eine CD mit Mozarts 21. Klavierkonzert eingelegt und den neuesten Philippe-Claudel-Roman aufgeschlagen auf der Sofalehne drapiert. Einen gemütlichen, ruhigen Abend im trauten Zuhause gönnte ich mir. Summen, Klicken, Summen. Stimmen. Dr.-Scholl-Schlurfen. Klicken, Schlurfen, das Geräusch von Absätzen auf den Bodenfliesen. »*Allez-vous par là.*« Klick, klick, klick auf den Stufen, Klingeln.

»Du liebe Güte – Leanne! Das ist ja eine Überraschung! Komm rein. Wie lang ist das jetzt her – ein Jahr? Ewig! Toll siehst du aus! Komm rein.«

Tatsächlich stellte ich erfreut fest, dass sie keineswegs besonders gut aussah. Sie war dünn, aber ihr Gesicht wirkte bleich und aufgedunsen, mit kalkigem Abdeckstift hatte sie ein ganzes Pickelnest am Kinn übermalt. Ihr Haar war noch immer feuerrot, aber die goldenen Strähnchen waren weg, was ihre Haut noch stumpfer wirken ließ. Sie hatte die Chanel-Handtasche am Arm, die wir in Cannes gekauft hatten und die mittlerweile ziemlich mitgenommen aussah. Ihr brauner Mantel war aus dem Kaufhaus, und ihre Stiefel waren an der Spitze abgestoßen.

»Na, da schau her. Super!«

»Die ist nur gemietet.«

Ich folgte ihren Blicken durchs Zimmer. Sie würde nicht wissen, dass das schlichte schwarze Sofa von Thonet war oder dass die Cocteau-Zeichnung echt war, wenn sie überhaupt je von Cocteau gehört hatte, aber als ich ihren Blick nachvollzog, sah ich mit Freude, dass meine Wohnung vor Geschmack – und vor dem dazu nötigen Geld – nur so summte.

»Sieht trotzdem so aus, als würde es dir ziemlich gut gehen.«

Ich schlug die Augen nieder. »Weißt du noch den Typen mit

der Yacht? Steve? Na ja, wir haben uns seitdem immer wieder getroffen. Er unterstützt mich. Und ich habe einen neuen Job, ich bin jetzt Kunsthändlerin, so richtig. Insofern geht es mir schon gut, ja.«

Sie griff nach oben und zog mich in ihre Prada-Candy-duftende Umarmung.

»Freut mich für dich, Judy. Freut mich für dich.« Sie klang, als würde sie es so meinen.

»Komm, wir trinken was. Wenn ich gewusst hätte, dass du kommst, hätte ich einen Roederer besorgt«, meinte ich lächelnd. Ich holte ihr ein Glas aus dem Schrank. Sie nahm einen tiefen Schluck und wühlte dann in ihrer Tasche nach Zigaretten. Ich setzte mich zu ihr aufs Sofa, und wir rauchten.

»Und wie geht's dir? Immer noch im Club?«

»Ja, aber es wird mir allmählich ein bisschen zu viel.« Ihre Stimme klang flacher, hatte jetzt einen etwas anderen Akzent. Irgendwie ließ sie das älter wirken, ihre ganze Spritzigkeit war dahin.

»Seit wann bist du hier? Was machst du überhaupt in Paris?«

»Ein Typ aus dem Club hat mich für ein Wochenende hierher eingeladen.«

»Cool!«, antwortete ich fröhlich. »Habt ihr ein schönes Hotel gefunden?«

»Ja, total schön, wir sind in diesem Dingens de la Reine, auf diesem Platz da.« Sehr gut – sie dachte, dass ich ihr ihre Story abnahm. »Na ja, und weil ich gehört hatte, dass du hier bist, hab ich mir gedacht, ich besuch dich mal.«

»Du hast gehört, dass ich hier bin. Aha.«

Ich ließ die Schweigepause auf sie wirken, bis sie mich bittend ansah. Sie kam ins Schwimmen.

»Ich freu mich, dich zu sehen«, murmelte sie. »War echt lustig damals in Cannes, oder?«

»Ja, das war wirklich lustig.«

Das 21. Klavierkonzert ist ein bisschen zu transparent für den seriösen Geschmack, aber irgendetwas an der Spannung darin, der lauernde Raum zwischen den Noten, verursacht mir ein ziehendes Gefühl in der Brust. Ich ging barfuß über den Parkettboden, stöpselte mein Handy aus, das gerade am Ladegerät hing, und ließ sie zusehen, wie ich es ausschaltete. Wortlos zückte sie ihr Smartphone und tat dasselbe. Ich streckte die Hand aus, und sie gab mir ihr Telefon, wie hypnotisiert. Ich legte die Geräte nebeneinander auf den Tisch, setzte mich ans andere Ende des Sofas, nippte von meinem Wein und beugte mich dann vor.

»Leanne. Bitte sag mir, warum du hier bist. Das ist ganz offensichtlich kein Zufall. Woher wusstest du überhaupt, dass ich in Paris bin? Geschweige denn, wo ich wohne? Bist du in Schwierigkeiten? Kann ich dir helfen?«

Ich sah ihr an, dass sie krampfhaft überlegte, wie viel sie mir verraten durfte, wie sie es gegen das abwägte, was ich ihrer Meinung nach wusste. Was im Moment noch herzlich wenig war.

»Leanne. Was ist los? Ich kann dir nicht helfen, wenn du es mir nicht sagst.«

Weiter fragte ich nichts. Wir saßen auf dem Sofa wie Therapeutin und Patientin, bis die Musik zu ihrem ausgewogenen, lang gezogenen Ende kam.

»Also ... da war so ein Typ, der kam in den Club und hat nach dir gefragt. Er hatte ein Foto von dir dabei. Auf einem Security-Ausweis von der Firma, wo du früher gearbeitet hast.«

Ich gab meiner Stimme einen etwas härteren Klang. »Und was hast du ihm erzählt?«

»Nichts, ich schwöre. Ich hatte eine Scheißangst, echt. Olly hat dich wiedererkannt und gemeint, dass du gar nicht so aussiehst, als würdest du Judith heißen, aber ich hab nur gesagt, dass du verreist bist. Ich schwöre dir, ich hab nichts gesagt.«

»Warum musst du schwören? Wo ist das Problem?«

»Ich wusste ja auch nicht. Ich dachte, es wäre wegen ... na ja, du weißt schon ... wegen James. Also hab ich die Klappe gehalten. Aber da war so ein anderes Mädchen, die war seit ein paar Wochen im Club, die hat angefangen, als du schon weg warst. Ashley? So eine Blonde, ganz Große? Sie hat ihm erzählt, dass sie dich kennt.«

Ashley. Die Nutte von der Party am Chester Square. Was für eine beschissene Überraschung. Ich sah Leanne an, die bei ihrem zweiten Glas war und Kette rauchte. Sie tat mir leid. Ich glaubte ihr, sie hatte wohl tatsächlich dichtgehalten. Stattdessen war ich von einer Scheiß-Svetlana verpfiffen worden, in deren blödem Maul der Schwanz eines Fremden steckte, als ich sie das letzte Mal sah.

»Und dann?«

»Sie sind rausgegangen und haben sich weiter unterhalten. Er ist dann wieder verschwunden. Ich hab versucht rauszukriegen, worüber sie geredet haben, aber diese Ashley ist so eine richtig pampige Schlampe. Russin eben. Ein paar Abende später ist sie sowieso gegangen. Beziehungsweise gefeuert worden. Sie ist mit einem Kunden erwischt worden.«

»Wundert mich nicht. Wie hieß denn der Typ?«

»Cleret. Renaud Cleret. Er ist Franzose.«

Wenn Ashley schon ein Schock gewesen war, traf mich diese Auskunft wie ein Fausthieb in den Solarplexus. Ich lachte wie verrückt.

»Was ist daran so komisch?«

»Nichts. Nichts, Leanne. Tut mir leid. Das ist bloß so ein ... so ein furchtbar französischer Name. Renaud Cleret. Wie in einem schlechten Film. Aber egal.«

Dann erzählte sie mir den Rest. Sie war in Panik geraten, war überzeugt gewesen, dass die Geschichte mit James herausgekommen sei. Sie sagte, sie hätte versucht, mich anzusimsen, aber ich hatte ja meine Nummer gewechselt. Also war sie zu British Pictures gegangen und hatte die Empfangsdame so lange genervt, bis man sie zu Rupert vorließ.

»Dein alter Chef, du weißt schon. Der, den du immer nachgemacht hast. Hast du übrigens ziemlich gut hingekriegt, muss ich sagen, nachdem ich ihn in echt gesehen habe.«

Und Rupert hatte ihr erzählt, dass ich seiner Meinung nach in einen Fälschungsskandal verwickelt sei und dass sie mich unbedingt auftreiben müssten – nicht nur weil ich womöglich mit der Reputation des Hauses spielte, sondern auch aus Sorge um mich. Wie rührend. Er hatte versteckte Andeutungen gemacht, dass solche Sachen schrecklich schiefgehen konnten. Wahrscheinlich sei mir gar nicht bewusst, dass ich mit dem Feuer spielte. Also hätten sie Cleret angeheuert, um mich zu finden, hatte Rupert ihr erklärt. Und als Leanne, meine alte Freundin, bei ihm aufgetaucht war, hatte er sie gebeten, mit mir zu reden? Cleret würde ihr sagen, wo ich mich aufhielt, sie musste bloß hingehen. Sie würden ihr die Fahrt nach Paris zahlen und noch ein bisschen extra obendrauf. Er betonte, es sei sehr dringend, er mache sich Sorgen um mein Wohlergehen. Leanne würde ihrer Freundin wirklich einen Gefallen tun.

»Wie viel ›extra obendrauf‹? Sag es ruhig, es ist okay.«

Zweitausend Pfund.

»Dreißig Silberlinge«, bemerkte ich, aber sie schaute mich nur verständnislos an.

»Ich hab ihnen sowieso nicht geglaubt. Ich hab mich so verhalten, wie ich es dir erzählt habe, ich hab so getan, als wäre ich so blöd, wie sie dachten. Dieser Cleret hat mir gestern Abend deine Adresse gegeben und gesagt, ich sollte sofort zu dir gehen.«

»Wo ist er jetzt?«

»In London. Er ist Franzose, aber er lebt in London.«

»Und deshalb bist du hergekommen.«

»Genau.«

Ich trank einen Schluck Wein, goss ihr auch noch welchen ein. Sie setzte sich ein bisschen aufrechter hin. Nach ihrem Geständnis war sie wieder etwas selbstsicherer, und ihre verschlagenen kleinen Augen glitzerten mich an.

»So, jetzt hab ich dir alles erzählt – und was hast du mir zu erzählen?«

»Was meinst du?«

»Komm, ich bin doch nicht blöd. Dieser Rupert hat gesagt, du bist da in irgendwas verwickelt. Er hat gesagt, dass in Rom ein Typ ermordet wurde, deswegen machte er sich solche Sorgen.«

»Was für ein Typ?«

»Cameron Fitzpatrick, hat er gesagt. Ich hab mich im Internet informiert. In Rom wurde so ein Typ ermordet, Cameron Fitzpatrick. Nicht lange nachdem du Südfrankreich verlassen hattest. Er war Kunsthändler, genau wie du, Judy. Und dieser Cleret meinte, du warst auch in Rom. Du warst da, als es passierte.«

Verdammt. Woher konnte Cleret das wissen? Moment. Tief durchatmen. Mein Name war bestimmt in da Silvas Bericht aufgetaucht, auch wenn die Zeitungen diskret gewesen waren. Es war öffentlich bekannt, und dieser Cleret war ja offensichtlich eine Art Detektiv. Konzentrier dich erst mal auf das, was vor dir liegt.

Leanne war vielleicht ungebildet, aber sie war nicht auf den Kopf gefallen. Was ihr Verhältnis zu Bargeld anging, war sie wie eine Ratte an einer offenen Wunde. Ich war aufrichtig beeindruckt, wie viele Puzzleteilchen sie allein zusammengesetzt hatte, aber ganz im Ernst – was erwartete sie jetzt eigentlich? Dass ich ihr alles gestand und ihr erlaubte, mich zu erpressen?

»Na und? Stimmt, ich war in Rom. Und ich wurde von der

römischen Polizei vernommen, es war total schrecklich. Dabei hatte ich einfach gehofft, dass Fitzpatrick mir einen Job vermitteln könnte. Ich meine – für den armen Kerl war es natürlich auch schrecklich. Ich kann mir vorstellen, dass Rupert ebenfalls von meiner Anwesenheit in Rom wusste, auch wenn er dir das nicht erzählt hat. Vielleicht hat er deshalb Verdacht geschöpft – und wenn schon. Er hätte sich einfach mit mir in Verbindung setzen und fragen können, statt so ein beschissenes Katz-und-Maus-Spiel aufzuziehen. Worauf willst du eigentlich hinaus?«

»Warum ist Rupert so scharf drauf, mit dir zu reden? Warum hat er sich so gefreut, mich zu sehen?«

»Woher zum Teufel soll ich das wissen? Vielleicht hat er sich auf einen billigen Fick gefreut.«

Das traf sie wie eine Ohrfeige, aber sie ging nicht darauf ein.

»Ich bin nicht hergekommen, um mit dir zu streiten, Judy. Du hängst da in irgendwas drin, oder? Deswegen wollen diese Typen, dass ich mit dir rede. Um es herauszufinden. Aber was sind wir diesen High-Society-Schnöseln schon schuldig? Schließlich haben wir es in Cannes zusammen geschafft, oder? Deswegen hab ich gedacht, ich könnte dir vielleicht helfen. Zwei sind besser als einer allein, oder etwa nicht?«

»Was haben wir zusammen geschafft? Ich weiß überhaupt nicht, wovon du redest.«

»Jetzt komm schon, Judy …«

Ich versuchte, ihr meine Verachtung nicht zu zeigen, was mir zum Großteil auch gelang. Stattdessen setzte ich ein schiefes Lass-uns-die-Karten-auf-den-Tisch-legen-Lächeln auf.

»Jetzt halt mal die Luft an, Leanne. Du bist nicht in Ruperts Auftrag hier, aber auch nicht, weil du ihm eins auswischen willst. Wie viel brauchst du, damit du die Klappe hältst über James, zu Rupert zurückgehst und ihm sagst, dass du mich nicht finden konntest? Denn davor hab ich doch deiner Meinung nach die größte Angst, oder? Wie viel?«

Ich sollte nie herausfinden, wie viel die arme unterbelichtete Schlampe von mir haben wollte, denn das halbe Dutzend Beruhigungstabletten, das ich ihr in den wirklich ausgezeichneten Madiran gemischt hatte, begann zu wirken, und Leannes Kopf sackte nach hinten aufs Sofakissen. Das halb leere Glas fiel ihr aus der erschlafften Hand und vergoss seinen Inhalt auf ihren Schoß. Benzodiazepine und Schlankheitspillen – französische Ärzte sind so entgegenkommend. Deswegen werden die Französinnen auch nicht fett. Gott sei Dank hatte ich mich für ein schwarzes Sofa entschieden.

Wenn die französischen Taxifahrer nur so kooperativ gewesen wären wie die Ärzte. Ich brauchte eine halbe Ewigkeit, bis ich Leanne in eine Art Bewusstsein zurückgeohrfeigt hatte und ihr etwas Wasser einflößen konnte. Dann brauchte ich eine Ewigkeit, bis ich sie halb stützend, halb tragend die Treppen hinunter und zum Boulevard bugsiert hatte, und noch viel länger, um ein Taxi anzuhalten. Der Fahrer wollte uns nicht mitnehmen, weil sie so offensichtlich besoffen war, er hatte Angst, sie könnte ihm auf seine schönen Synthetiksitze kotzen. Ich hoffte, dass sie nicht erbrach, denn das konnte ich mir nicht leisten. »Keine Sorge, kein Problem«, murmelte ich beschwichtigend, »nur ein bisschen zu viel Wein, es wird nichts passieren.« Das zweite Taxi nahm uns mit, und kaum saß sie, war sie auch schon wieder weg und lehnte schwer an meiner Schulter. Es war nicht weit über den Fluss zur Place des Vosges, doch ich hatte genug Zeit, in ihrer Tasche die Magnetkarte für ihr Hotelzimmer zu finden und dem Fahrer zwanzig Euro zuzuschieben. Noch schlimmer war es, sie durch die Rezeption zu schleifen – bei ihrem Gewicht und mit unseren Taschen über der freien Schulter, ganz zu schweigen von dem großen Schirm, den ich aufgespannt hatte, um sie vor dem Regen zu schützen. Doch ich legte meinen linken Arm ganz fest um sie und konnte sie so stolpernd zum Lift schieben. Hätte irgendjemand die

Augenbraue hochgezogen, dann hätte ich einfach gesagt, dass sie Engländerin sei, aber gerade traf eine japanische Reisegruppe ein, und die Empfangsdame und der Portier waren vollauf beschäftigt.

Ihr Zimmer war im dritten Stock. Ich musste den Schirm kurz aus der Hand legen, um die Karte in den Schlitz zu fummeln, und Leanne sackte mir dabei fast auf den Boden. Ihre Beine gaben unter ihr nach, wie bei einer schlaffen Marionette im Plié. Ich zog ihr den Mantel aus, setzte sie aufs Bett und stopfte ihr ein paar Kissen in den Rücken. Dann schloss ich die Tür und hängte das gute alte »Bitte nicht stören«-Schild an die Klinke, schaltete den Fernseher in mittlerer Lautstärke ein und zappte durch, bis ich bei MTV war. Als ich mich zum Bett umdrehte, stöhnte sie mit flatternden Lidern, und ich erschrak, aber innerhalb von Sekunden war sie wieder weg. Ich streifte antiseptische Handschuhe über und zog das, was ich in der Apotheke in Belleville gekauft hatte, sowie einen schwarzen paillettenbesetzten Elastikgürtel von H&M aus der Tasche. Dann packte ich die Camel-Lights-Schachtel aus, die ich aus dem Café mitgenommen hatte, wo ich auch den Teelöffel hatte mitgehen lassen. Ich betete, dass Stéphane mich nicht beschwindelt hatte – ich hatte keine Zeit gehabt, eine kleine Probe von dem Stoff zu nehmen, obwohl mir durchaus danach war, für ein paar Stunden wegzutreten, aber da Yvette bei ihm kaufte, war er hoffentlich vertrauenswürdig. Wie man es machte, hatte ich erst neulich bei Lawrence am Scheiß-Chester-Square gesehen. Ich zog Leanne die Stiefel aus, holte ein Evian und eine kleine Flasche Johnny Walker aus der Minibar und träufelte ihr etwas Whisky in die Kehle. Das meiste lief ihr über die Wange, aber das war ja egal.

Nadeln kann ich beim besten Willen nicht ausstehen. Auf MTV sang Rihanna gerade von Diamanten am Himmel. Ich hatte ein Cartierfeuerzeug und ein Wattebäuschchen. Der Stoff hatte die Farbe von starkem Tee. Ich klemmte ihr die Armvene mit dem Gürtel ab und hielt ihn fest zwischen den Zähnen, während ich ihr die Spritze in die Ellenbeuge setzte. Sie enthielt nur die Hälfte von dem, was ich Stéphane abgekauft hatte, doch das sollte mehr als genug sein. Als ich die Vene traf, zuckte Leanne kurz zusammen, aber ich drückte sie an der Schulter nach unten, und ich war stark. Es dauert ein paar Minuten, bis der Körper einfach vergisst zu atmen, hatte ich gelesen. Eine von den angenehmeren Arten abzutreten.

Es war das zweite Mal, dass ich einem Menschen beim Sterben zusah. Ich hätte eine kleine Filmsequenz in meinem Kopf ablaufen lassen können – Leanne mit ihren kastanienbraunen Haaren in der Schule, den marineblauen Faltenrock hochgeschoben bis weit über die Knie, Leanne, die im Ritz in ihrem Cocktail rührte, Leanne und ich tanzend in einem Club an der Riviera. Alles wirbelnd und glücklich und rührend. Ja, das hätte ich machen können, wenn ich die Sorte Mensch gewesen wäre. Oder ich hätte an das Geräusch denken können, das der Kopf eines dreizehnjährigen Mädchens erzeugt, wenn es gegen die rote Ziegelwand der Turnhalle kracht, und an die schlanke Gestalt mit sorgfältig eingedrehten Haaren, die einfach nur dasteht und keinen Finger rührt. Aber die Sorte Mensch war ich auch nicht. Also wartete ich einfach, bis Leannes Körper vergaß, was er vergessen sollte, und dann wartete ich noch eine Weile, und während ich wartete, klappte ich Leannes Handy auf. Ich konnte mich an ihren Geburtstag erinnern, in so was bin ich gut. Sie war siebenundzwanzig, genau wie ich. Ich rief Stéphane von ihrem Handy an und legte auf, bevor er abnehmen konnte. Ich kopierte eine französische Handynummer von ihrem Telefon auf meines, dann kroch ich vorsichtig vom Bett, ließ Leanne auf die Seite fallen und durchsuchte gründlich ihre Sachen (mit Handschuhen natürlich) – vom Rollkoffer auf dem Gepäckständer bis zu den Kosmetika im Badezimmer.

Im kleinen Fach ihrer Chanel-Tasche befand sich eine ganze Sammlung von Visitenkarten, Hoffnungsträger aus dem Gstaad Club, nahm ich an. Auch Ruperts Karte war darunter. Ich hielt es nicht für besonders sinnvoll, sie an mich zu nehmen. In ihrem Portemonnaie steckten ein paar Hundert Euro und ein Zugticket mit offenem Rückreisedatum. Ich steckte es ein, ebenso ihren Reisepass, ihre Bankkarte, alles, worauf ihr Name stand, und am Ende auch noch ihre Haarbürste und einen verirrten Lippenstift, die Art von Gegenständen, die leicht mal herausfallen können, wenn der Besitzer der Tasche high und achtlos ist. Bestimmt hatte dieser Cleret, der ihr das Hotel bezahlt hatte, auch hier eingecheckt und sie dann auf ihr Zimmer gebracht. Ein Blick auf Leanne, und die Rezeption würde wissen, dass man besser keine Fragen stellte: Schließlich war man hier in Paris, und das Pavillon de la Reine ist ein schickes Hotel. Keine Fotos, kein Buch und keine Zeitschrift auf dem Nachttisch, die zerknitterte Kleidung billig und suggestiv. Wahrhaftig eine Nicht-Person. Rihanna sang ihren Regenschirm-Song. Ich griff mir meinen und ging.

Es ist genau so, wie man es sich vorstellt – es wird einfacher. Vielleicht wäre es gar nicht nötig gewesen, sie umzubringen. Andererseits hatte ich sie ja auch nicht umgebracht, weil es nötig gewesen war. Dies war das dritte Mal, und es war alles andere als ein Unfall.

23. Kapitel

Zwei Wochen. Im Vergleich dazu war die Zeit in Como nur so verflogen. Zwei Wochen unruhiges Auf- und Abrennen und Rauchen und Spekulieren, während ich das Ganze immer und immer wieder gedanklich durchgespielt hatte. Als ich Cleret eines Abends endlich am Ende meiner Straße entdeckte, musste ich mich zusammenreißen, um nicht durch den dichten Verkehr zu laufen und ihn zu küssen.

Doch die Regeln besagen, dass man seinen Herrenbesuch nie zu übereifrig empfangen sollte. Also ging ich nach Hause und versuchte mich auf zwei lange Artikel in der *Art Newspaper* zu konzentrieren. Etwas später warf ich einen Blick auf meine Armbanduhr, eine schmale Vacheron Aronde 1954 aus Roségold. Es war 21.45 Uhr. Ich bürstete mir die Haare, tauschte meinen Pullover gegen eine gerüschte Isabel-Marant-Bluse und meine Stiefel gegen ordentliche Saint-Laurent-Heels, wunderbares bordeauxrotes Lackleder, aber nicht zu hoch. Zeit zum Spielen. Ich ging zum Boulevard hinunter und überquerte die Straße neben der Bushaltestelle, wobei ich so dicht an ihm vorbeiging, dass er meinen Duft riechen konnte (Tubéreuse von Maître Parfumeur et Gantier, gut und intensiv). Ich ging weiter bis zur Ecke und merkte, dass meine enge graue Jeans und die High Heels etliche Blicke auf sich zogen. Dann bog ich links in die Rue Vaugirard und hielt auf den Taxistand an der Place Saint-Sulpice zu. Es gab eine Bar in der Rue Mazarine, die ich sehr mochte. Ihr Dekor erinnerte an Juliens Orgien, im Stil eines bourgeoisen Salons, aber unter der Woche war es hier sehr ruhig. Sie machten gute Cocktails, doch heute Abend bestellte ich mir einen Bourbon, pur, den ich langsam trank, während ich über die kunstvollen Netzgardinen auf die Straße hinausblickte. Es dauerte zwanzig Minuten, bis er einen geeigneten Beobachtungsposten in einem gegenüberliegenden Hauseingang gefunden hatte. Es trennten uns nur wenige Meter, als ich die Bar verließ und wieder nach links ging, Richtung Fluss. Ich hörte keine Schritte hinter mir, die Sohlen seiner Schuhe, die so dick und braun waren wie Supermarktgebäck, mussten aus Gummi sein. Nicht schlecht, Fremder.

Beinahe machte es Spaß. An einer Kreuzung wartete ich in einer größeren Gruppe von Touristen, die einen romantischen Nachtspaziergang machten. Ich ging zur Cité, umrundete Notre-Dame und ging hinüber zur Île Saint-Louis. Ganz schön happiger Spaziergang für ihn, da konnte er mal ein paar von seinen überflüssigen Pfunden runtertrainieren. Für November war es eine ungewöhnlich laue Nacht, die Cafés auf der Insel waren gut gefüllt, und die Schlange vor dem berühmten Eiscafé Berthillon schlängelte sich an den Tischen auf dem Gehweg entlang. Ich fühlte mich wie elektrisch aufgeladen, ungewöhnlich lebendig, erregt. Die Muskeln in meinen Oberschenkeln und meinem Hintern spürten seinen suchenden Blick. Ich schlug die Rue Saint-Louis en l'Île ein und wechselte über den Pont Marie wieder aufs rechte Seineufer. Es war 23.15 Uhr. Unter der Brücke hingen die üblichen Penner herum und soffen. Ich konnte ihren Dreck unter dem Gestank des billigen Fusels riechen, meine Sinne waren geschärft wie die eines Tieres. Ich setzte mich auf die breite Balustrade, zündete mir eine Zigarette an und wartete noch eine Weile. So weit konnte er nicht zurückgefallen sein. Falls er mich wirklich so leicht verlieren konnte, tat er mir fast leid. Aber da war er auch schon wieder, er kam auf mich zu. Sein Gesicht war im Schein der verzierten Straßenlaternen kaum zu erkennen, doch ich hätte wetten können, dass seine Miene genervt war. Ich rief die Nummer auf, die ich mir von Leannes Handy kopiert hatte, und drückte auf »Anrufen«. Er wartete einen Moment, bevor er antwortete. Ich sah, wie er mit dem Blick die Brücke nach mir absuchte.

»Allô?«

»Monsieur Cleret, hier ist Judith Rashleigh. Lange nicht gesehen.«

»Alors, bonsoir, mademoiselle.«

»Ich bin am Ende der Brücke«, sagte ich und legte auf.

Ich sprang vom Geländer, ging noch etwas weiter zur Spitze der Taxischlange vorm Hôtel de Ville und wartete wieder. Ich spürte, wie Cleret seine Schritte beschleunigte, als ich die Tür des ersten Wagens aufmachte und den Fahrer fragte, ob er frei war – er konnte es wohl nicht riskieren, mich im Pariser Verkehr zu verlieren. Oder er hatte kein Geld mehr für ein Taxi. Ich trat einen Schritt zurück und hielt ihm die Tür auf, während er näher kam.

»Ich dachte mir, Sie möchten vielleicht was trinken gehen.«

Er sagte nichts, sondern setzte sich neben mich auf die breite Rückbank des Mercedes. Ich beugte mich vor und bat den Fahrer, uns zum Ritz zu bringen.

»Steigen wir am Eingang in der Rue Cambon aus? Irgendwie habe ich Lust auf die Bar Hemingway.«

Die ganze Zeit auf der Rue Rivoli hatte er geschwiegen, jetzt drehte er sich zu mir um. Er sah müde aus, aber leicht amüsiert.

»Wie Sie wollen.«

Wir warteten, während der Barkeeper seine genau abgezirkelten tausend Handgriffe absolvierte, Gläser mit Wasser, Gurkenscheiben und roten Johannisbeeren füllte und auf gekräuselte Papieruntersetzer stellte, bevor er schließlich einen Rose

Martini für mich und einen Gin Tonic für ihn auf dem Tresen platzierte. Als Cleret nach seinem Drink griff, öffnete sich sein schäbiges Jackett über dem Bauchansatz und gab den Blick auf das alberne Monogramm frei. Ich spürte eine befremdliche leichte Anwandlung von Begehren.

»Also. Wollen wir anfangen?«

»Wo?«

»Tja, nachdem Sie mich schon gefickt haben, könnten wir auf die höfliche Konversation vielleicht verzichten.«

Er zog eine Augenbraue hoch.

»Das Monogramm. Das Monogramm auf Ihrem Hemd. Die Party im Haus in Montmartre. Ich glaube, Sie kennen Julien, oder? Zumindest sind Sie in seinen Club gegangen, um mich zu suchen. Ins La Lumière in der Rue Thérèse?«

Er senkte zustimmend den Kopf, was etwas entfernt Galantes hatte. »In der Tat.«

Wir schwiegen einen Moment. Ich hatte es schon vor ein paar Wochen herausgefunden. Wir hatten uns im Club getroffen, an dem Abend, an dem wir uns im Darkroom so wild aufgeführt hatten. Was ich nicht herausgefunden hatte, war, was hinter diesem ganzen Riesenschwindel steckte. Bevor ich nicht genau wusste, was er wollte, konnte ich keine Fäden ziehen. Aber auf der anderen Seite kannten wir beiden uns ja schon ziemlich gut. Der dämmrige, von einer Räucherlampe beduftete Raum, das Brennen des Leders an meinen Handflächen, seine Zähne in meinem Nacken …

Ich holte mich energisch wieder zurück in die Gegenwart und nahm einen großen Schluck von meinem Drink. Wie gern hätte ich jetzt geraucht und ihm langsam eine Rauchwolke in die Augen geblasen. »Können Sie sich erinnern?«

»Wie könnte ich das vergessen?«

Diese Bogart-Bacall-Nummer hatte etwas absurd Irreales an sich. Bleib bei der Sache, Judith. Dann hat er dich eben vor ein paar Monaten in einem lausigen Swingerclub gevögelt – und wenn schon? Ich straffte den Rücken und schlug einen harten, flachen Ton an.

»Sie haben mich also verfolgt? Denn jetzt verfolgen Sie mich ja ganz offensichtlich.«

»Nein, damals nicht. Nicht wirklich. Aber ich fand, es war ein erfreulicher Zufall.«

»Ich will wissen, warum.«

»Ich würde mal sagen, das liegt auf der Hand.«

»Diese Antwort war jetzt aber ziemlich billig. Warum beschatten Sie mich?«

»Weil Sie Cameron Fitzpatrick getötet haben.«

Verdammte Scheiße, jetzt wollte ich wirklich eine Kippe.

»Das ist doch absurd.«

Er lehnte sich zurück, trank ein bisschen Wasser und bemerkte im Plauderton: »Ich weiß, dass Sie Cameron Fitzpatrick getötet haben, weil ich Sie dabei beobachtet habe.«

Ein paar Sekunden lang hatte ich wirklich das Gefühl, gleich in Ohnmacht zu fallen. Ich starrte auf das Cocktailstäbchen mit der blassrosa Rose, das auf dem Rand meines Glases lag. Ich wünschte, ich könnte in Ohnmacht fallen. Mein Instinkt hatte mich also nicht getäuscht, diese plötzliche Anwandlung von Angst, das Gefühl, dass ich unter der Brücke beobachtet wurde. Eine Ratte, allerdings. Eine Ratte, die Blut gewittert hatte.

»Ich habe keine Ahnung, wovon Sie reden. Bitte sagen Sie mir jetzt endlich, warum Sie mir folgen.«

Er streckte den Arm aus und berührte sanft meinen Handrücken.

»Keine Sorge. Trinken Sie aus. Ich hab keine Truppe von Polizisten bestellt, die vor der Bar auf uns warten. Vielleicht können wir dann irgendwo hingehen, wo wir es privater haben.«

»Ich muss mir von Ihnen kein einziges Wort anhören. Sie haben kein Recht …«

»Nein, müssen Sie nicht. Und nein, ich habe auch kein Recht. Aber ich glaube, Sie wollen mir zuhören. Und jetzt trinken Sie schön Ihren Drink aus.«

Ich ließ ihn zahlen und ging mit ihm durch die langen Korridore, gehalten in glühendem Rosa wie das Innere einer Muschel, vorbei an den geschmacklosen Glasauslagen mit Schmuck und Schals, vorbei an den verächtlichen Portiers, zur Place Vendôme. Ich folgte ihm schweigend zu den Arkaden der Rue Castiglione, direkt zur Concorde. Mittlerweile war es kühl, und meine Schuhe mit den flachen Absätzen begannen zu scheuern. Ich war froh, als er sich endlich auf eine Bank vor dem abgesperrten Eingang der Tuilerien setzte.

»Nehmen Sie die hier.« Er gab mir seine Jacke. Ich zitterte und erlaubte ihm, sie mir über die Schultern zu legen. Schwacher Schweißdunst stieg aus dem Kunstfaserfutter auf. Ich starrte die Lichter einen Busses an, der langsam die Champs-Élysées heraufkam, und versuchte mir eine Zigarette anzuzünden, steckte mir dabei allerdings den Filter in den Mund. Sehr lässig.

»Also, Mademoiselle Ich-habe-keinen-Namen, Sie können mich Renaud nennen. Ich werde Sie Judith nennen, es sei denn, Sie ziehen Lauren vor?«

»Lauren ist mein zweiter Vorname. Meine Mutter war ein Fan von Lauren Bacall. Cool, oder?«

»Okay, dann also Judith. Also, ich werde jetzt sprechen, und Sie werden einfach nur zuhören.« Er nahm mir das Feuerzeug aus der zitternden Hand und zündete mir die Zigarette an. »Okay?«

»Sie sprechen hervorragend Englisch.«

»Danke. Ich werde Ihnen jetzt ein Bild zeigen. Das ist Cameron, oder?«

Er hielt mein Feuerzeug vors Display seines Handys. In der Tat, das war Cameron. Fotografiert mit Renauds Telefon, als er gerade die Spanische Treppe herunterkam und sein Gesicht von der römischen Sonne wegdrehte. Es war mir gelungen, eine ganze Weile nicht mehr an sein Gesicht zu denken.

»Sie wissen doch, dass er es ist.«

»Ja, aber was Sie nicht wissen, ist, dass er in Wirklichkeit Tommaso Bianchetti hieß.«

Und das bei diesem ganzen Irisch-Theater.

»Dann war er aber ganz schön gut«, war alles, was ich herausbrachte.

»Ja, war er auch. Sehr gut. Irische Mutter, sie war Zimmermädchen in einem römischen Hotel. Wie auch immer, erklären muss ich Ihnen Folgendes: Bianchetti wusch Geld für ... Geschäftsfreunde in Italien. Seit Jahren.«

»Für die Mafia?«

Renaud bedachte mich mit einem mitleidigen Blick. »'Ndrangheta, Camorra ... Nur Amateure sagen Mafia.«

Bei Moncada hatte mich mein Instinkt also auch nicht getrogen. »Entschuldigung.« Seltsamerweise ging es mir langsam wieder etwas besser.

»Ihr alter Kollege Rupert hat nicht Fitzpatrick angerufen, vielmehr hat Fitzpatrick ihn angerufen. Feiner kleiner Trick, den hat er schon Hunderte von Malen abgezogen. Meistens ging es um Originale, mit Fälschungen hat er sich gar nicht abgegeben. Aber die Zeiten in Italien wurden auch härter, und bei einem gefälschten Bild war die Gewinnspanne gleich so viel größer. Das Bild waschen und das Geld gleich dazu. An dem Punkt bin ich ins Spiel gekommen.«

»Ich dachte, Sie arbeiten für ihn. Für Rupert.«

»Ich frage mich, wer Ihnen so was erzählt hat. Aber lassen wir das im Moment mal beiseite, ja? Ich wurde von einem extrem wütenden Amerikaner angeheuert. Von einem Banker bei Goldman Sachs. Er hatte herausgefunden, dass der Rothko, den er in seinem Häuschen in den Hamptons so stolz vorgezeigt hatte, eine Fälschung ist. Er wollte sein Geld zurück. Was mich zu Alonso Moncada brachte.«

»Moncada handelt also mit Fälschungen?«

»Manchmal nicht, manchmal schon.«

»Warum Sie?«

»Wofür haben Sie mich gehalten, für einen altmodischen Privatdetektiv? Ich jage Geld, für Leute, die es zurückhaben wollen, ohne dass die Wellen allzu hoch schlagen.«

Ich konnte nicht anders, mein Blick fiel auf sein fürchterliches Hemd, die schrecklichen Schuhe. »Sie sehen nicht gerade aus wie jemand, der Geld jagt.«

»Doch. Und Sie auch.«

Ich steckte seine Replik wortlos ein.

»Bianchetti war einer von mehreren Typen, die für Moncada gearbeitet haben. Moncada kauft das Stück gegen Bargeld, das bekommt er von einer kleinen römischen Bank, die von ... seinen Geschäftspartnern kontrolliert wird. Das Ganze wird als Geschäftskredit getarnt. Sie geben es mit Gewinn an einen privaten Käufer weiter, und der kann es dann als Wertanlage behalten oder ganz legal versteigern lassen. Moncada beschaffte das Geld, Bianchetti den Herkunftsnachweis. Jeder verdient was dran. Blitzsauber.«

»Und dann?«

»Dann ging ich in die Galerie, in der mein Kunde den Rothko gekauft hatte, überredete sie, mir den Namen des Vorbesitzers zu geben, und den überzeugte ich – nein, es war eine *Sie,* eine nette Frau, drei Kinder –, mir Moncadas Namen zu nennen. Sie hatte keine Ahnung, dass sie übers Ohr gehauen worden war. Es dauerte eine ganze Weile, bis ich ihn aufgespürt hatte, und dabei fiel immer öfter der Name von Bianchetti, Deckname Fitzpatrick. Ich fuhr nach London, um Bianchetti aufzuspüren, und folgte ihm nach Rom, wo Sie Ihren kleinen Betrug abzogen – nein, unterbrechen Sie mich jetzt nicht –, und Ihnen bin ich dann zu Moncada gefolgt. Es war das erste Mal, dass ich ihn persönlich zu Gesicht bekommen habe. Natürlich war ich auch ziemlich fasziniert von Ihnen. Ich wusste nicht, womit Sie sich davongemacht haben, aber getan haben Sie es, das steht fest.«

»Ich habe nie ...«

»Halten Sie den Mund.« Er scrollte die Bilder auf seinem Handy durch und zeigte mir ein weiteres Foto: Moncada und ich, wie wir uns anscheinend unsere Pizzas schmecken ließen. Ich war überrascht, wie ruhig ich auf dem Bild wirkte.

»Dann tauchte der Stubbs letzten Winter wieder auf, und Fitzpatrick – der mittlerweile unter tragischen Umständen ums Leben gekommen ist – wird im Herkunftsnachweis genannt. Da wusste ich, was für ein Bild Sie Moncada verkauft hatten.«

»Und Rupert?«

»Tja, in dem Moment war ich schon wesentlich faszinierter von Ihnen. Ich schaute mir also den Polizeibericht an und fand Ihren Namen heraus. Ich schätzte, dass Sie irgendwas mit Kunst zu tun hatten. Ich wusste, dass Sie aus England sind. Also fing ich mit den größten an. Ich brauchte zwei Anrufe.«

Es gab ja nur zwei Auktionshäuser in London, die der Rede wert waren ...

»Das nette Mädchen an der Rezeption hatte noch nie von Ihnen gehört, also sprach ich eben mit den Abteilungsleitern. Und landete prompt bei Ihrem alten Arbeitgeber.«

»Erzählen Sie weiter.«

»Ich schaute also bei ihm vorbei, um mich mal näher mit ihm zu unterhalten.« Er lächelte leise. Mir war nicht aufgefallen, dass ich wieder angefangen hatte zu zittern. Ihm schon. Sorgsam zog er mir die Jacke fester um den Körper.

»Rupert war ein bisschen schockiert, als ich Fitzpatrick erwähnte. Ich erzählte ihm, dass ich beim Herkunftsnachweis des Bildes den Namen seiner Abteilung neben dem von Fitzpatrick gesehen hatte. Und dann fragte ich ihn nach Ihnen. Als er hörte, dass Sie in Italien gewesen waren, explodierte er geradezu. Er war richtig scharf drauf, mich anzuheuern, nicht zuletzt, um Sie zu finden. Er zeigte mir ein Foto von Ihnen. Ich musste natürlich überprüfen, ob Sie dasselbe Mädchen waren, das ich gesehen hatte. Und tatsächlich: die Schöne aus Rom. Sie haben ein unvergessliches Gesicht.«

»Danke. Sehr romantisch. Und Juliens Haus? Was hatten Sie auf dieser Party zu suchen?«

»Das war ein absoluter Glückstreffer. Viele Leute kennen Julien, viele mächtige Leute. Wenn ich hier bin, schaue ich immer mal bei ihm vorbei, und ab und zu muss man sich ja auch mal amüsieren, oder? Schließlich sind wir in Paris, *chérie*. Ich hatte versucht, Sie in London aufzuspüren, aber vergeblich. Ihre Mutter konnte mir auch nicht mehr sagen.«

»Meine Mutter?«

»Die war nicht schwer zu finden. Sozialamt.«

Ich schluckte schockiert. »Ging es … ging es ihr gut?«

»Sie meinen, ob sie betrunken war? Nein. Ganz normal drauf. Ich habe nichts gesagt, was sie hätte beunruhigen können. Aber dann bin ich einfach nicht weitergekommen. Wissen Sie, Ihre Mitbewohnerinnen, die beiden netten Medizinstudentinnen, haben mir nur erzählt, dass Sie sich im Ausland aufhielten und einen Scheck für die Miete geschickt hätten. Sie haben aber verraten, dass Sie gerne auf Partys gingen. Nicht so ganz der Fall Ihrer ruhigen Mitbewohnerinnen, meiner aber umso mehr. Dann war ich hier und habe mich am Wochenende mit ein paar alten Freunden getroffen – und da waren Sie auch schon.«

»Wie gesagt, reiner Zufall.«

»Vielleicht sollten Sie ein bisschen diskreter vorgehen. Bei Ihren … Vergnügungen.«

»Und Leanne?«

»Ach ja. Leanne. Wie gesagt, Ihr Gesicht ist sehr einprägsam.

Ich hatte Ihr Foto in London gesehen und in Paris jemanden, der Ihnen sehr ähnlich sah, aber die Beleuchtung auf Juliens Partys ist immer so … rücksichtsvoll.«

Er wechselte ins Französische.

»*Encore*, ich musste sichergehen, dass es dasselbe Mädchen war. Julien kannte Ihren richtigen Namen nicht, er kannte Sie nur unter ›Lauren‹, aber er gab mir die Kontaktdaten von mehreren professionellen Mädchen, die Ihre … äh … Neigungen teilen. Mädchen mit internationalem Ruf, um es mal altmodisch auszudrücken. Wieder brauchte ich eine Weile. Ich musste jedes dieser Mädchen einzeln aufspüren, aber irgendwann hat Sie eben doch eine wiedererkannt. Ich habe Ihre Freundin Ashley bei Ihrem anderen ehemaligen Arbeitgeber ausfindig gemacht.«

»Im Gstaad Club.«

»*Précisément*. Rupert hat Ihre Freundin Leanne anscheinend zur selben Zeit am selben Ort aufgetrieben. Es passte ihm gut, sie zu benutzen – er wollte ja nicht, dass Ihre Verbindung zu British Pictures bekannter wurde als nötig. Ich bin zusammen mit Leanne hierher nach Paris gekommen. Sie hat mir ein Foto aus dem Club gegeben, das ich Julien zum Vergleich zeigen konnte. Verrat kann man es eigentlich kaum nennen – wir suchten Sie ja beide. Sie kannte nur den Grund nicht.«

Ich wagte kein Wort mehr zu sagen. Diese scheißblöden Selfies. Wir hatten an einem ruhigen Abend Grimassen für ihre Handykamera geschnitten.

»Sie müssen sich keine Sorgen machen, Judith. Vergessen Sie Rupert, der hat zu viel zu verlieren. Er hat sich dummerweise an etwas versucht, was ihm ein paar Nummern zu groß war. Leanne war nur eine drogensüchtige Quasi-Nutte, oder?«

»War?«

»Judith, bitte. Es war nicht sehr höflich von Ihnen, eine Leiche in einem Hotelzimmer zu hinterlassen, das ich bezahlt hatte. Aber schon nett, wie Sie die Nummer des Dealers dagelassen haben. Die Polizei war ganz schön happy, als sie den gefasst haben.«

»Die Polizei? Sie hatten doch gesagt ...«

»Ich hab gesagt, ich bin kein Bulle. Das bedeutet noch lange nicht, dass ich nicht meine Freunde in der *préfecture* habe. Bei meinem Job brauche ich die. Was glauben Sie, wie ich Ihre Adresse herausgekriegt habe?«

»Ich dachte, Sie wären mir gefolgt.«

»Reine Formsache. Alles noch einmal selbst bestätigen, bis zum letzten i-Tüpfelchen. Die Polizei hatte jede Menge Fragen an Ihren Stéphane. Meinem Freund von der Polizei habe ich erzählt, ich hätte Leanne irgendwo aufgerissen, würde sie nicht weiter kennen und hätte auch nicht gewusst, dass sie Drogen nimmt. Irgendwann werden sie sie über das Konsulat finden und nach England überführen. Also, immer mit der Ruhe. Wo waren wir? Ach ja, Rupert. Ich dachte, er wollte Sie bloß im Auge behalten und sicherstellen, dass Sie nicht reden. Es könnte sogar sein, dass sich Ihnen jetzt die eine oder andere Tür öffnen wird, für den Fall, dass Sie wieder nach London zurückgehen wollen.«

Ich schüttelte benommen den Kopf. Die ganze Zeit. Bei allem, was ich tat, hatte ich mich für so schlau gehalten, aber Cleret hatte einfach nur abwarten müssen, bis ich ihm über den Weg stolperte. Ich zwang mich zum Sprechen.

»Was wollen Sie?«

»Ich will Moncada. Ich will das Geld meines Kunden, und ich will meine Gebühr. Das ist alles.«

»Sie wissen, wer er ist und wo er steckt. Warum suchen Sie ihn nicht einfach selbst?«

»Ich will ihn hierhaben, in Paris. In Rom ist er zu gefährlich.«

»Und wie soll ich Ihnen da helfen?«

»Natürlich, indem Sie ihm ein Bild verkaufen.«

»Und dann?«

»Wenn Sie mir Moncada ausliefern, haben Sie nichts zu befürchten. Wir können uns den Gewinn von Ihrem Geschäft mit ihm sogar teilen.«

Ich dachte eine Weile darüber nach.

»Aber wenn ich das tue, werden Moncada und seine sogenannten Geschäftsfreunde dann nicht hinter mir her sein? Ich denke mal, die haben wenig Lust, für den Rothko Ihres Bankers zu zahlen. Und Sie haben vorhin gesagt, dass er gefährlich ist.«

Es gefiel mir gar nicht, wie ich mich gerade fühlte: kindlich, verzweifelt, völlig machtlos.

»Wen hätten Sie lieber im Nacken – die oder die Polizei? Im Übrigen kann ich Ihnen auch noch in manchen anderen Dingen weiterhelfen. Zum Beispiel kenne ich da einen Typen in Amsterdam, der ganz geschickt mit Pässen ist. Sie müssen eine Weile verschwinden, Paris verlassen. Aber ich glaube, es bleibt Ihnen ohnehin kaum eine andere Wahl, oder?«

Ich konnte protestieren, leugnen, was ich zugegeben hatte, ich konnte davonlaufen. Wie gesagt, ich mag keine Spiele, wenn ich sie nicht gewinnen kann. Er schien sich überhaupt nicht um Cameron und Leanne zu scheren, zumindest nicht, solange ich tat, was er wollte.

»Sie wollen Moncada also hierhaben? Das ist alles? Und dann bin ich frei?«

»Ich muss einen Weg finden, mich privat mit ihm zu unterhalten. Diese Leute sind sehr misstrauisch. Sie wissen sehr gut, wie das läuft, Judith.«

Er nahm das Jackett von meinen Schultern, als er aufstand. Er sah jetzt ganz anders aus für mich, beherrscht, kraftvoll sogar.

»Wir gehen zu Ihnen«, verkündete er.

»Zu mir?«

»Glauben Sie etwa, ich werde Sie jetzt aus den Augen lassen?

Wenn nötig, kann ich auch um den Jardin du Luxembourg rennen. So lange, wie es eben nötig ist.«

Renaud hatte seine Sachen in einem Touristenhotel im Quartier Latin. Unterwegs versuchten wir mehrmals, ein Taxi anzuhalten, aber keiner der Fahrer schien Geld verdienen zu wollen. Meine Füße fühlten sich an wie blutende Stummel, als wir in der kebabstinkenden Gasse ankamen. Ich musste vier Stockwerke hochlaufen, über Stufen, die mit schmuddeligem Teppich bezogen waren, damit er sein Gepäck holen konnte. Ich schaute aus dem Fenster und sah die malerische Aussicht auf eine Feuertreppe und ein Kuddelmuddel aus Satellitenschüsseln, während er im winzigen Badezimmer herumkramte.

»Die Dächer von Paris«, sagte ich, um irgendetwas zu sagen. Er ignorierte mich, aber als meine Schultern zu zucken begannen, spürte ich seine Hand an meinem Rücken. Ich drehte mich um und vergrub mein Gesicht an dieser verdammten Hemdbrust, und er tätschelte mich mit dieser ungeschickten Zärtlichkeit, die Männer weinenden Frauen pflichtschuldig entgegenbringen. Ich weinte eine ganze Weile, weinte so richtig, die Kehle voller Tränen und Schnodder, bis ich irgendwann ein seltsames Geräusch hörte. Es schien von draußen zu kommen, ein klagender Laut, vielleicht ein Baby, oder Katzen bei der Paarung. Da merkte ich, dass ich es war, die da so heulte. Ich weinte all die Tränen, die ich seit jenem Tag in London zurückgehalten hatte, als Rupert mich zu Colonel Morris geschickt hatte, und während ich noch schluchzte und nach Luft schnappte und bebte, spürte ich neugierig dem Gefühl nach, das es mir endlich gestattet hatte, meinen Tränen nachzugeben. Es war ein Gefühl der Erleichterung. Endlich war mal jemand anders verantwortlich. Ein paar Augenblicke dachte ich sogar, es könnte einfach hier enden, als ich so zerflossen und dankbar in seinen Armen lag. Und irgendwann später sollte ich mir sogar wünschen, dass es dort geendet hätte. Aber das tat es natürlich nicht.

24. Kapitel

Ich war fast noch nie neben einem Mann aufgewacht. Nur wenige Köpfe haben jemals bis zum Morgen unter meinem treulosen Arm gelegen. Um fünf Uhr morgens schlug ich die Augen in meiner Wohnung auf. Im ersten Moment hatte ich eine Anwandlung konfuser Panik, als ich die Erhöhung unter der Decke neben mir sah. Steve? Jean-Christophe? Jan? Matteo war es nicht. Renaud. Ich spürte, wie meine Poren die Drinks der vergangenen Nacht ausdünsteten, aber ausnahmsweise schwang ich mich nicht sofort aus dem Bett, sondern drehte mich auf den Rücken und blieb so liegen, während ich seinen schweren Atemzügen lauschte. Ich war wund und verklebt und spürte einen blechernen Schmerz unter dem rechten Ohr, wo er mich geschlagen hatte, als wir fickten. Denn wir hatten selbstverständlich gefickt.

Erst hatte er mir meinen Pass und meine Kreditkarten abgenommen, um sicherzugehen, dass ich wirklich nicht fliehen konnte, aber dann lehnten wir uns an die geschlossene Tür, stolperten über seine Koffer, ich schälte mich umständlich aus meiner engen Jeans, er auf den Knien, das Gesicht klatschnass von meiner durchnässten, klaffenden Möse, seine Hand in mir, dann auf dem Boden, seine Zähne in die Grube unter meiner Kehle vergraben. Irgendwie waren wir aufs Bett gekrochen, mittlerweile beide nackt, und er massierte seinen schönen Schwanz und meinen exponierten Arsch mit meinem sündhaft teuren Körperöl ein und begann, wie wild in mich hineinzustoßen. Seine eine Hand hielt mein Genick fest umklammert, die andere streichelte meine Klit im Rhythmus seiner Stöße, bis mein Mund seine weiche Handinnenfläche fand und ich den Eisengeschmack seines Blutes schmeckte, während er mich weit aufmachte und von innen einsalbte. Schön, obwohl ich das Laken danach wohl abschreiben konnte.

Jetzt drehte er sich auf die Seite, sein Bauch verlagerte sich an meine Hüfte. Sonst bevorzuge ich eher gut aussehende Männer, aber irgendetwas an seinem Gewicht, an der unerwarteten Festigkeit, fand ich erotisch. Ich und die dicken Männer. Ich legte mich auf den Rücken und lauschte. Wo war die Wut? Wo war die kleine Stimme, die mich piesackte, es zu tun, es jetzt zu tun? Nichts. Es war – friedvoll. Meine Augen wanderten zur Seite und begegneten seinem Blick. Seine Müdigkeit und sein Lächeln legten seine Augenwinkel in kleine Fältchen.

»Mach die Beine breit.«

Sein saurer Atem war in meinem Ohr, aber irgendwie störte mich auch das nicht.

»Ich bin völlig fertig.«

»Beine breitmachen. Gut so. Weiter.«

Ich streckte meine Oberschenkel, bis ich das Ziehen in den Sehnen spürte. Er machte mich auf, manövrierte sich auf mich, legte sein Gesicht auf meine Schulter und führte ihn langsam ein. Meine Möse machte ein feucht schlürfendes, hungriges Geräusch, aber er ließ sich Zeit, schob die ganze Länge seines Schwanzes langsam hinein, Zentimeter für Zentimeter. Sein Finger bohrte sich spitz in meinen Arsch. Ich keuchte auf, aber ich spürte, wie sich meine Muskeln wieder entspannten, es war bereits vertraut. Durch sein Gewicht war mein Körper wie festgeklebt an seinem, wie ein Blatt, das man zwischen zwei Löschblätter gepresst hat, und die Muskeln meiner Gliedmaßen zuckten in flatternden Arpeggios. Ich zwängte meine Hand zwischen uns. Meine Klit und die Lippen meiner Möse fühlten sich in meiner Handfläche ganz geschwollen an, ihre Hitze breitete sich wellenartig in meinen ganzen Körper aus.

»Fester.«

»Nein.«

»Wie bitte?«

»Nein.«

Er hob den Kopf, als ich ihn mit meinen Beinmuskeln festhielt.

»Keine Sorge. Ich lass dich schon kommen.«

Auf Französisch klingt das gleich so viel hübscher. *Je vais te faire jouir.*

»Leck mein Gesicht ab.«

Ich streckte meine Zungenspitze zart aus dem Mund, leckte seinen Unterkiefer, seine Wangen, bedeckte ihn mit meinem Speichel.

»Ja, so. Genau so, meine kleine Nutte.«

Ich war so feucht, dass ich merkte, wie mir mein eigener Saft über die schmerzenden Oberschenkel lief. Es begann, als würde ein leichter Wind eine Wasseroberfläche kräuseln, mein Körper wurde von einer schimmernden Welle gestreichelt, die um die rote Gier zwischen meinen Beinen wirbelte. Ich war nichts, ich war nur Fleisch, wo immer mich sein Schwanz berührte. Meine Lider schlossen sich bebend, gingen wieder auf, schlossen sich wieder, und ich beobachtete, wie sein eigener Orgasmus seinen blassen Oberkörper zu schütteln begann. Er hatte sich eine Strähne von meinem Haar fest um die Hand gewickelt, und jetzt stöhnte er laut, das Geräusch kam tief aus seinen Lungen, er bäumte sich auf, seine Armvenen pulsierten neonblau, und ich ließ mich tiefer und tiefer in meine eigene Ekstase fallen, während ich in seinem stoßweise kommenden Sperma ertrank.

Er brach auf mir zusammen, zitternd und schwer atmend.

Ich hielt ihn einen Augenblick fest und fühlte, wie der Schweiß unter seiner Rückenbehaarung abkühlte.

»Warum lachst du?«

Ich ließ meinen Kopf aufs Kissen fallen. »Weil … weil … ich meine, wow!«

»Du meinst wow?«

»Okay. Du bist wirklich ein bemerkenswert talentierter Mann. Überraschend talentiert.«

»Du kleine Schlampe. Wie spät ist es? O Mann, was ist das denn für eine unchristliche Uhrzeit?«

»Ich wache immer so früh auf.«

Aber er legte sich schon wieder zum Schlafen hin. Ein cleverer Test. Er gab mir wortlos die Chance zur Flucht, aber wohin sollte ich schon fliehen? Er würde mich finden, das wussten wir beide. Wenn ich jetzt weglief, konnte er mich einfach der Polizei ausliefern. Also sprang ich auf, duschte ihn von meiner Haut, zog Jeans und Pullover über, griff mir meine Handtasche und lief die Treppen hinunter in ein verregnetes Paris. Die Boulangerie in meiner Straße machte gerade auf. Ich kaufte *croissants au beurre* und ein Glas Salzkaramell-Brotaufstrich, Milch und Orangensaft. Die Concierge erwachte gerade grummelnd in ihrem Pförtnerhäuschen und schaute auf, als ich ihr lächelnd einen guten Morgen wünschte. Oben machte ich Kaffee, legte Löffel und Messer auf Teller und trug dann alles ins Schlafzimmer. Dort rollte ich mich auf dem Bett zusammen und beobachtete ihn. Irgendetwas am Heben und Senken seines Brustkorbs muss so beruhigend gewesen sein, dass ich wieder einschlief. Als wir wieder aufwachten, schien die Sonne jedenfalls schon in den Hof, und der Kaffee war längst kalt.

Das blieb unsere letzte Trennung in drei Wochen. Renaud hatte es ernst gemeint, als er sagte, er werde mich nicht mehr aus den Augen lassen – ich musste sogar mein Handy bei ihm lassen, wenn ich auf die Toilette ging. Er legte die Wohnungsschlüssel jeden Abend unter sein Kissen, trotzdem verschwanden sie häufig. Manchmal schob ich sie wieder an ihren Platz, bevor er aufwachte, damit er sich keine Sorgen machen musste. Ich überlegte, ob ich ihn fragen sollte, warum er mir nicht vertraute, aber das war natürlich eine blöde Frage. An den paar ersten Tagen hatte ich morgens noch Arbeit zu erledigen. Nachdem er mit mir meine Joggingrunden im Park absolviert hatte, in einem alten Nike-T-Shirt und meiner weitesten Jogginghose, las er die Zeitungen, während ich online Lots und Preise verfolgte. Ich überlegte, ob ich einen Urs Fischer oder einen Alan Gussow kaufen sollte, doch Renaud fand, ich sollte etwas erwerben, was mehr Gewinn versprach. Einen Bacon konnte ich mir nicht leisten, aber von Twombly und Calder gab es Stücke für etwa eine Million, die Renaud mir einzeln auflistete. Zu guter Letzt fand ich einen Gerhard Richter – eigentlich eher ein Richterchen, ein sehr kleines Gemälde von 1988 in Rot und Anthrazit – in der Herbstschau für zeitgenössische Kunst beim Anderen Haus. Abgesehen von meinem Fontana wäre das die erste größere Anschaffung von Gentileschi Ltd. Doch ich zögerte. Vielleicht würde Moncada eher zu etwas ganz Klassischem tendieren.

Ich erklärte Renaud, dass ich einen guten Rat brauchte, erzählte ihm von Dave und seiner Leidenschaft fürs achtzehnte Jahrhundert. »Darf ich ihn anschreiben, dass er mir ein paar Kataloge schicken soll? Von den Auktionen der letzten Monate?«

»Wozu?«

»Weil ich wissen will, in welche Richtung sich der Markt gerade so bewegt. Theoretisch werde ich hiermit schließlich ordentlichen Profit machen.«

»*Wir* werden ordentlichen Profit machen. Halbe-halbe.«

»Natürlich. Wie auch immer, ich möchte bloß im Vorfeld einiges abklären, bevor ich auf den Richter biete.«

Er warf mir mein Handy zu. »Gut, dann mach.«

»Hallo, Frankie, hier ist Judith.«

»Judith! Na, so was, wie geht's dir?«

»Mir geht's prima, danke. Und dir?«

»Also, wirklich lustig, dass du ausgerechnet heute anrufst, Judith. Ich hab mich nämlich gerade verlobt!«

»Das ist ja wunderbar! Ich freu mich so für dich, Frankie, herzlichen Glückwunsch. Wer ist denn der Glückliche?«

»Er heißt Henry und ist bei der Armee. Wir werden in Kenia wohnen. Und ich werde eine *army wife*, kaum zu glauben, oder?«

»Ist er so richtig toll?«

»Na, meine Mama ist selig.«

Ich merkte, wie Renaud mich fragend ansah. Ich sollte jetzt wohl lieber aufhören mit dem Jane-Austen-Quatsch.

»Frankie, weißt du noch, dass ich dich vor Ewigkeiten mal um einen Gefallen gebeten habe?«

»O Gott, ich weiß. Das war ja fürchterlich mit Cameron Fitzpatrick. Die Sache stand in allen Zeitungen.«

»Ja, ich weiß, ganz fürchterlich. Und das, nachdem du so nett warst und mir helfen wolltest, dass ich eine Stelle bei ihm ergattere. O Gott, das hab ich jetzt natürlich nicht so gemeint ...«

»Ist schon gut, ich weiß doch.«

»Hör mal, Frankie, ich hab überlegt, ob ich dich noch um was anderes bitten dürfte.«

»Und zwar?«

»Du kannst dich noch an Dave erinnern, oder? Dave, der im Lager gearbeitet hat?«

»Ja, der ist aber schon vor Ewigkeiten gegangen.«

»Hast du seine Adresse noch irgendwo?«

»Ich könnte mal gucken.«

»Könntest du mir die bitte per SMS schicken, Frankie? Tut mir echt leid, dass ich dich noch mal belästige, ich will wirklich nicht, dass du wegen mir Ärger kriegst, aber ...«

»Kein Problem. Ist mir doch egal, ich geh ja bald nach Afrika.« Sie senkte die Stimme. »Sind doch sowieso alles Wichser hier.«

Wichser. Hau rein, Frankie.

Ich verbrachte eine Weile am Computer, während ich auf Frankies SMS wartete, und bestellte bei Amazon zwei Ausgaben eines Buches, von dem ich dachte, dass es Dave gefallen müsste. Eines für ihn, eines für mich. Am nächsten Tag waren sie da. Danke, lieber Gott, für Amazon Prime! Dann begleitete Renaud mich zur Bank und überreichte mir meine Karte. Ich gab meine PIN mit Absicht falsch ein.

»Die Kataloge kosten ein paar Hundert, aber der Automat ist hin. Kann ich kurz reingehen und das Geld am Schalter abheben?«

Er wartete rauchend vor der Tür, während ich an den Schalter ging und mir einen Scheck über zehntausend Euro ausstellte. Als Ausweis benutzte ich meine *carte de séjour*. Die Bankangestellten waren ein bisschen muffelig und wollten mir das Geld ungern auszahlen, aber ich wies sie darauf hin, dass es schließlich mein Geld war. Ich ließ es mir in 500-Euro-Scheinen geben, von denen ich den Großteil in meinen BH stopfte. Dann gingen wir ins Warenhaus Le Bon Marché in der Rue de Sèvres, wo ich Renaud erklärte, dass ich der Frau meines Exkollegen ein Geburtstagsgeschenk kaufen wolle. Klang nicht völlig abwegig. Ich war mir nicht sicher, welches Parfum Daves Frau gefallen könnte, also kaufte ich am Ende Chanel No. 5 in einer Geschenkbox mit Parfum, Körperlotion und Seife. Dann ging ich auf die Damentoilette und schlich mich in eine Kabine, wo ich das Bargeld aus meinem BH nahm und unter die Plastikhalterung der Fläschchen steckte. Ich fügte eine hastig hingekritzelte Notiz mit meiner Pariser Adresse hinzu und ein paar Seitenangaben für die Bücher. Ganz unten schrieb ich hin: »Der noch ausstehende Söldnerlohn.« Renaud begleitete mich zur

Post, wo ich das Geschenk in eine gepolsterte Versandtasche steckte und per Express nach London schickte. Wie sich herausgestellt hatte, wohnte Dave in Finsbury. Ich konnte nur beten, dass er meinen Hinweis verstand.

Abends aßen wir bei mir zu Hause – noch so eine Premiere. Manchmal gingen wir in die Rue Mouffetard, Renaud trug feierlich einen geflochtenen Einkaufskorb, und wir besorgten die Zutaten fürs Kochen. Wie sich herausstellte, machte Renaud ein großartiges Risotto. Ich kaufte ihm ein Set japanische Keramikmesser, damit er uns ein ultrazartes Ossobuco zubereiten konnte. Er goss mir ein Glas Wein ein, während wir im Pyjama die Zutaten klein schnitten, nach dem Essen tranken wir die Flasche aus und hörten Musik. Manchmal gingen wir aus, in kleinere, unauffällige Lokale, die uns beiden am liebsten waren. Ich stellte fest, dass ich gerne Gesellschaft hatte, vielleicht ging es ihm genauso. Er erzählte mir ein wenig von seiner Arbeit, von seinen Anrufen nach L. A. und New York, während ich ganze Nachmittage hindurch nur las. Geld jagen war offensichtlich weniger spektakulär, als es sich anhörte. In erster Linie musste man warten können. Und vor Gericht aussagen. Oft unterhielten wir uns aber nur über Zeitungsartikel, die wir gelesen hatten – ich versuchte, ihn vom *Figaro* wegzukriegen –, oder über die neuesten Sexskandale der französischen Politiker, nachdem die Medien des Landes endlich auch die Freuden von genüsslich weitergetratschten Amouren für sich entdeckt hatten. Ein paar Mal gingen wir ins Kino, und er hielt im Dunkeln meine Hand. Eines Abends fragte er mich, ob ich gerne ins La Lumière gehen würde. Ich überlegte.

»Oder ins Regrattier, wenn du Julien nicht unbedingt sehen magst.«

»Du kennst dich aus.«

»Natürlich, Mademoiselle Ich-habe-keinen-Namen.«

Ich lächelte, ließ mein Haar über die Wange fallen und drehte mein Weinglas zwischen den Fingern.

»Weißt du … ich glaube, ich hab keine Lust. Es … geht mir gut. Für mich ist es gut so, wie wir es jetzt haben.«

»Wir?«

Ich ruderte hastig zurück. »Vorläufig zumindest. Bis du mit Moncada gesprochen hast.«

Renaud streckte die Hand aus und schob mir das herausgerutschte Haar zärtlich wieder hinters Ohr. »Ist schon in Ordnung, Judith. Ich glaube, ein ›wir‹ könnte mir schon gefallen.«

Ein andermal, als wir gerade in einem winzigen Café in Belleville saßen und ein vietnamesisches Nudelgericht aßen, fragte er mich nach Rom. Ich musste mich nicht erkundigen, was genau er meinte.

»Hast du nicht gesagt, du hättest mich gesehen?«

»Ich habe genug gesehen. Ich habe euch unter die Brücke gehen sehen. Ich habe dich in deinem Joggingoutfit wieder rauskommen sehen. Den Rest habe ich im Polizeibericht nachgelesen. Inspektor da Silva.«

»Renaud, du bist so ein Arschloch.«

Er zuckte theatralisch mit den Achseln. »Tuuute mir leid.«

»Aber du sprichst doch Italienisch, oder?«

»*Certo*. Na ja, ein bisschen.«

Nachdenklich saugte ich eine Gabel voll gebratener Nudeln mit Schweinefleisch ein.

»Warum hast du es der Polizei nicht erzählt?«

»Du warst mein Weg zu Moncada. Außerdem, wie ich dir schon erklärt habe, ich bin kein Bulle. Und … es hat mich interessiert. Du hast mich interessiert. Und wie sich das alles am Ende entwickelt.«

Ich wollte ihm von James erzählen, von Leanne, alles. Ich wollte ihm von Dave erzählen, dass ich es gemacht hatte, weil

Dave seinen Job verloren hatte, aber das wäre nicht wahr gewesen, und irgendwie war mir das nicht unwichtig. Ich wollte ihm erzählen, wie es sich anfühlte, immer die Außenseiterin zu sein, sich in der Falle zu fühlen, denn ganz egal, wie brillant und schön ich war. Für jemanden wie mich schien es in der Welt keinen Platz zu geben. Aber das entsprach auch nicht der Wahrheit.

»Es war nicht das Geld«, sagte ich. »Das Geld war nur ein Nebeneffekt.«

»Rache?«, konterte er lächelnd.

»Nein, das wäre viel zu einfach. Nicht Rache. Das wäre nicht interessant genug.«

»Interessant. Ich glaube ... das heißt, ich ...« Er brach ab. Versuchte er mich reinzulegen, indem er mir seinerseits ein Geständnis machte? Andererseits sah es ihm nicht ähnlich, etwas so Durchsichtiges zu versuchen. Jetzt war die Reihe an ihm, nachdenklich eine Gabel voll Nudeln zu essen.

»Was denn dann?«, fragte er.

Weil ich es konnte, glaube ich. Weil ich einfach sehen wollte, ob ich es konnte. Warum muss es da eine Logik geben? Es ist wie Sex, die Leute wollen immer Gründe, wollen wissen, wie man sich *fühlt*.

»Kann ich dir das ein andermal erzählen?«

»Natürlich. Jederzeit.«

Dave schickte die Kataloge tatsächlich, einen Stapel Hochglanzbände, deren Versand ein Vermögen gekostet haben musste. Netterweise hatte er eine Zigarrenkiste mit drei Wispa-Luftschokolade-Riegeln dazugelegt. Er hatte nicht vergessen, dass ich eine Schwäche für gehärtete Pflanzenöle hatte. Mir wurde ganz warm und kuschelig, als ich die Kiste aufklappte. Mit Steve im Hinterkopf hatte ich Renaud erklärt, warum ich mich für den Richter entschieden hatte: Für Neureiche war zeitgenössische Kunst einfach die sicherere Bank. Ich hatte schon halb geplant, selbst zur Auktion nach London zu fahren und bei der Gelegenheit die gute alte Frankie zu einem Drink einzuladen, um ihre Verlobung zu feiern. Und Rupert konnte sich von mir aus ins Knie ficken. Doch Renaud hielt es für unklug, wenn ich meinen eigenen Pass benutzte.

»Du wirst bald einen neuen haben. Ich arrangier das für dich. Sobald ich mich mit Moncada getroffen habe.«

Ich kaufte mir eine Ausgabe des *Condé Nast Traveller* und dachte über meine Zukunft nach. Montenegro sah ganz vielversprechend aus. Oder Norwegen. Kalt – wie passend für Mörder.

»Warum kann ich denn nicht einfach hierbleiben?«

»Sei nicht so dumm, Judith.«

»Was ist mit meinen Bankkonten?«

»Gentileschi muss einfach nur einen neuen Mitarbeiter einstellen.«

Ich stimmte einem telefonischen Bieterverfahren zu, bei dem ich den Namen meiner Firma benutzte. Wir gingen zu FNAC, um uns Headsets zu kaufen, und Renaud veränderte die Einstellungen an meinem Computer so, dass er mithören konnte. Wenn ich das Bild kriegte, konnte es in ein paar Wochen versandt werden. Um mich dafür zu entschädigen, dass ich die Auktion verpasste, zog ich mich zumindest entsprechend an. Meinen Chanel-Zweiteiler, schwarz, mit einer kunstvollen Lederkamelie auf der Gesäßtasche, Strümpfe, die klassischen Pigalle 120 von Louboutin aus Lackleder, die Haare streng hochgesteckt, roter Lippenstift, der mir nicht wirklich gut stand. Darunter zog ich einen Slip ouvert von Bensimon im Stil der Siebziger an. Ich kam mir ein bisschen blöd vor, das alles anzuziehen, um mich dann ganz schnöde an meinen Esstisch zu setzen, aber allein Renauds Blick, den er mir zuwarf, als ich aus dem Badezimmer geschlendert kam, war es wert.

Ich hatte mich im Namen von Gentileschi online zum Bieten angemeldet und bekam für die Telefonauktion die Nummer 38 zugewiesen. Wir hatten für die Versteigerung ein Wegwerfhandy ohne Vertrag gekauft. Wenn ich den Richter bekam, zählte für das Auktionshaus sowieso nur die Bankverbindung. Um elf Uhr rief das Haus an, um mir mitzuteilen, dass der Verkauf begonnen hatte. Ich hatte Block und Stift vor mir, ich wusste nicht wofür, vielleicht nur, um dem Ganzen einen Business-Anstrich zu verleihen. Als ich noch fürs Haus arbeitete, hatte man mir erlaubt, ein paar Auktionen zu verfolgen, und ich hatte die darstellerischen Fähigkeiten der Experten und des Auktionators – es war der Vizepräsident des Hauses – genossen. Ich versuchte mir den Raum mit dem hellen Holz vorzustellen, die angespannte Stille der Bieter. Um 11.42 Uhr klingelte das Telefon erneut: Der Richter war aufgerufen worden. Renaud beugte sich über den Computer, sein Haar sträubte sich unter dem Kopfhörer wie die Federtolle eines Papageis. Ich überlegte, welche von den arroganten Tussen, die ich im Gang zwischen den Sitzreihen gesehen hatte, die Gebote von Gentileschi weitergab. Ich hätte gute Lust gehabt, in den Hörer zu schreien, dass ich es war, Judith Rashleigh, aber das tat ich natürlich nicht. Isch täuschte sogar eine leischt fransösische Akzent vor.

Der Ausgangspreis lag bei vierhunderttausend. Der Richter stieg rasch auf vier Komma fünf, fünf, fünf Komma fünf, dann sechshunderttausend. Ich blieb dabei. Die Gebote stiegen weiterhin in Fünfzigerschritten.

»Es sind siebenhunderttausend geboten, Nummer 38. Wollen Sie weiterbieten?«

Renaud nickte mir zu. »Achthunderttausend.« Er nahm meine Hand.

»Gut.«

Ich konnte nicht anders, ich war schrecklich aufgeregt.

»Nummer 38? Achthundertfünfzigtausend sind geboten. Wollen Sie weiterbieten?«

»Neunhundert.«

Renaud schwitzte jetzt, sein Hemd klebte ihm am Rücken, seine Handfläche lag rutschig in meiner, die Spannung riss ihn mit. Ich richtete mich noch ein wenig auf, selbstsicher und cool in meinem perfekten Kostüm. Am anderen Ende der Leitung hörte ich schwach die Stimme des Auktionators, der sich erkundigte, ob noch jemand bieten wolle. Pause.

»Neunhunderttausend sind geboten, Madam. Wollen Sie weiterbieten?«

Scheiß drauf. »Eine Million. Eine Million Pfund.« Jetzt waren wir auf der Zielgeraden, die Jockeys wippten auf und ab wie die Affen und schwangen ihre Peitschen auf dem letzten Stück. Das Adrenalin hatte mich im Griff.

»Ich hab gleich einen Orgasmus«, sagte ich lautlos zu Renaud.

Ich wusste, dass sie gerade dem Podium zunickte und einen Finger hob.

»Eine Million fünfzigtausend Pfund, Nummer 38. Wollen Sie weiterbieten?«

»Eins Komma eins.«

Renaud runzelte die Stirn und zog die Hand waagrecht vor der Kehle vorbei. Ich ignorierte ihn, ich war wie im Rausch.

»Gut.«

Die Frau am Telefon hielt ihr Telefon Richtung Auktionssaal, sodass ich hören konnte: »Ladys und Gentlemen, eins Komma eins Millionen Pfund sind geboten. Zum Ersten …« Ich kniff die Augen zu und hielt den Atem an, meine Finger zitterten am Hörer.

»Herzlichen Glückwunsch, Madam.«

Ich drückte vorsichtig auf den kleinen roten Knopf, ließ den Kopf zurückfallen und löste mein Haar.

»Wir haben es.«

»Braves Mädchen.«

Ich steckte mir eine Zigarette an und rauchte sie quasi mit einem einzigen Zug auf. Dann setzte ich mich auf sein Knie und lehnte meine Stirn gegen seine.

»Ich kann nicht glauben, dass ich das wirklich getan habe. Ich kann es nicht glauben«, flüsterte ich.

»Warum nicht?« Das gefiel mir an Renaud – im Gegensatz zu jedem anderen Mann, den ich je getroffen hatte, zeigte er aufrichtiges Interesse, wenn ich sagte, was ich empfand.

»Ich habe gerade ein Bild für eine Million Pfund gekauft. *Ich*. Es kommt mir total absurd vor. Verrückt.«

»Aber du hast doch schon viel schwierigere Dinge getan.«

Das High verflog so rasch, wie es gekommen war. Ich stakste mit gereizten Schritten durchs Zimmer. »Musst du immer wieder davon anfangen? Kannst du das nicht einfach mal ruhen lassen? Ich tu doch alles, was du willst, oder?«

Er kam zu mir, setzte sich auf den Boden und kauerte sich an meine Beine. Das dämliche Headset zerzauste ihm immer noch das Haar, als er mich an sich zog.

»So habe ich das nicht gemeint. Du vergisst einfach, dass ich eine Menge über dich weiß. Ich habe gesehen, wo du aufgewachsen bist, ich habe gesehen, was du tun musstest, um da rauszukommen. Ich glaube, ich wollte eigentlich nur sagen, dass ich dich bewundere, Judith.«

»Wirklich? Du bewunderst mich?«

»Genau das habe ich eben gesagt, und jetzt zwing mich nicht, dir zu schmeicheln. Aber ich glaube, jetzt sollten wir wirklich losgehen und unseren ersten großen Kauf feiern. Was isst du in Paris am liebsten?«

»Den Hummersalat im Laurent.«

»Dann zieh ich mich jetzt um. Ich werde mir sogar anständige Sachen anziehen. Ich habe keine Krawatte, kannst du dir so was vorstellen? Und Mademoiselle soll ihren Hummer bekommen.«

Aber ich war schon aus meinem Rock geschlüpft. Die Lippen meiner Möse waren geschwollen vor lauter Lust, sie pulsierten durch den Schlitz in den schwarzen Netzpanties. Ich setzte mich auf den Tisch und spreizte die Beine.

»Oder wollen wir lieber zu Hause essen?«

Er stieß einen Finger in mich, so abrupt, dass ich nach Luft schnappte. Dann zog er ihn langsam wieder heraus, und ein langer, hauchzarter Faden zog sich von meiner Möse zu seiner Hand. Er steckte sich den Finger in den Mund.

»Wir wollen lieber zu Hause essen.«

25. Kapitel

Ich hatte erwogen, ob ich den Richter an meine Adresse schicken lassen sollte, und mich irgendwann dafür entschieden. Gentileschi war registriert, mein Geld war sauber, und was ich mit meinem Eigentum anfing, nachdem ich es bekommen hatte, ging niemanden etwas an. Es war ein ganz normaler Verkauf, es gab keinen Grund, warum Rupert den Käufer eines Bildes suchen sollte, das er nicht mal selbst betreut hatte. Es würde in den Bekanntmachungen auftauchen, aber es gab keinen Anlass, meine Firma mit meiner Person in Verbindung zu bringen, selbst wenn der Name Gentileschi einen an etwas erinnerte. Außerdem hatte Rupert andere Sorgen, denn er stand mal eben mit einer halben Million in der Kreide, nachdem sein Plan mit Cameron nicht aufgegangen war. Renaud stimmte mir zu. Sobald die Papiere eingetroffen waren, die man mir nach der Auktion per Express aus London zugeschickt hatte, war ich bereit, Kontakt zu Moncada aufzunehmen. Wieder ein Wegwerfhandy, dazu eine Liste von Telefonnummern aus Renauds Notizbuch.

»Woher weißt du, dass die für Moncada arbeiten?«

»Einer von ihnen tut es bestimmt. Ich hab dir doch schon gesagt, ich habe gute Kontakte.«

»Ja ja, du und deine Kontakte. Aber in so einer Angelegenheit wird er mich nicht auf dem Handy zurückrufen. Wir müssen uns ein öffentliches Telefon suchen.«

»Schlaues Mädchen.«

»Ich habe gemerkt, dass man die meisten Dinge lernen kann, während man seine Arbeit macht. Man muss sich nur konzentrieren.«

Wir nahmen die Métro zum achtzehnten Arrondissement, fanden einen Telefonshop in der Rue de la Goutte d'Or, wo Migranten Telefonkarten kaufen konnten, um zwischen Kochbananen, Limetten und Stapeln von billigen afrikanischen Kopftüchern ihre Familien in der Heimat anzurufen. Renaud kaufte eine Karte und stellte sich in die Schlange, während ich damit anfing, die Liste mit dem Handy abzutelefonieren. Die ersten beiden Nummern waren tot, bei der dritten nahm jemand ab und drückte mich gleich wieder weg, bei der vierten antwortete jemand *»Pronto«*, legte aber auf, sowie ich anfing zu reden. Ich versuchte es mit zwei weiteren. Es war zwecklos.

»Was machen wir, wenn er nicht reagiert? War das dein einziger Plan?«

Renaud stand mittlerweile ganz vorn in der Schlange. Eine Dame mit einem komplizierten Fächer aus melonenbedrucktem Stoff auf dem Kopf versetzte ihm einen Stoß mit ihrem riesigen Arsch, als würde sie eine Zecke wegschnipsen, dann fuhr sie fort, in unverständlichem kreolischen Patois in den Hörer zu plärren. Der Shop roch nach beißendem Schweiß und Rübensirup, über dem Tresen lief eine Gameshow auf voller Lautstärke, und fünf, sechs Leute, die hinter Renaud aufs Telefon warteten, sahen mit einem Auge zu.

»Das kann noch ewig dauern. Und selbst wenn wir ihn erwischen – dieses Telefon wird besetzt sein bis Weihnachten.«

»Versuch's einfach weiter.«

Wollte er es wirklich durchziehen? Ich rief immer und immer wieder an, bis die Prepaid-Karte leer war. Wir gingen hinaus, um einen Kaffee zu trinken und mit trockenem Mund eine Zigarette zu rauchen, dann kauften wir ein neues Handy und fingen von vorne an. Noch mehr Kaffee, noch mehr Zigaretten, bis mir vor lauter Abgasen und Nikotin der Kopf wehtat. Am Ende musste ich beim Wählen gar nicht mehr auf den Zettel schauen.

»Renaud, es ist zwecklos.«

Mit seinem grässlichen Jackett und den Schuhen passte er perfekt in die Goutte d'Or. Wir sahen bestimmt lächerlich aus, ein kleines Gaunerpaar aus dem Musterbuch für Filmhochschulstudenten. Um fünf Uhr waren wir drei Stunden dort. Renaud hatte seinen Platz in der Schlange so oft abgegeben, dass sogar der fernsehende Kassierer angefangen hatte, uns anzustarren.

»Ich will nach Hause. Ich will duschen.«

Zum ersten Mal, seit er am Hôtel de Ville in mein Taxi gestiegen war, wirkte Renaud etwas zerzaust und nicht ganz souverän.

»Warte hier, ich ruf schnell jemanden an.«

»Natürlich«, sagte ich müde. Ich versuchte, seine Lippen durch die Hello-Kitty-Dekoration im Schaufenster zu beobachten, während er telefonierte, aber er wandte mir den Rücken zu.

»Versuch mal die hier.«

Zwei neue Nummern. Die erste war tot. Bei der zweiten klingelte und klingelte es.

»*Pronto.*« Eine Frauenstimme.

»Ich muss Signor Moncada sprechen. Mein Name ist Judith Rashleigh, ich habe früher für Cameron Fitzpatrick gearbeitet.«

Das Freizeichen ertönte. Ich atmete ein paar Mal tief durch und wählte die Nummer noch mal. »Bitte geben Sie Signor Moncada diese Nummer. Ich warte auf seinen Rückruf«, sagte ich und gab ihr die Nummer des Telefonshops durch. Dann nickte ich Renaud rasch zu. »Vielleicht gleich.«

Renaud trat vor, nahm einem Somali im Nylonkaftan den Hörer aus der Hand und legte auf.

»Was zum Teufel machen Sie da?«

Renaud öffnete seine Jacke und zückte eine Dienstmarke.

»Polizei.«

Eine Sekunde lang war es, als wäre jeglicher Sauerstoff aus dem Raum gewichen. Dann wuselte die ganze Kundschaft zur Tür und schmiss im Hinausrennen noch einen offenen Sack Reis und eine Kiste billiger Ray-Ban-Kopien um. Der Kassierer stand auf und stemmte zwei riesige Fäuste mit unzähligen Ringen auf den Tresen.

»Hören Sie, Monsieur, Sie können nicht einfach hier reinkommen und …«

»Moment. Jetzt setzen Sie sich hin und halten die Klappe. Oder noch besser: Gehen Sie da hinten rein und stopfen Sie sich frittiertes Hühnchen in Ihr fettes Gesicht, bis ich sage, dass Sie wieder rauskommen können, sonst will ich nämlich ganz plötzlich Ihre Papiere sehen, klar? Und dann schick ich Sie schneller in das Scheißloch zurück, aus dem Sie gekommen sind, als Sie ›rassistische Diskriminierung‹ sagen können, Sie Fettsack. Falls Sie mit Ihren eingeschlagenen Zähnen dann überhaupt noch sprechen können. Haben wir uns verstanden?«

Man ließ uns allein. Der Reis knirschte unter Renauds Füßen, als er das Schild an der Tür auf »Geschlossen« drehte.

»Es gab überhaupt keinen Grund, so mit ihm zu sprechen. Und was war das überhaupt mit der Dienstmarke?«, murmelte ich auf Englisch.

»Erspar mir das jetzt, das ist wichtig. Und die Dienstmarke …«

»Ja, ich weiß schon. Dein berühmter Freund in der *préfecture*.«

»Warte einfach beim Telefon.«

Renaud steckte sich eine Zigarette an.

»Rauchen ist hier verboten!«, rief der Kassierer trotzig hinter seinem Plastikduschvorhang, der als Raumteiler diente.

»Willst du auch eine?«, fragte er mich und ignorierte den Mann.

»Nein, danke. Hörst du mal bitte auf, das Arschloch raushängen zu lassen? Du benimmst dich wirklich wie ein Bulle.«

»Tut mir leid. Ich bin einfach nur nervös. Hier steht eine Menge Geld für mich auf dem Spiel. Ich werde mich bei ihm entschuldigen, versprochen.«

»Egal. Kannst du dich jetzt bitte mal hinsetzen oder so? Lies eine Zeitschrift, ich muss mich konzentrieren.«

Renaud unternahm einen halbherzigen Versuch, den Reis wieder in den Sack zu schaufeln und die Sonnenbrillen wieder aufzustellen. Dann zog er den Stuhl des Kassierers hinter dem Tresen hervor und schaltete den Fernseher aus. Schweigend warteten wir ungefähr zwanzig Minuten. Ich machte mir schon Gedanken, wo ich den Richter aufhängen könnte, da klingelte es.

»Signor Moncada? Hier ist Judith Rashleigh.«

»*Vi sento.*«

Mehr sagte er nicht. Ich stürzte mich auf meine kleine italienische Rede – ich hatte ja weiß Gott Zeit genug gehabt, sie zu proben. Ich erklärte, ich hätte eine Sache, die er vielleicht gern kaufen wolle, ich gab ihm die Details der Auktion durch, damit er sie überprüfen konnte, und am Ende schlug ich ihm vor, sich mit mir in Paris zu treffen, wenn er wollte. Ein richtig großes Ding. Kein Wort übers Geld, kein Wort über Fitzpatrick.

»Geben Sie mir Ihre Nummer. Ich rufe Sie zurück.«

Es dauerte eine weitere Stunde, bis er meinen Anruf erwiderte. Wir hatten keinen Grund mehr, weiter im Telefonshop herumzuhängen, aber ich hatte Renaud inzwischen zu McDonald's geschickt, der Kassierer und er hatten ihre Differenzen beigelegt und plauderten wie gute Kumpel, während sie an ihren riesigen Cola lights schlürften und ein Fußballspiel anschauten. Das kleine Handy summte in meiner Hand. Ich war so angespannt und verschwitzt, dass es mir beinahe hinuntergefallen wäre. Ich bedeutete dem Kassierer, dass er wieder hinter den Vorhang gehen sollte, und legte die Hand hinters Ohr, um Renaud zu signalisieren, dass er mitkommen konnte.

»Nicht nötig. So gut ist mein Italienisch nicht«, flüsterte er auf Englisch.

»Haben Sie einen Preis für mich, Signora Rashleigh?«

»Wie Sie sicher gesehen haben werden, habe ich das Stück für eins Komma eins Millionen Pfund Sterling ersteigert. Das sind ungefähr eins Komma fünf Millionen Euro. Ich verlange einen Preis von eins Komma acht Millionen.«

Wenn er das kaufte, würde sich mein Anteil an der Differenz von dreihunderttausend Euro auf ungefähr hunderttausend Pfund belaufen. Ein fairer Preis für das Stück.

Schweigen in der Leitung.

»Ich schätze, dass das Stück in sechs Monaten über zwei Millionen Euro wert sein wird. Und in einem Jahr noch mehr.«

Ich überlegte, wie viel Moncada wirklich über den legalen Kunstmarkt wusste. Wenn er sich auskannte, würde er wissen, dass er hier wirklich einen guten Deal machte, weil Richter seinen Wert gut hielt und die Preise für Nachkriegskunst im Allgemeinen stetig stiegen.

»Einverstanden.«

Ich war ziemlich beeindruckt von ihm.

»Also wie beim letzten Mal?«

»Wie beim letzten Mal.«

Ich kam noch einmal auf meinen Vorschlag zurück, wie wir uns treffen sollten, doch er sagte nichts mehr. Als ich fertig war, ließ ich das Schweigen einen Moment in der Luft hängen, dann verabschiedete ich mich. Ich konnte mich noch erinnern, was für eine Angst ich vor Moncada gehabt hatte, damals in Como, aber jetzt kam sie mir ganz irrational vor. Moncada war demnächst nur noch Renauds Problem. Wenn alles klappte, bekam ich das Geld für den Richter, außerdem würde Renaud bei unserem Treffen dabei sein, um mich zu beschützen. Beziehungsweise – wenn seine Zuneigung dafür nicht reichte, würde er bestimmt seine Rechte schützen wollen, also seine Gebühr für die Wiederbeschaffung des Rothko.

Alles, was ich tun musste, war, auf das Bild aus London zu warten, die Übergabe zu arrangieren, Moncada die Bankverbindung zu geben, und schon war die Sache gelaufen. Renaud würde verschwinden, und ich war frei. Ich wurde nicht sentimental bei dem Gedanken, dass er weg sein würde, wenngleich ein Teil von mir hoffte, dass die Übergabe nicht gar so bald erfolgen würde. Es war nicht verwerflich, sich einfach nur ein paar Tage mehr zu wünschen.

Unter den gegebenen Umständen war ich ziemlich beschäftigt, während wir auf das Eintreffen des Richter warteten. Es fühlte sich so an, als würde ich einen Film rückwärtslaufen lassen, während ich mein Leben in Paris stückweise abbaute. Ich fand ein Umzugsunternehmen, das auf den Transport von Kunstwerken spezialisiert war und sich meiner Bilder und Antiquitäten annehmen würde. Sie würden auf den Namen Gentileschi in einem Lager bei Brüssel eingelagert werden. Widerwillig kündigte ich meine Wohnung und engagierte ein zweites Umzugsunternehmen, das meine restlichen Sachen abholen sollte, wenn es so weit war, und sie in einen angemieteten Lagerraum bei Porte de Vincennes bringen würde. Als der Mann mit den Umzugskisten und der Luftpolsterfolie anrückte, fragte mich die Concierge, wohin ich umziehen werde. Ich hatte das Gefühl, dass ich in ihrer Achtung jäh gesunken war, seit ich in Sünde mit einem ungepflegten Kerl wie Renaud zusammenlebte, der definitiv den »*bon chic, bon genre*«-Charakter des Gebäudes senkte – aber auf ihren Klatsch wollte sie wohl auch nicht verzichten. Ich sagte ihr, dass ich beruflich nach Japan gehen müsse. Das klang genauso gut wie jedes andere Land.

»Und Monsieur?«

Ich zuckte mit den Achseln. »Ach, Sie wissen schon. Männer.«

»Werden Sie Paris vermissen, Mademoiselle?«

»O ja, ich werde es schrecklich vermissen.«

Vielleicht, weil sie das gefragt hatte, konnte ich Renaud überreden, ein paar Tage den Touristen zu spielen. Wie jeder, der in einer Stadt lebt, hatte ich sie lange nicht mehr mit den Augen eines Fremden gesehen. Also fuhren wir auf den Eiffelturm und zum Friedhof Père Lachaise, wo wir uns durch einen Haufen Emo-Gespenster drängeln mussten, um Jim Morrisons Grab zu sehen, wir besichtigten Marie Antoinettes Zelle in der Conciergerie und die Chagall-Wandbilder in der Opéra Garnier und gingen in ein Vivaldi-Konzert in der Sainte-Chapelle. Im Louvre verabschiedeten wir uns von Mona Lisa und gingen in den Gärten des Musée Rodin spazieren. Als Studentin hatte ich herablassend über die japanischen Touristen gelächelt, die außer den Kunstwerken im Blickfeld ihrer Nikons nichts wahrnahmen. Mittlerweile hielten sie iPads hoch, um die Schätze der Stadt zu filmen, sodass sie jetzt nur noch das Grau ihres Apple-Tablets mit eigenen Augen sahen. Schlurfende Zombies haben es gar nicht verdient, so schöne Dinge zu sehen. Wir kauften uns am Boulevard Saint-Michel widerliche Kebabs und würgten sie herunter, während wir am Brunnenrand saßen, und in einer Passfotokabine in der Métro machten wir Verbrecherfotos von uns. Wir fuhren sogar auf einem *bateau mouche* mit, wo wir ein überraschend gutes Abendessen mit Zwiebelsuppe und Tournedos Rossini aßen, und während wir unter den Brücken hindurchtuckerten, sang ein schlankes algerisches Mädchen in einem paillettenbesetzten roten Cocktailkleid Edith-Piaf-Lieder. Renaud hielt meine Hand und drückte mir die Lippen auf den Nacken, und obwohl ich wusste, dass wir ein seltsames Paar abgaben, genauso bizarr wie so manche Horrorkombination, die ich während meiner Zeit auf der *Mandarin* gesehen hatte, war es mir egal. Ich fragte ihn nach dem albernen Monogramm, das hartnäckig jedes seiner schlaffen Hemden zierte.

»Die mache ich tatsächlich selbst. Ich kann sehr gut nähen.«

»Wie das? Warst du im Gefängnis?«

»Sehr komisch. Nein, mein Vater war – ist – Schneider. Er arbeitet immer noch, obwohl er schon über achtzig ist.«

»Wo?«

»Was wo?«

»Wo bist du aufgewachsen?«

Wir aßen ein *plateau de fruits de mer* an der Bar à Huîtres in der Rue de Rennes. Renaud wedelte den Dampf des Trockeneises beiseite und schluckte eine grünliche Oléron-Auster mit Schalottenessig, bevor er antwortete.

»Eine winzige Stadt, von der du garantiert noch nie gehört hast. Am Arsch der Welt. *La France profonde.*«

Ich schälte einen Kaiserhummer. »Und wie bist du dann auf deine Arbeit verfallen? Das ist ja nicht die Art Job, für die man eine Ausbildung machen könnte. Und über Bilder weißt du, nebenbei bemerkt, einen feuchten Dreck.«

»Es geht bei meinen Jobs ja nicht nur um Bilder. Ich hab dir doch gesagt – ich finde verschwundenes Geld. Meistens firmenintern, Manager, die ihre Finger nicht vom Geldtopf lassen konnten. Ich hab an der Uni Wirtschaft studiert und war ein paar Jahre bei einer Wirtschaftsprüferfirma in London.«

»Uah.«

»Genau. Ich schätze, ich bin bei meinem heutigen Job gelandet, weil ich einfach was anderes sein wollte. So wie du, Judith.«

»Wie kommst du darauf, dass wir uns so ähnlich sind?«, neckte ich ihn. Wahrscheinlich wollte ich gern ein Kompliment hören, aber er griff über den Austernfriedhof und nahm meine Hand.

»Judith. Warum machst du das?«

»Warum mach ich was?«

»Diese Sexgeschichten. Bei Julien, in den Clubs.«

Ich schluckte den letzten Mundvoll Zink und Meeresnebel und stand auf. »Bestell die Rechnung, dann erzähl ich's dir.«

Ich sagte kein Wort, während wir am Boulevard entlanggingen, erst als wir zur Rue de Sèvres kamen, setzte ich mich auf eine Bank, steckte mir eine Zigarette an und nahm seine Hand.

»Hast du meine Mutter gesehen? Ich meine – hast du gesehen, wie sie ist?«

»Ja.«

»Na ja, das Übliche eben. Die Hälfte der Zeit wurde ich bei meiner Großmutter abgeladen. Alkoholprobleme. Die Männer kamen und gingen. Immer wieder neue ›Onkel‹ für eine Woche oder einen Monat. Offenbar ein klassisches Phänomen: Die Typen ziehen bei der Mutter ein, die schwach, verletzlich, bedürftig ist, damit sie sich an die Tochter ranmachen können. Diese Männer, von denen man ständig in den Zeitungen liest.«

»Oder bei Nabokov.«

»Nein, nicht so stylish. Da war einer, der am Anfang wirklich anständig wirkte. Er hatte einen Job als LKW-Fahrer und behandelte meine Mama einigermaßen nett. Aber dann hat er angefangen, nach der Schule auf mich zu warten, und hat mir angeboten, mich in seinem großen aufregenden Lastwagen nach Hause zu fahren. Das war besser als der Schulbus, denn im Bus bezog ich immer Prügel, und er hat mir Süßigkeiten geschenkt. Bonbons. Seitdem kann ich die Dinger nicht mehr leiden. Bis heute. Na ja, und dann schlug er einmal vor, dass wir einen kleinen Ausflug machen. Damals trug man diese blauen Schuluniformen, kurzen Faltenrock, Schlips und dunkelblaue Gymnastikunterhosen drunter. Er bat mich, meine Zöpfe aufzumachen, und schob mir den Rock hoch. Ich dachte, wenn ich nicht tat, was er sagte, würde er meine Mama verlassen, und dann würde sie mir die Schuld geben und wieder mit dem Trinken anfangen. Also ließ ich ihn machen.«

»O Gott. Das tut mir leid. Das tut mir wirklich so leid. Du Arme.«

Ich vergrub mein Gesicht an seiner Brust, und nach einer Weile begannen meine Schultern zu beben. Er streichelte mir das Haar und drückte mir einen Kuss seitlich auf die Stirn.

»Und was ist dann passiert?«

Mein Gesicht war ganz umhüllt vom billigen Stoff seiner Jacke. Der Geruch von altem Schweiß hatte jetzt etwas Beruhigendes.

»Ich hab es nicht mehr ausgehalten. Also nahm ich mir eines Morgens ein Küchenmesser, und ich ... ich ...«

Ich brach an seiner Brust zusammen und verlor völlig die Kontrolle. Ich konnte es nicht mehr zurückhalten. Er brauchte ein paar Minuten, bis er merkte, dass ich in Wirklichkeit lachte.

»Judith!«

»Ach komm, Renaud, bist du wirklich darauf reingefallen? Seine schmutzigen, schwieligen Hände auf meinen zarten präpubertären Schenkeln? O Gott.«

Ich wischte mir die Lachtränen aus dem Gesicht und sah ihn direkt an.

»Schau – meine Mutter ist Alkoholikerin, und ich ficke einfach gerne, okay? Ich ficke gern. Fertig, aus. Und jetzt bring mich nach Hause und ins Bett.«

Er versuchte zu lächeln, aber es wollte ihm nicht recht gelingen. Doch als wir wieder in der Wohnung waren und ich meinen weißen Baumwollschlüpfer anzog und wir ein Spiel spielten, gefiel es ihm doch. Es gefiel ihm sogar richtig gut. Später bohrte er mir einen Finger tief in den Arsch und hielt ihn dann unter seine Nase.

»Du riechst nach Austern. Willst du mal riechen?«

Ich schnupperte den Geruch an seiner Hand, und es stimmte tatsächlich.

»Ich wusste gar nicht, dass so was nach dem Austernessen passiert.«

Das hatte ich wirklich nicht gewusst. Ich leckte seinen Finger ab, um den sauberen Geruch des Meers zu schmecken, direkt aus meinem Körperinneren.

26. Kapitel

Und dann war der Richter-Tag da. Renaud war distanziert und reizbar, ging in der Wohnung umher und werkelte ziellos herum. Er machte mich auch schon ganz nervös, also schlug ich einen Spaziergang vor. Wir bummelten durch die schicken Läden in St. Germain. Ich meinte, demnächst könne er sich ja auch ein paar anständige Sachen leisten, aber er lächelte nicht.

Als ich ihn fragte, was los sei, behauptete er, einfach nur nervös vor dem Treffen zu sein.

»Du bist ja nicht derjenige, der anschließend bei den Fischen landet«, stellte ich fest.

»Judith, halt die Klappe. Du weißt überhaupt nicht, wovon du redest.«

»Was meinst du? Ich tue doch, was du willst, oder nicht? Du warst es doch, der behauptet hat, es gebe kein Risiko. Für dich zumindest nicht.«

»Immer glaubst du, dass du alles weißt. Dass du durchkommst, einfach weil du irgendwelche Dinge weißt – wie das, was sie dir an deiner versnobten Uni beigebracht haben.«

»Tut mir leid«, antwortete ich kleinlaut. Ich hätte hinzufügen können, dass es mehr als bloße Intelligenz erfordert, um intelligent zu handeln, aber für eine philosophische Diskussion hatten wir keine Zeit. Sein Gesichtsausdruck wurde weicher, und er legte mir einen Arm um die Schulter.

»Dir wird nichts passieren«, versicherte er mir. Ich hätte ihn darauf hinweisen können, dass wir nicht so weit gekommen wären, wenn ich Probleme damit gehabt hätte, dass mein Handeln Konsequenzen haben könnte. Aber auch dafür schien mir der Zeitpunkt nicht der richtige zu sein. Ich merkte, dass es ihm besser ging, wenn er mich beruhigte, also fragte ich, ob Moncada Camerons Schicksal wirklich egal war.

»Schau, die Cosa Nostra gibt ihren Leuten nur das Allernötigste an Informationen. Es ist sicherer, wenn ein Mann seine Befehle ausführt, indem er nur mit denen kommuniziert, die ihm direkt übergeordnet beziehungsweise direkt untergeordnet sind.«

»Moncada wird es also nur darauf anlegen, diesen Job durchzuziehen.«

»Genau. Und sein Job ist es, mit schmutzigem Geld Bilder zu kaufen und sie dann weiterzukaufen, damit das Geld hinterher sauber ist.«

»Ich schätze, der Tod ist einfach ein Berufsrisiko, oder?«

Er küsste mich zärtlich auf den Mund. »Ja, so könnte man es sagen, *chérie.*«

Ich hatte mich mit Moncada um sieben Uhr vor dem Flore verabredet. Ich kam ein bisschen früher, für den Fall, dass ich auf einen der begehrten Tische auf dem Bürgersteig warten musste. Rückblickend staunte ich, wie unglaublich naiv – amateurhaft, um es mit Renauds Worten zu sagen – ich mit meinem Stubbs zu ihm gegangen war. So viel Verdacht meine Recherche im Hotel in Rom auch erregt hatte, ich hatte immer noch das Selbstbewusstsein gehabt, das der Ignoranz entspringt. Inzwischen wusste ich genau, was Moncada für ein Typ war, und ich wusste auch, dass er mich beobachten würde, weil ihm klar war, dass hier genauso gut eine Falle lauern könnte. Vorher wäre es mir gar nicht eingefallen, Angst vor ihm zu haben, aber jetzt graute mir ganz furchtbar vor der

Begegnung, trotz der Ruhe, die ich Renaud vorgespielt hatte. Ich sagte mir, dass Geschäft Geschäft war, und selbst wenn Moncada wusste, dass ich bei Camerons Liquidierung die Finger im Spiel gehabt hatte – meine Ware war immer noch gut. Aber was, wenn er dachte, dass ich ihn hinters Licht führen wollte? Abgehackte Gliedmaßen und Erstechen war etwas für Jungs, wahrscheinlich hatten sie für Frauen irgendwas besonders Kompliziertes in petto.

Ich hatte mich lässig angezogen: flache Schuhe, einen schwarzen Pullover, eine Kabanjacke von Chloé, einen Seidenschal, eine neue Miu-Miu-Tasche, in der ich mein Notebook hatte, meine frisch gedruckten Gentileschi-Visitenkarten und die Papiere für den Richter. Ich legte mein Handy auf den Tisch, damit er sehen konnte, dass ich es nicht benutzte, bestellte mir einen Kir Royal und blätterte eine Ausgabe der *Elle* durch. Moncada verspätete sich. Immer wieder schaute ich auf meine Armbanduhr, während ich versuchte, mich auf den nächsten guten Rat zu konzentrieren, wie ich die letzten hartnäckigen fünf Kilo loswerden konnte. Das einzige Mal, als ich wirklich abnehmen wollte, hatte ich einfach eine Woche lang nichts gegessen. Das hatte eigentlich ganz gut funktioniert. Halb acht. Wo war er? Warum brachte die *Elle* keinen Artikel über die Gründe, warum Frauen die Hälfte ihres Lebens auf Männer warten? Trotz der Heizstrahler begann ich zu frieren. Ich zündete mir gerade die nächste Zigarette an, als ich ihn den Boulevard St. Germain vor der Brasserie Lipp überqueren sah. Ich erkannte ihn an seiner riesigen Sonnenbrille, die am Abend einfach absurd war. Er setzte sich auf den Stuhl mir gegenüber, stellte seine schwarze Lederaktentasche ab und beugte sich vor, um mir ungeschickt über die Wange zu streicheln. Er kam mir nah genug, dass ich sein Vetiver-Rasierwasser riechen konnte.

»Buona sera.«

»Buona sera.«

Der Kellner erschien an unserem Tisch. Ich bestellte noch einen Kir, und Moncada nahm einen Gin Tonic. Ich redete verbissen übers Wetter, bis die Gläser auf unserem Tisch standen. Manchmal ist es von Vorteil, Engländerin zu sein.

»Also, haben Sie es?«

Ich blickte auf das cremefarbene Leder meiner Tasche. »Hier natürlich nicht. In meinem Hotel, ganz in der Nähe. Bleibt es bei dem, was wir besprochen haben?«

»*Certo.*«

Er legte ein paar Scheine auf die Untertasse für den Kellner, und wir gingen zur Place de l'Odéon. Renaud hatte – Barzahlung im Voraus – ein Zimmer in einem hübschen rosa Hotel direkt am Platz gebucht, dessen Eingang von Lichterketten umrahmt war. Es sah bezaubernd aus in der Abenddämmerung. Irgendwie hatte ich ganz vergessen, dass Weihnachten vor der Tür stand. Der Aufzug war unbequem, und es half nicht viel, dass er inoffiziell auch noch vom massigen Geist des Cameron Fitzpatrick besetzt wurde. Moncada gehörte ganz eindeutig nicht zur geschwätzigen Sorte, aber ich fühlte mich verpflichtet, ständig irgendwelche Bemerkungen zu machen, mit begeisterten Ausrufen von der Architekturausstellung im Trocadéro zu erzählen und von der Generalüberholung des Palais de Tokyo, damit das Gespräch ja nicht abriss.

»Hier wären wir!«, zwitscherte ich, als wir im vierten Stock ankamen. Moncada ließ mich als Erste durch die Tür gehen, warf dann aber sofort einen Blick ins Badezimmer und schaute noch einmal in beide Richtungen den Korridor hinunter, bevor er zufrieden war. Ich hatte den Richter aufs Bett gelegt, in derselben billigen Kunststudentenmappe, die Cameron für den Stubbs benutzt hatte. Ich legte die Unterlagen daneben und setzte mich auf den einzigen Stuhl im Raum, einen weißen Eames-Abklatsch.

»Möchten Sie was trinken? Ein Wasser?«

»No, grazie.«

Er arbeitete sich methodisch durch das Echtheitszertifikat, bevor er seine Aufmerksamkeit dem Bild zuwandte und mit demonstrativer Gründlichkeit die Herkunftsnachweise studierte. Ich überlegte, ob er Richter wohl mochte. Ob überhaupt irgendjemand diesen Maler wirklich mochte.

»Alles in Ordnung?«

»Ja. Sie scheinen eine gute Geschäftsfrau zu sein, Signora.«

»So wie Sie, Signor Moncada. Ich habe gesehen, dass der Stubbs in Peking einen beachtlichen Preis erzielt hat.«

»Der Stubbs, genau. Sehr bedauerlich, was Ihrem armen Kollegen da passiert ist.«

»Furchtbar. Ein furchtbarer Schock.«

Einen Moment fühlte ich mich an die Szene mit da Silva in meinem Hotelzimmer am Comer See erinnert. Ich durfte meinen Kummer auch nicht übertreiben.

»Vielleicht könnten wir trotzdem weiter Geschäfte machen?«

»*Sì. Vediamo.*«

Während er die Papiere zusammensammelte und den Reißverschluss der Mappe wieder zuzog, griff ich in meine Tasche. Im selben Moment, in dem ich mein Notebook herausnahm und auf dem Tisch aufbaute, drückte ich die Senden-Taste meines Telefons, um eine vorbereitete SMS abzuschicken.

»So.« Ich reichte ihm ein schlichtes Blatt Papier, auf das ich mit Kugelschreiber die Bankverbindung geschrieben hatte. »Wie vereinbart, eins Komma acht Millionen Euro?«

»Wie vereinbart.«

Wir durchliefen dieselbe Prozedur wie in der hässlichen Pizzeria, nur dass ich dieses Mal nicht umschalten musste. Ich war wirklich eine kleine Geschäftsfrau geworden. Da klingelte mein Telefon, genau im rechten Moment.

»Entschuldigen Sie, das Gespräch muss ich annehmen. Ich geh nur kurz auf den Flur …«

Ich hatte gar nicht bemerkt, wie er seinen Arm bewegte, da umklammerte er auch schon mein Handgelenk. Er schüttelte den Kopf. Ich nickte und machte beruhigende Bewegungen mit den Fingern.

»Hallo?« Ich hoffte, dass Moncada das Zittern in meiner Stimme nicht hörte.

»Geh raus aus dem Zimmer. Jetzt«, hörte ich Renauds Stimme im Telefon.

Moncada hielt immer noch meinen Arm fest. Ich trat einen Schritt zurück. Es sah aus, als würden wir Jive tanzen.

»Ja, natürlich, kann ich dich zurückrufen? In ein paar Minuten?« Ich legte auf.

»Tut mir leid«, sagte ich, an Moncada gewandt. Er lockerte seinen Griff, hielt meinen Blick aber noch ein paar Sekunden fest.

»Niente«, gab er zurück und drehte sich wieder zum Bett, um das Bild an sich zu nehmen.

In den wenigen Sekunden, in denen er mir den Rücken zudrehte, war Renaud auch schon im Zimmer, schob mich grob beiseite und erhob sein Hände über Moncadas gesenkten Kopf mit der großen Geste eines Zauberers, der seinen Mantel abwirft. Moncada war der größere der beiden, doch Renaud rammte ihm das Knie zwischen die Beine, und Moncada sackte nach vorn. Seine Rechte wühlte nach irgendetwas unter seinem Jackett, während seine Linke an seinem Hals zog. Ich begriff nicht ganz, was da gerade geschah, bis Moncada sich umdrehte und sich mit seinem ganzen Gewicht auf Renaud warf. Während die beiden sich schwerfällig um ihre eigene Achse drehten, bemerkte ich etwas, was ich halb wahrgenommen hatte, als ich mit Renaud im Bett war, worüber ich aber nie weiter nachgedacht hatte. Er mochte speckig sein, aber er war unglaublich stark. Wie aus der Zeit gefallen, beobachtete ich, wie sich die dicken Muskeln seiner auf einmal so kräftigen

Schultern unter der lose sitzenden Jacke wölbten, man ahnte, wie definiert der Trizeps darunter sein musste, als er Moncada vor sich festhielt. Der Raum war erfüllt vom röchelnden Atmen der Männer, doch im Hintergrund hörte ich die Sirene eines Notarztwagens wie einen traumartigen Kontrapunkt, und ich entdeckte die weiße Schnur um Moncadas Kehle und eine Art kurzen Metallschraubstock, den Renaud jetzt unter dem Ohr seines Gegners zudrehte. Dabei lief Renauds Gesicht dunkelrot an, und für einen Moment meinte ich schon, dass Moncada ihn verletzte und nicht umgekehrt, und ich hätte mich beinahe auf ihn gestürzt. Doch dann beobachtete ich, wie Moncada langsam auf Renauds Knie sackte. Seine Augäpfel verfärbten sich rot, seine geöffneten Lippen schwollen an, und dann wurde mir klar, dass die Zeit wieder weiterlief, und ich sah zu, bis es vorbei war. Es war das dritte Mal, dass ich jemandem beim Sterben zugesehen hatte.

Eine Weile war das einzige Geräusch im Zimmer Renauds schweres Atmen. Ich konnte nicht sprechen. Er beugte sich vor, stützte die Hände auf die Knie wie ein Sprinter nach dem Rennen und atmete mehrmals langsam aus. Dann kniete er sich über die Leiche, begann die Taschen zu durchsuchen und entnahm ihnen ein Vuitton-Portemonnaie und einen Pass. Ich keuchte auf, als ich die Waffe sah, die Moncada an der Seite in einem Halfter getragen hatte.

»Tu das in deine Handtasche. Schnell, alles. Nimm das Notebook auch mit. Und das Bild. Los.«

Ich gehorchte stumm. Schob das Notebook und die Papiere in meine Tasche, zog den Reißverschluss der Plastikmappe zu. Renaud steckte den seltsamen Gegenstand wieder ein. Als ich die Sprache wiederfand, hörte sich meine Stimme so hoch und gepresst an wie die einer Aufziehpuppe.

»Renaud!« Ich hustete, atmete, zischelte. »Renaud. Das ist doch Wahnsinn. Ich versteh das alles nicht.«

»Die Polizei ist in zehn Minuten hier. Tu, was ich sage, ich erklär dir alles später.«

»Und unsere Fingerabdrücke?« In meiner Frage lag der Ansatz zu einem hysterischen Schrei.

»Ich hab dir doch gesagt, darum hab ich mich gekümmert. Jetzt beweg dich!«

Meine Tasche war so voll, dass ich sie nicht richtig schließen konnte. Ich nahm meinen Schal ab und bemühte mich, den Inhalt irgendwie damit zuzudecken.

»Nimm das Bild. Los. Schnapp dir ein Taxi und fahr zur Wohnung, ich komm bald nach. Los.«

»E-er hatte eine Aktentasche.« Ich zeigte darauf. Mein Körper schien zu fließen, es kam mir vor, als fände ich überhaupt keinen Halt mehr auf dem Boden.

»Nimm sie auch mit. Und jetzt sieh zu, dass du hier rauskommst!«

27. Kapitel

Wieder warten. Das Sofa und mein *escritoire* waren bereits in Plastikplanen gehüllt, also saß ich auf dem Boden zwischen den ganzen Umzugskisten und lehnte mich an die Wand. Ich hatte die Knie unters Kinn gezogen und schloss die Augen. Irgendein Bereich meines Gehirns stellte Überlegungen dazu an, dass es schockierender war, einen Mord zu beobachten, als ihn selbst zu begehen. Mir war nicht mal nach Rauchen zumute. Wieder das Klingeln an der Haustür, wieder seine schweren Schritte auf der Treppe. Müde hob ich den Kopf. Ich hatte das Gefühl, meine Augen müssten schwarz und trostlos sein wie die eines Hais. Er wirkte ein bisschen übermütig, aber das ist vielleicht normal für jemand, der gerade einen berüchtigten Mafioso erwürgt hat.

»Ich kann dir nur empfehlen, dass du mir jetzt eine richtig gute Begründung lieferst.«

Er setzte sich neben mich und legte den Arm um mich. Ich schüttelte ihn nicht ab – diese weibliche Theatralik kann ich nicht ausstehen.

»Tut mir leid, Judith. Es war die einzige Möglichkeit. Er oder ich.«

»Aber was ist mit deinem Kunden? Wo sollst du denn jetzt das Geld für seinen blöden Rothko herkriegen?«

»Moncada wusste, wer ich bin. Er hat mich gesucht. Er war bereit zu töten, du hast ja seine Waffe gesehen.«

»Aber er hatte doch keine Ahnung, dass du in Paris bist.«

»Genau. Wie gesagt, es war nur eine Frage der Zeit, wer von uns beiden den anderen zuerst findet. Wegen der Polizei musst du dir keine Sorgen machen. Ich hab doch meinen Freund in der *préfecture,* weißt du noch?«

Ich lächelte nicht.

»Ich hab ihm einen Tipp gegeben«, fuhr er fort. »Sie wissen, was Moncada getrieben hat, sie werden sehen, dass er bewaffnet war, und werden das Ganze aufklären. Du hast ihnen einen Gefallen getan, sieh es einfach mal so.«

»Und dein Kunde?«

»Ich werde mich mit Moncadas Geschäftspartnern in Verbindung setzen. Sie werden das Geschehen hier als Warnung betrachten, und ich werde mein Geld bekommen.«

»Freut mich für dich.«

»Sei nicht so. Schau mal.«

Er zog einen braunen Umschlag aus der Innentasche seiner Jacke und reichte ihn mir. Erst als ich ihn in der Hand hielt, fiel mir ein, dass er die ganze Zeit neben der Garotte gesteckt haben musste. Da war das Foto aus dem Métro-Automaten bei Saint-Michel – in einem brandneuen Pass, einem Führerschein, sogar einer *carte de séjour*.

»*Leanne?* Das ist jetzt aber wirklich mies, Renaud.«

»Eine siebenundzwanzigjährige, kürzlich verstorbene Engländerin? Diese Gelegenheit konnte man sich kaum entgehen lassen. So oder so – das wird dich daran erinnern, dass du in Zukunft weiterem Ärger aus dem Weg gehen solltest.«

»Wie hast du das denn eingefädelt?«

»Die *préfecture* hat sich mit deinem Konsulat in Verbindung gesetzt. Eine arme junge Dame, die überfallen und ausgeraubt wurde und sich jetzt im Krankenhaus erholt. Ihre Eltern warten ungeduldig darauf, sie endlich nach Hause holen zu können. Du gehst problemlos als Leanne durch. Absolut saubere Geschichte.«

»Ganz schön beeindruckende Kontakte hast du da. Die *gendarmes* scheinen ja bemerkenswert zuvorkommend zu sein.«

»Quid pro quo.«

Ich warf ihm einen langen Blick zu.

»Du brauchst kein schlechtes Gefühl zu haben.«

»Ich hab aber ein schlechtes Gefühl. Sehe ich für dich aus wie eine Leanne?«

Wir blieben eine Weile so sitzen und lehnten die Köpfe an die Wand. Nach einer Weile fragte ich: »Was war das überhaupt für ein Rothko? Ich meine – welches Bild war das?«

»Keine Ahnung. Ich meine ... die sehen doch sowieso alle gleich aus, oder? Groß, Rottöne, Vierecke, glaub ich.«

Wenn ich eines gelernt habe, dann ist es die Tatsache, dass es überhaupt nichts nützt, wenn man sich vornimmt, nicht zu viel zu erwarten. Denn wenn man dann bekommt, was man bekommt, empfindet man trotzdem ein kleines bisschen irrationale Enttäuschung. Ich hatte ihm noch eine Chance geben wollen. Wirklich. Er hätte mir die Wahrheit sagen und zumindest einen Vorsprung geben können. Ich ließ meine Wange auf seine Schulter fallen.

»Na«, sagte ich, »dann wäre der Job also erledigt.«

»*Oui*. Ich hab uns was mitgebracht. In der Tasche bei der Tür.«

Ich zog sie zu mir herüber.

»Cristal. Mein Lieblingschampagner«, stellte ich fest. »Ich mach ihn auf.«

Unsere vier Augen huschten absolut synchron zu meiner Tasche, die auf dem Boden lag, gleich neben Moncadas Aktentasche und einem Gemälde im Wert von einer Million Dollar. Und in Moncadas Tasche seine Waffe.

»Nein, ich mach sie auf«, sagte Renaud rasch.

Er fing meinen Blick auf, und wir mussten lachen, ein echtes, komplizenhaftes Lachen.

»Wie wär's, wenn ich die Flasche nehme und du die Gläser holst? Sie sind in einer von den Kisten.«

Ich stand auf, sodass er mich sehen konnte. »Schau. Keine plötzlichen Bewegungen.«

Ein winziger, anamorphotischer Moment. Wenn man den Betrachtungswinkel nur ein klein wenig veränderte, waren er und ich einen Augenblick lang verdoppelt, und ich sah, wie die Dinge anders hätten laufen können. Ich trat ans Fenster. O Gott, ich würde diese Wohnung vermissen, und ich würde den Nachthimmel über Paris vermissen.

»Ich kann sie nicht finden.«

»Vielleicht in dem anderen Karton? Du musst das Klebeband abziehen.«

Ich hielt die Flasche immer noch in der Rechten, als ich das Geheimfach an der Rückwand meines Schreibtischs öffnete. Der Schalldämpfer saß bereits auf dem Lauf der Glock 26.

»Hier sind sie ja.«

Renaud stand mit je einer Sektschale in der Hand da. Er hatte gerade noch Zeit, ein verdutztes Gesicht aufzusetzen, bevor ich den Abzug drückte.

Nach den Angaben in *Women Serial Killers in America* ist die 26 die ideale Damenwaffe. So wie die Verbrechen im Film seltsamerweise nur durch einen suspendierten Detektiv aufgeklärt werden können, wird auch der Schalldämpfer meistens falsch dargestellt. Der einzige, der wirklich funktioniert, ist der Ruger Mark II, aber der ist über dreißig Zentimeter lang und wiegt ein Kilo, hat also nicht unbedingt ein handtaschenfreundliches Format. Da gilt es genau abzuwägen. Je leiser der Schuss sein soll, umso weniger kraftvolle Geschosse darf man verwenden, je weniger kraftvoll das Geschoss ist, umso kürzer die Distanz, die die Kugel zurücklegen kann, und umso weniger Schaden richtet sie an. Die Glock wiegt nur halb so viel wie die Ruger und gilt offenbar als sexy kleines Ding, wenn einem so was gefällt. Es ist schon erstaunlich, was man so alles in einem ausgehöhlten Katalog verstecken kann, wenn man sich Mühe gibt. Überschallmunition verursacht einen lauten Knall, gegen den kein Schalldämpfer viel ausrichten kann. Munition mit Unterschallgeschwindigkeit hingegen ist leise, aber man muss damit in den Kopf der Zielperson treffen, sonst gibt es keine Garantie, dass sie auch wirklich zu Boden geht. Daves Armeekontakte hatten mir netterweise sechs Unterschallgeschosse in eine leere Schokoriegelverpackung gesteckt. Da ich außerhalb des Volksfests in Southport nur noch einmal mit Waffen in Berührung gekommen war, nämlich als ich an einem Freitagnachmittag Ruperts Berettas zu seinem Range Rover schleppte, hatte Dave eine Postkarte von Bouchers *Madame de Pompadour* beigefügt, auf deren Rückseite er »5 Meter« geschrieben hatte. Glücklicherweise war mein Esszimmer nicht so riesig.

Ich feuerte sicherheitshalber noch zwei weitere Kugeln in Renauds Kopf ab. Der Schalldämpfer machte ein ziemlich lautes, zischendes Sauggeräusch, aber trotz der geschlossenen Fenster hörte ich draußen nur die gesegnete ewige Telenovela der Concierge. Und in Städten, zumindest in den guten Vierteln, hören die Leute keine Schüsse. Beziehungsweise, sie hören sie und denken sich: Ist ja komisch, das hat sich grade angehört wie ein Schuss, und dann schauen sie weiter *Britain's Got Talent*. Ich machte den Champagner auf und nahm einen sprudelnden Schluck direkt aus der Flasche. Er war ein bisschen warm. Ich stellte ihn in den Kühlschrank, der über und über mit Renauds Gehirnmasse bekleckert war, wie ein wütender Pollock.

Auf einmal klopfte es an der Tür.

»Mademoiselle? Tout se passe bien?«

Verdammte Scheiße. Mein Nachbar aus der Wohnung unter mir. Diese Scheiß-Rive-Gauche-Intellektuellen, warum konnten die nicht auch einfach fernsehen? Er war Rechtsanwalt, hatte ich auf seinem Briefkasten gelesen, ein älterer Mann, vielleicht verwitwet. Wir hatten uns immer gegrüßt, wenn wir uns auf dem Hof begegneten. Ich nahm die Flasche mit zur Tür, öffnete einen Spaltbreit und schlüpfte auf den Treppenabsatz.

»Kleinen Moment.«

»*Bonsoir, mademoiselle*. Ist alles in Ordnung? Ich habe so ein lautes Geräusch gehört ...«

Ich schwenkte fröhlich die Flasche. »Nur eine kleine Feier. Ich ziehe nämlich aus, müssen Sie wissen.«

Er hatte eine Brille und trug einen grünen Kaschmircardigan über seinem Hemd und Schlips. In der linken Hand hielt er eine Serviette. Ziemlich feiner Herr – benutzte eine Serviette, auch wenn er allein zu Abend aß.

»Tut mir leid, wenn wir Sie gestört haben.« Ich hatte die andere Hand hinter dem Rücken und umklammerte den Türknopf, damit die Tür nicht aufgehen konnte. »Würden Sie gerne mitfeiern?«

»Danke, aber ich esse gerade zu Abend. Wenn Sie also sicher sind, dass alles in Ordnung ist ...?«

»Alles bestens. Ich entschuldige mich.«

Ein Teil von mir hatte Lust, ihn hereinzubitten, einfach so. Es fühlte sich schon irgendwie sexy an.

»Alors, bonsoir, mademoiselle.«

»Bonsoir, monsieur.«

Renaud hätte mich vorwurfsvoll anschauen können, als ich mich von innen gegen die Tür lehnte und hastig eine Kippe durchzog, aber er hatte kein Gesicht mehr. Ich ließ den Zigarettenstummel in den Champagner plumpsen, dann suchte ich den Umzugskarton mit der Aufschrift »Küche« und holte das japanische Hackbeil und einen kleinen Werkzeugkasten heraus, den ich mal im arabischen Supermarkt gekauft hatte. Ich zog die Plastikplane vom Sofa, breitete sie auf dem Boden aus und rollte die Leiche darauf. Dann nahm ich das Handy und das

Portemonnaie aus dem grauenvollen Jackett. Bevor ich meine Handschuhe anzog, überlegte ich kurz, was ich als musikalische Untermalung auflegen könnte. Wieder Mozart, diesmal das Requiem. Billig im Grunde, aber andererseits war er bereit gewesen, mich durch »Leanne« für die nächste Zeit hinter Gitter zu bringen. Ich drehte die Lichter herunter und fand unter dem Waschbecken eine Kerze, das hatte gleich viel mehr Atmosphäre. Dann machte ich mich an die Arbeit.

Nach ihrem revolutionären Bild *Judith enthauptet Holofernes* verließ Artemisia Gentileschi Rom und ging nach Florenz, wo sie eine konventionellere Version des Sujets malte. *Judith und ihre Magd* hängt im Palazzo Pitti. Vordergründig ist daran überhaupt nichts Gewalttätiges zu entdecken. Es ist das Bild von zwei Frauen beim Putzen. Die Magd im Vordergrund wendet dem Betrachter den Rücken zu, ihr gelbes Kleid wird durch eine Schürze geschont, das Haar hat sie sich unter einem turbanartigen Tuch hochgesteckt. Ihre Herrin sieht man im Profil hinter dem ausgestreckten linken Arm der Dienerin. Sie blickt zurück, um zu sehen, ob sie verfolgt werden, sie hofft, dass sie rechtzeitig fertig werden. Ihr Haar ist sorgsam arrangiert, ihr dunkles, samtartiges Kleid in Brokat gefasst. Über der Schulter trägt sie ein Schwert, dessen Griff den Blick des Betrachters auf den Korb lenkt, den die Magd unterm Arm hält. Und darin liegt Holofernes' Kopf, in Mousselin eingewickelt wie ein Christmas Pudding. Die Frauen stehen da und sind angespannt bis ins Letzte, aber das Bild singt von ihrem Schweigen. Sie sind nervös, aber sie hetzen sich nicht, sie halten ganz bewusst einen Moment inne, um zu sehen, ob sie verfolgt werden, bevor sie sich an ihre Arbeit machen. In diesem Gemälde liegt Gewicht – der schwere Schwertgriff, der auf Judiths Schulter lastet, die Masse des abgetrennten Kopfes im Korb, den sich die Dienerin auf die Hüfte stützt. Das ist für sie die nächste Aufgabe.

Ich benutzte die Plastikplane, um die Leiche übers Parkett ins Badezimmer ziehen zu können. Meine Schultern und meine Bauchmuskeln schmerzten vor Überanstrengung, und ich musste mehrmals pausieren, aber am Ende schaffte ich es. Der Luxus einer ebenerdigen Dusche hat mir schon immer gefallen. Ich zog mich aus bis auf die Unterhose, warf meine Jeans und den Pullover in die Badewanne und ging zurück in die Küche, wo ich das Spülbecken volllaufen ließ. Ich verspritzte in der ganzen Wohnung ordentlich Meister Proper und begann aufzuwischen. Ich wrang den Feudel aus, bis das Wasser sich von Purpurrot zu Rosagrau verfärbte. Dabei ließ ich die ganze Zeit das heiße Wasser laufen. Irgendwann hatte sich der Abfluss mit schleimigen Klumpen gefüllt. Angeekelt packte ich eine Handvoll davon und spülte alles die Toilette hinunter. Als das Wohnzimmer sauber war, reinigte ich den Boden noch einmal mit Wasser und Putzmittel vom Flur bis ins Badezimmer, damit für meinen Nachmieter wirklich alles picobello sauber war.

Ich hatte erwartet, dass ich beim ersten Schnitt zurückzucken würde, aber wie sich herausstellte, hatte ich schon Schlimmeres erlebt, wenn ich mich durch so manches chinesische Take-away-Gericht wühlte. Bei laufender Dusche strömten die acht Liter Blut, die der menschliche Körper enthält, in wenigen Minuten säuberlich durch den Abfluss. Ein froschähnliches Rülpsgeräusch ertönte, als ich die Halsschlagader traf, aber es sprudelte kein halb geronnenes Blut mehr heraus, es gab nur kleine Pfützen, eine schleimige Masse und eine überraschend saubere Schicht von weißlichem Fett, wie bei einem Schinkensandwich. Ich ließ seinen Kopf unter dem fließenden Wasser liegen, während ich die Extra-Umzugskiste hereinzog, die ich bestellt hatte. Ich schnitt ihm die blutdurchtränkten Kleider mit einem anderen japanischen Messer vom Leib und warf sie ins die Badewanne. Dann rollte ich ein Handtuch aus, schob die

Leiche darauf, und dann verbrachte ich noch ein Weilchen damit, sie trocken zu föhnen. Ich wollte schließlich nicht, dass die Kiste anfing zu lecken. Zwei Mülltüten – eine oben, eine unten –, dann ein gepolsterter XXL-Bügel von der Reinigung. Ich tapste zurück zur Wohnungstür und holte mir Moncadas Portemonnaie und die Aktentasche, legte sie auf den Boden der Kiste und rollte die Leiche dann von der Seite hinein. Zum Schluss stemmte ich mich gegen das Waschbecken, fasste mit den Händen unter den Rand der Kiste und kippte sie wieder in aufrechte Position. Ich drehte Mozart voll auf, während ich den Deckel auf die Kiste hämmerte. Schließlich verklebte ich sämtliche Schlitze mehrfach mit verstärktem Klebeband und brachte noch ein paar von den nützlichen Aufklebern an, die mir das Umzugsunternehmen gegeben hatte: *»Schwer«* oder *»Diese Seite nach oben«*. Jetzt konnte Renaud nach Vincennes abtransportiert werden. Beziehungsweise das, was von ihm übrig war.

Zuerst wickelte ich seinen Kopf in Frischhaltefolie, dann steckte ich ihn in eine Supermarkttüte, verknotete die Griffe und schob das Ganze in eine Decathlon-Sporttasche mit Schnappschloss, zusammen mit Moncadas Waffe und den dreckigen Nikes, die Renaud immer angezogen hatte, wenn er mir durch den Jardin du Luxembourg hinterherzockelte. Ich versetzte der Tasche versuchsweise einen Tritt – auch hier keine verräterische Nässe. Ich putzte noch einmal die gesamte Wohnung durch, benutzte eine in Putzmittel getauchte Zahnbürste, um die Innenseiten der Armaturen und den Badwannenstöpsel zu reinigen, packte die Plastikplane mit unseren Kleidern zusammen und stopfte alles in eine andere Tasche. Zu guter Letzt ging ich unter die Dusche, um mich endlich selbst zu waschen. Danach setzte ich mich nass auf den Boden und zündete mir eine Zigarette an. Vor mir standen nun ein schwarzer Müllsack voll mit blutigem Abfall, meine lederne Fluchttasche, die Sporttasche und die schwarze Mappe mit dem Richter. Die Kleider und Werkzeuge konnte ich im Hof in den Müllschacht werfen. Die Tasche mit dem Kopf packte ich wie zu einem grausigen Picknick in den Weidenkorb, den Renaud und ich für unsere Markteinkäufe benutzt hatten. Ich nahm Jogginghose, Sport-BH, Laufschuhe und ein Sweatshirt aus meiner Ledertasche, zog mir eine Beanie-Mütze aus Kaschmir über den Kopf und trabte hinaus in die Nacht. Ich schaffte es in weniger als zehn Minuten bis zum Fluss, das war ziemlich gut. Ich vollzog genau die Strecke nach, auf der ich damals mit Renaud Katz und Maus gespielt hatte.

Wie es mit den meisten bedeutungsschweren Momenten im Leben so ist, versank auch unser Abschied im Trivialen. Ich hatte mir schon manches Mal überlegt, wie unser letzter Abschied aussehen könnte, auf dem Pont Neuf, der Brücke der Liebenden, die auf die Île de la Cité führt, aber selbst zu dieser Stunde lagen ineinander verschlungene Paare in den Ausbuchtungen, um die lichtdurchtränkten Strömungen der Seine zu betrachten. Um nach unten zu gelangen, nahm ich die steinerne Treppe, die in den kärglichen Garten an der Spitze der Insel führt. Ich erstarrte, als zwei patrouillierende *gendarmes* unten stehen blieben, um mich vorbeizulassen. Sie sagten zwar höflich *»Bonsoir«*, aber ich spürte, wie sie mir nachblickten, als ich mit meinem Korb unterm Arm zur Statue von Henri IV ging. Ich wagte es nicht, ein lautes Platschen zu riskieren, also lief ich nach einer Weile wieder an ihnen vorbei und zurück auf den *quai*, wo ich nach schlafenden Pennern Ausschau hielt. Ich setzte mich auf die Uferbefestigung und baumelte mit meinen Füßen über dem eisigen Wasser. Langsam ließ ich die Tasche an den Henkeln hinab, bis sie ganz eingetaucht war, und als die Strömung an meinen Fingern zog, ließ ich sie los.

Als ich endlich fertig war, dämmerte es bereits. Ich dachte mir, dass ich von dieser Tageszeit die besten Erinnerungen an

Paris hatte, von diesen Momenten zwischen Nacht und Tag, wenn die Stadt sich auf ihrer Achse leicht verschiebt, zwischen der Scham über die rot gefeierten Augen am Ende der Party und dem geschäftigen Treiben des Morgens in seiner sauberen Schürze. Die weiße Stunde, der negative Raum, die Lücke zwischen Begehren und Mangel. Renaud hatte in der Dämmerung immer geschlafen, mit ein klein wenig Nachhelfen, versteht sich. All die gemütlichen Abendessen, die ich jedes Mal mit meiner speziellen Zutat gewürzt hatte. Nichts Schweres, nur etwas, um die Kanten abzuschleifen, um sicherzugehen, dass er nach dem Sex ungefähr eine Stunde verlässlich schlief, während ich das zweite, hinter dem Bücherregal versteckte Notebook hervorholte und auf die Jagd ging.

Übers Ziel hinauszuschießen kann manchmal ein genauso großer Fehler sein, wie es ganz zu verfehlen. Ich war Cameron Fitzpatricks schmeichelhaftem Geplauder auf den Leim gegangen, das muss ich zugeben. Aber ein einziges Wort hatte mir verraten, dass Renaud nicht der war, der er vorgab zu sein. *Certo*. Natürlich. Sein »r« war einfach zu präzise gerollt. Perfekter ging es nicht. Das »r« und sein *ossobuco*.

Und dann war da noch die Art, wie er ganz nebenbei da Silvas Namen hatte einfließen lassen. Das Auto, mit dem da Silva letzten Sommer nach Como gekommen war, trug den Schriftzug der *Guardia di finanza*. Die italienische Polizei ist in viele verschiedene Divisionen aufgeteilt, und seltsamerweise werden Ermittlungen im Mafiamilieu nicht von den *carabinieri* durchgeführt, den sexy Jungs mit den engen Uniformen, die das Herz einer jeden Abiturientin auf Italienreise höherschlagen lassen, sondern von der Finanzpolizei mit dem wesentlich prosaischeren Namen. Ich hatte mir schon vorher gedacht, dass Moncada zur römischen Mafia gehörte, und als ich das Auto sah, wusste ich es sicher.

Da Silva. Facebook-Freundschaften waren noch nie mein

Stil, doch da Silvas Frau schien ein Faible dafür zu haben. Franci, wie sich Francesca abkürzte, konnte anscheinend keinen Topf Spaghetti aufsetzen, ohne die neuesten Details ihres spannenden Daseins zu posten. Da sie schon über achthundert Freunde hatte, dachte ich mir, eine flüchtige Bekanntschaft mehr oder weniger würde für Franci sicher keinen Unterschied mehr bedeuten. Ein willkürlich ausgewähltes Foto aus der Lokalzeitung mit einem passenden Namen, den ich mir im römischen Telefonbuch zusammenklaubte, reichte schon, um eine neue Freundin zu gewinnen. Eifrig postete ich ein Bild von meinem neuen Sofa und ein süßes kleines Kinder-Happy-Hippo mit Kokosglasur – gewagt! –, und wenig später scrollte ich mich gemütlich durch Francis Leben in der römischen Vorstadt. Weihnachten, Ostern, eine Prada-Handtasche, die ihr Mann ihr zum Geburtstag geschenkt hatte, ein Familienurlaub auf Sardinien, eine neue Geschirrspülmaschine. Franci lebte den Traum aller Frauen. Die da Silvas hatten zwei Kinder, die vierjährige Giulia und ein Baby namens Giovanni, das häufiger fotografiert wurde als die Beckham-Bälger. Und da, am Rand eines Schnappschusses, neben der stolzen Mama, die versucht, ihre Babypfunde durch ein unvorteilhaftes rotes Kostüm mit Schößchenblazer zu kaschieren, und dem gepflegten Papa in Anzug und Krawatte, entdeckte ich ein vertrautes Bäuchlein, und nachdem ich das Bäuchlein vergrößert und hin und her gedreht und immer wieder draufgeschaut hatte, entdeckte ich ein Monogramm. R. C. Renato? Ronaldo? Egal. Eine einfache Onlinesuche in den italienischen Gelben Seiten führte mich zu einem Chiotasso, *Sarto,* der in derselben Vorstadt gelistet war, in der Franci da Silva die niemals abreißende Doku ihres Lebens produzierte. *Sarto* – Schneider. Er hatte mir ja erzählt, dass sein Vater Schneider war, der das Geschäft auf kühne italienische Art immer noch weiterführte. Und die Initialen passten auch. Renaud und da Silva waren also zusammen aufgewachsen, und sie waren ihrem alten Viertel treu geblieben. Sie hatten nicht nur beruflich miteinander zu tun, sie waren Freunde. Ein eingeschworenes Team.

Ich nahm das letzte Geschenk, das Dave mir geschickt hatte, aus der Reisetasche und legte es auf den Boden. Der aktuelle *catalogue raisonné* von Rothko, produziert für die Ausstellung in der Tate Modern 2009. Es waren viele Mails an die Galeristen in New York nötig gewesen, gesandt von Gentileschi Ltd., die für einen privaten Kunden nach einem Rothko Ausschau hielten, aber letztlich hatte ich die Verkäufe von so gut wie allen Bildern nachverfolgen können, die in den letzten drei Jahren durch private Hände gegangen waren, und kein einziges entsprach den Angaben von Renaud. Er war zu selbstsicher gewesen, als er auch noch die Bank nannte, Goldman Sachs.

Das reichte immer noch nicht, um meinen Verdacht zu bestätigen. Dass Renaud mir eine Lüge über seine Identität aufgetischt hatte, bedeutete nicht notwendigerweise, dass er ein Bulle war. Doch die Leichtigkeit, mit der er den Fall Leanne unter den Teppich gekehrt hatte, die Sirenen, die sofort nach Moncadas Tod zu hören waren? Ich glaube nicht, dass er komplett erfasst hat, welche Macht Google besitzt. In einem Programm für eine Konferenz mit dem Titel »Geldwäschemethoden auf dem Kultursektor« an der Universität von Reggio Calabria fand ich einen Vortrag von einem gewissen »*Ispettore Chiotasso, R.*« über die Benutzung von Kunstwerken als »Kapitalcover« für illegales Vermögen. Da Silva und er waren letztlich Kollegen. Renaud hatte seinen Vortrag auf der Konferenz um fünfzehn Uhr gehalten. Ich konnte ihn mir vorstellen, wie er mit feuchten Achselhöhlen in irgendeinem staubigen Unterrichtsraum im Süden steht, in dem die Delegierten nach einem schweren Mittagessen wegdösen. Er hatte also wirklich Geld gejagt. Erst als ich mir eine Kurzfassung seines Vortrags durchlas, bekam ich eine Ahnung von dem, was Renaud für Moncada geplant hatte. Er wollte Rache.

In den frühen Neunzigerjahren war in Sizilien ein Richter namens Borsellino von der Mafia ermordet worden. Den Namen konnte ich mir leicht merken, weil nämlich mein liebster Mailänder Hutmacher genauso hieß. Der Mord hatte ganz Italien erschüttert, und danach wurden Polizeieinheiten aus den verschiedensten Regionen des Landes nach Sizilien geholt, mit der Absicht, so die geheimen Absprachen zwischen staatlichen Behörden und Mafia zu stören. Die Direzione Investigativa Antimafia bestand aus zusammengewürfelten Teams aus ganz Italien, darunter auch mehreren Divisionen der *Guardia di Finanza* aus Rom, einschließlich eines gewissen Chiotasso, R. Der sizilianische Fall mit den gefälschten griechischen Kunstwerken, in dessen Folge die Polizei zwanzig Jahre später als Beigabe zu ihrem Cappuccino nicht nur Milchschaum bekam, hatte auch Kollegen von Renaud betroffen. Die Schuldigen wurden nie festgenommen, aber man ging davon aus, dass es Verbindungen zur etablierten internationalen Kunstszene gab.

Er musste gewusst haben, dass Moncada bei diesem Bombenanschlag, der Renauds Polizeikollegen getötet hatte, seine Hände mit ihm Spiel gehabt hatte. Zwar ermittelten da Silva und er tatsächlich in Fällen von Kunstbetrug durch die Mafia, aber, wie ich aus meinen Recherchen gelernt hatte, Mafiafälle konnten sich über Jahrzehnte hinschleppen, ein paar Gewinne hier, ein paar Verluste da. Den Geldwäschering zu knacken war nicht Renauds wahres Motiv gewesen. Es war Rache. Und eine Warnung an Moncadas Arbeitgeber auf die gute sizilianische Art. Deswegen hatte ich ihn auch nicht eher umgelegt – ich mochte ihn genug, um ihm seinen Moment des Triumphs zu gönnen. Seine Story war einfach verdammt gut gewesen. Und ich musste zugeben, dass mich das Spiel wirklich amüsiert hatte.

Vieles würde ich wohl niemals erfahren. War da Silvas scheinbarer Glaube an meine Unschuld damals in Como auch gespielt gewesen? So oder so musste ihn Renaud wohl zu irgendeinem Zeitpunkt überzeugt haben, mich nicht zu verhaften, weil es seinem Spiel mit Moncada langfristig zugutekam. Im Übrigen waren sie davon ausgegangen, dass sie mich am Ende ja trotzdem schnappen würden. Ich war der Köder für eine kleine altmodische Racheaktion.

Wie viel da Silva davon wusste, wie Renaud bei seinen verdeckten Einsätzen arbeitete, ging mich nichts an, und ich schätzte, da er Familie hatte, wollte er auch nicht unbedingt mehr wissen als nötig. Das hätte Franci nur aufgeregt. Außerdem sah er nicht aus wie ein Mann, der munter und fröhlich seine Verdächtigen ficken würde. Renaud war der eigenwillige Bulle, der den Fall zu seinen eigenen Bedingungen aufklärte und dabei leider die *femme fatale* ihrer gerechten Strafe zuführen musste. Die schrecklichen Klamotten waren jedoch ein nettes Detail gewesen. Ein ziemliches Opfer für einen Italiener, stellte ich mir vor. Renaud hatte also vorgehabt, Moncadas Partnern eine Warnung zukommen zu lassen, da Silva sollte den Mord glaubwürdig als Selbstverteidigung eines Polizisten kaschieren, und mich hätte man am Flughafen mit dem Ausweis eines ermordeten Mädchens aufgehalten.

Ich überlegte, ob ich ein wenig schlafen sollte, aber ich wollte die Zeit nicht verpassen, zu der das Postamt öffnete, also ging ich spazieren und umrundete den Jardin du Luxembourg, um mich bis sieben Uhr warm zu halten. Dann fand ich ein *café-tabac*, das schon offen hatte, bestellte eine *noisette* und kaufte mir eine altmodische Postkarte mit einem Panorama von Paris. Ich lieh mir einen Stift vom Kellner, der die finstere Miene für diesen Tag schon parat hatte, notierte die Adresse meines weißen Ritters in Finsbury darauf und schrieb:

D,

das hier ist kein Geschenk. Du schuldest mir ein Pfund dafür. Ich bin mir sicher, Rupert wird sich mit Vergnügen um den Verkauf kümmern.

J

XXX

Letztlich eben doch Kapitalertrag. Das Geld, das ich von Moncada eingesteckt hatte, war inoffiziell, und indem ich Dave den Richter für ein Pfund verkaufte, bekam ich meine originale Investition zurück, plus den Gewinn, was mir 28 Pence Steuern bescherte. Eines hatte ich also zumindest gelernt im Büro.

Dann war es acht Uhr, und der Richter und ich waren die ersten in der Postschlange.

28. Kapitel

Ich schenkte der Concierge eine grellbunte Topfnelke und einen bedruckten Rykiel-Schal, den ich im Grunde nie besonders gemocht hatte. Nach der schlaflosen Nacht und den unzähligen Zigaretten hatte ich einen seltsam blechernen Schmerz in den Ohren und ein Zucken in den Händen, aber mein Geist war so klar und glänzend wie mein Badezimmer. Die violetten Augenringe waren auch ganz nützlich, als ich der Concierge einen ordentlichen Pappkarton mit Renauds wenigen Sachen gab (abzüglich das Plastikportemonnaie, in das er meinen Reisepass und die Kreditkarten geklebt hatte), und ich bat sie um den großen Gefallen, darauf aufzupassen, für den Fall, dass Monsieur irgendwann einmal zurückkam und seine Sachen holen wollte. Nichtsnutzige Liebhaber, die sich bei Nacht und Nebel davonmachten, waren in den Telenovelas der Concierge an der Tagesordnung, und trotz ihrer wortreichen Anteilnahme gelang es mir, ihr den Eindruck zu vermitteln, dass der Schmerz zu groß war, als dass ich darüber hätte sprechen können. Ich erinnerte sie daran, dass die Männer von der Umzugsfirma am Nachmittag kommen würden, und erklärte, dass mich ein Freund zum Flughafen fahren werde. Ich bedankte mich bei ihr, stimmte nebenbei noch ihrer tiefschürfenden Erkenntnis zu, dass man wirklich keinem Mann trauen kann, und schleppte meine Reisetasche zum Ende der Straße. Dort wartete ich an der Bushaltestelle, wo ich einst Renaud beobachtet hatte, wie er auf mich wartete. Der Bus war voll mit Fahrgästen auf dem Weg zur Arbeit, ich musste stehen und mich festhalten, meine Tasche hatte ich zwischen die Knie geklemmt, während der Bus durch die Stadt schaukelte. Wie lange war es her, dass ich Bus gefahren war? Wie lang würde es dauern, bis der geheimnisvolle Freund in der *préfecure* merkte, dass Leanne nicht am Flughafen auftauchte? Ich hatte einen oder zwei Tage, rechnete ich mir aus, bevor sie kamen, um der Concierge Fragen zu stellen. Zumindest würde es ihr Spaß machen. Ich würde meine Sachen vermissen, aber ich konnte mir ja jederzeit neue kaufen. Wurde sowieso Zeit für einen neuen Look.

Bis der Bus sich durch den Pendlerverkehr bis zum Betriebsbahnhof hinter Sacré-Cœur gequält hatte, war ich der einzige Passagier. Ich lief hinter einem Fremdenführer her, der sich unsicher zur Kirche hocharbeitete, dann ließ ich mich zwischen den Frühaufstehern unter den Rucksacktouristen auf die Stufen plumpsen. Jemand spielte Bongotrommeln, und ich konnte jetzt schon Gras riechen. Ich wühlte in meiner Ledertasche und zog Renauds Portemonnaie heraus. Leer, wie ich mir gedacht hatte, bis auf ein paar Scheine, die »falsche« Dienstmarke, die er in der Goutte d'Or benutzt hatte, und eine Quittung, mit der er eine Spezriallieferung aus Amsterdam abholen sollte. Der falsche Reisepass war ein überzeugender Schachzug gewesen. Und die Amsterdamer Adresse würde mir nützlich sein, weil ich sofort eine neue brauchte. Dann war da noch Renauds altmodisches Nokia-Handy, dasselbe Modell wie jenes, das ich auf Balenskys Yacht benutzt hatte. Ich nahm an, dass er irgendwo noch etwas Moderneres gehabt hatte, aber er war das Risiko nicht eingegangen, es in meiner Nähe zu benutzen. Der Schlauberger. Ich erwartete nicht, allzu viel zu finden, das wäre zu einfach gewesen. Die Gesprächslisten und die eingehenden SMS waren komplett gelöscht, abgesehen von einem Angebot von France Telecom von heute Morgen. Der einzige Anruf, der gespeichert war, war der an mich, als ich mit Moncada im Hotelzimmer war.

Was ich hingegen fand, waren Fotos, angefangen mit der Sequenz aus Rom, die er mir gezeigt hatte, dann eine aus der Zeit, als er mich in Paris ausspioniert hatte – wie ich eine Zeitung kaufte, eine Zigarette im Café du Panthéon rauchte oder im Park joggte. Und dann Aufnahmen, von denen ich gar nichts mitbekommen hatte: ich schlafend, eine Nahaufnahme von meinen Haaren auf dem Kissen, ich nackt ausgebreitet auf meinem Wrack von Bett, was aussah wie ein pornografischer Hogarth. Igitt. Aber dann auch der Absatz meines Schuhes, den er geknipst hatte, als er hinter mir die Treppe hochging, wie ich mich vorbeugte, um nach dem Zähneputzen auszuspucken, ich im Halbprofil durch die Schlafzimmertür gesehen, wie ich an einer Einkaufstasche herumfummelte. Hunderte von Fotos. Ich schaute sie eine geraume Weile an, und je länger ich sie anschaute, umso weniger voyeuristisch und besitzergreifend erschienen sie mir. Die Bilder hatten eine zarte Intimität, es lag sogar eine gewisse Zärtlichkeit darin, wie er so viele Momentaufnahmen von mir gemacht hatte.

»Entschuldigung. Du Foto machen, bitte?«

Ein spanisches Paar, beide kräftig und pockennarbig, der Mann schwenkte ein Smartphone. Noch so ein Scheißtelefon. Ich lächelte und knipste sie, während sie sich vor der Marmorfassade umarmten. Glückliche Zeiten.

Ich sah mich nach dem Abfalleimer um und wollte Renauds Nokia gerade wegwerfen, als es auf einmal in meiner Hand lossummte. Die Nummer begann mit 06, eine französische Nummer. Die SMS lautete: »Zielperson bis jetzt nicht aufgetaucht.« Sehr aufmerksam von ihnen, mich daran zu erinnern. Das Einzige, was mich ärgerte, war der Umstand, dass da Silva mir die Schuld an Renauds Verschwinden geben würde, und nicht Moncadas Leuten. Doch nun war Renaud immer noch am

Leben und schickte SMS vom Montmartre, wo wir beide uns zum ersten Mal begegnet waren. Riskier einen Versuch, Judith. Ich simste zurück: »Zielperson ist unterwegs. Sagt euch der Name Gentileschi irgendwas?« Ich musste wissen, ob Renaud ihnen verraten hatte, wo ich mein Geld verwahrte. Der Abfalleimer stank nach erbrochenem Fast-Food. Ein Verkäufer kam und hielt mir eine Palette mit Freundschaftsbändern aus Plastik unter die Nase.

Erneutes Summen. *»Bien. Non.«*

Er hatte es ihnen also nicht erzählt, was bedeutete, dass sie keinen Durchsuchungsbefehl für das Schließfach in Vincennes beantragen würden. Was wiederum hieß, dass sie es auf dem Konto der altmodischen *omertà* verbuchen würden, wenn sein Kopf jemals aus der Seine gefischt wurde. Ich war nicht so dumm zu glauben, dass dieses Handy die einzigen Beweise für mein Treffen mit Fitzpatrick und meine Verbindung zu Renaud enthielt. Da Silva hatte die Aufnahmen mittlerweile bestimmt auch bekommen, und dann war da noch die kleine Geschichte mit der toten Drogensüchtigen, aber Gentileschi konnte morgen ja wieder jemand Neuen einstellen. Definitiv Zeit für einen neuen Look.

Ich tippte: *»Merci. A plus.«* Bis später. Trotzdem wollte ich das Handy irgendwie noch nicht aus der Hand geben. Ich hatte noch nie zuvor einen Liebesbrief bekommen.

Ich verbrachte den Nachmittag mit einem Streifzug durch den Westen der Stadt. Ich hätte ins Museum gehen können, um mir die Zeit zu vertreiben, aber es gab keine Bilder, die ich mir gern angesehen hätte. Also trottete ich zum Parc Monceau, und trotz der Kälte gelang es mir, ungefähr eine Stunde mit dem Kopf auf meiner Reisetasche zu schlafen. Ich wachte unter dem vorwurfvollen Blick einer schicken jungen Mutter auf, deren kleines Kind mit meinen Schnürsenkeln spielte. Wahrscheinlich hielt sie mich für eine betrunkene Obdachlose oder eine Ausreißerin, jedenfalls nicht das, was man in diesem elegantesten und leblosesten aller Pariser Parks zu finden hofft. Ich kaufte mir einen Kaffee und ein Wasser, um mich aufzuwecken, und schaute in die Zeitung, um mir die Zeit zu vertreiben, aber eher aus Gewohnheit denn aus Angst. Ich fand es bemerkenswert, wie viele Leute man umbringen konnte, ohne es in die Schlagzeilen zu schaffen.

Gegen sieben Uhr abends simste ich Yvette. »Bist du zu Hause? Ich muss bei dir vorbeikommen.« Wir hatten uns hie und da SMS geschickt. Mein Verschwinden aus der Szene während meiner Wochen mit Renaud hatte ich damit erklärt, dass ich einen großartigen neuen Typen kennengelernt hatte. Als sie antwortete, stellte ich mich an einen Taxistand und wartete, wobei ich darüber nachdachte, wie das Stadtleben in eine Epoche zurückkehrte, in der jeder in Mietwohnungen wohnte und sein Dasein größtenteils im öffentlichen Raum führte. Ich kannte Yvette jetzt seit fast einem Jahr, und es wäre mir nie in den Sinn gekommen, sie zu fragen, wo sie lebte. Wie sich herausstellte, war es das fünfzehnte Arrondissement, und zwar in einem der wenigen hässlichen modernen Gebäude, die die Fassaden von Paris entstellen wie Zahnarztpfusch. Es dauerte eine Weile, bis sie mich einließ, als hätte sie es sich wieder anders überlegt, aber am Ende hörte ich ihr *»Allô«* in der Sprechanlage und schleppte mich über eine Zementtreppe fünf Stockwerke hoch.

Es war nicht zu übersehen, dass Yvette gerade erst aufgestanden war. Ihr Haar sah aus wie ein alter Scheuerschwamm, ihr Teint war ohne Grundierung fleckig, und ihre Arme und Beine waren leberartig braun, wo sie unter dem zerknitterten langen Sweatshirt herausragten. Ich dachte mir, dass sie sich im Grunde auch die Gliedmaßen schminken müsste. Ihre kleine Einzimmerwohnung war eng und vollgestellt, ein billiges Patschuli-Räucherstäbchen schaffte es nicht, den Mief aus Rauch und Müll zu übertünchen. Yvettes Kleidung lag überall hingeworfen, kippelnde Pyramiden aus Leder und Spitze, die zur Hälfte die Futonmatratze bedeckten, ihr einziges Möbelstück. Sie schaute mich trotzig an, was ich wahrscheinlich auch getan hätte, wenn ich jemandem so ein verwahrlostes Heim hätte zeigen müssen.

»Ja, so wohn ich also. Willst du einen Tee?«

»Danke, das wäre wunderbar.«

Sie hatte eine Kochplatte, einen Kessel und eine Mikrowelle in einem Schrank. Als sie zwei Tassen und zwei Beutel Pfefferminztee herausholte, fragte ich sie nach dem Bad. »Da.«

Ein weiterer Schrank, eine winzige Dusche, Toilette und Waschbecken, alles unter einer Dreckschicht. An der Armatur klebte eingetrocknete Zahnpasta. Das Handtuch auf dem Boden stank nach Schimmel, aber ich ließ das Wasser laufen, bis es heiß war, und rieb mich ab, bürstete mir die Zähne, trug ein wenig Feuchtigkeitscreme auf und schminkte mich. Die Glock schaute kurznasig aus dem Chaos in meiner Reisetasche. Ich hatte schon daran gedacht, Yvette umzubringen, um ihren Ausweis an mich zu nehmen, aber aufgrund der Hautfarbe hätte das nie geklappt.

»Na?«, sagte ich fröhlich, als ich aus dem Bad kam. »Wie wär's mit Ausgehen? Ich lad dich ein.«

»Klar«, sagte sie argwöhnisch. »Aber es ist noch ziemlich früh.«

»Wir können doch irgendwo was trinken und dann zu Julien, dachte ich mir?«

»Okay.«

Wir tranken unseren Tee, und ich nahm ein paar Löffel voll Nutella aus dem einsamen Glas in Yvettes Minikühlschrank. Während Yvette mit ihren umfangreichen Instandsetzungsarbeiten für den Abend begann, lag ich auf dem Futon und zappte die Nachrichten durch. Sie war jetzt ganz präsent, es lag etwas Konzentriertes, geradezu Ballettartiges in ihren Bewegungen: ein professioneller prüfender Blick auf ihren Rücken in einem smaragdgrünen Vintage-Etuikleid aus Shantungseide, die Grimassen, die das Auftragen von Eyeliner und Wimperntusche begleiten, schließlich das Schließen des Knöchelriemens einer lebensgefährlichen Tribute-Sandale. Als sie fertig war, konnte man bei ihrem Anblick kaum glauben, dass sie aus diesem Müllhaufen von Wohnung gekrochen sein könnte. Meine eigene Toilette nahm zwei Minuten in Anspruch, ein schlichtes schwarzes Jersey-Minikleid von Alexander Wang und schlichte schwarze Pumps, sonst nichts.

»Wollen wir uns ein bisschen Koks besorgen?«

»Ich mag im Moment nicht, vielleicht später. Bist du fertig?«

Sie nickte, spielte an ihrem Telefon herum und schien durchaus zu spüren, dass hier irgendwas faul war, aber die Aussicht, eine ganze wilde Nacht lang freigehalten zu werden, war für sie unwiderstehlich.

»Deine Tasche kannst du hierlassen. Ich meine – du kannst hierbleiben, wenn du magst.«

»Nein, könnte sein, dass ich meine Sachen brauche.«

»Triffst du deinen neuen Typen?«

»Später vielleicht.«

Ich warf mir die Tasche über die Schulter und schwankte leicht auf meinen hohen Absätzen.

»Also, gehen wir.«

Nachdem sie von ihrem elenden Zuhause befreit war, war Yvette schon viel mehr sie selbst. Sie erzählte mir von einer heftigen Nacht, die irgendjemand in einem Lagerhaus am Saint-Martin-Kanal organisierte, ein Kunst- und Mode-Happening, das bestimmt eine Menge Aufmerksamkeit erregen würde. Yvette war fürs Styling zuständig, aber soweit ich es nach dem Stil ihrer Wohnung beurteilen konnte, begann und endete ihre Stylisten-Karriere damit, dass sie sich die Warenmuster unter den Nagel riss, die sie sich von irgendwelchen gutgläubigen PR-Abteilungen zusenden ließ. Es war erst neun, also nahmen wir einen Aperitif in einem Lokal ganz in der Nähe, bevor wir zur Rue Thérèse weiterzogen. Ich konnte mich nicht erinnern, wann ich zum letzten Mal etwas gegessen hatte, abgesehen von dem Nutella, also nahm ich mir eine Handvoll von den ekligen Erdnüssen an der Bar. Ich konnte es mir nicht erlauben, dass meine Hände zitterten.

Gegen zehn kamen wir bei Julien an, gerade als geöffnet wurde. Ich hatte gehofft, Julien von neugierigen Fragen abhalten zu können, indem ich mit Yvette einfach hineinmarschierte, doch heute stand ohnehin der Barkeeper am Empfang. Er winkte uns durch, und wir gingen nach unten in den menschenleeren Club. Der Barmann kam uns schnell hinterher, um uns mit Kognak zu versorgen.

»Ist das langweilig«, bemerkte Yvette überflüssigerweise und trat gegen ihren Barhocker.

»Das wird schon noch. Warte einfach mal ab.«

Da kamen zwei Typen herein, groß, blond, durchtrainiert.

»Schau dir mal die beiden Kerle an, die sehen ja aus wie frisch von der HJ.«

Sie kamen direkt auf uns zu und luden uns zu einem Drink ein. Die Musik wurde eingeschaltet, und nach einer halben Stunde Plaudern begann sich auch der Raum zu füllen. Yvette war schon ein bisschen betrunken vom Kognak, als sie zu den Umkleidekabinen ging. Wenig später kam sie mit schwarzem Spitzenstring und Mieder zurück und schlängelte sich um ihren Arier, der keine weitere Aufforderung brauchte, um sie geradewegs in den Darkroom zu ziehen.

»Kommst du mit?«

»Nachher.«

Sie gingen leichtfüßig davon, während ich die Mädchen aufmerksam beobachtete. Es waren zu viele, ich brauchte eine, die zumindest halbwegs meine Haarfarbe hatte. Der letzte Zug nach Amsterdam ging um zwölf Minuten nach Mitternacht vom Gare du Nord, aber es war schon zwanzig nach elf, als sie hereinkamen. Eine ziemlich junge Frau mit einem wesentlich älteren Mann, der besitzergreifend ihre Hand hielt, während sie souveräner und erfahrener wirkte. Sie streifte seine Lippen mit einem leichten Kuss und ging zu den Umkleidekabinen, während er auf die Bar zuschlenderte. Wenige Minuten später war sie wieder da, in einem rosa Trikot mit hohem Beinausschnitt. Ihre leicht platt gedrückten Nippel zeichneten sich dunkel unter dem strammen Stoff ab. Perfekt. Ich nickte meinem Blonden zu, der sich bereits den Bonbons widmete, glitt von meinem Hocker und ging dorthin, woher sie gekommen war. Dabei umklammerte ich immer noch meine randvolle Lederreisetasche. Eine der Umkleidekabinen war abgeschlossen, und da ich keine Ahnung hatte, wie man ein Schloss knackt, kroch ich einfach unter der Tür hindurch und schnappte mir ihre Tasche, eine weiche schwarze Prada-Clutch. Ich leerte sie aus, durchwühlte den üblichen Müll im Portemonnaie, ließ ein paar Kreditkarten und Bons fallen, bis ich ihren Ausweis in der Hand hielt. In der schummrigen Beleuchtung war die Schrift nur schwer zu entziffern. Marie-Hélène Baudry, die ich heute Abend dazu auserkoren hatte, meine Doppelgängerin zu sein, war verheiratet, doch irgendwie hatte ich meine Zweifel, dass ihr älterer Begleiter auch ihr Mann war. Böses Mädchen. Ich überlegte, ob ich ihr Leannes Ausweis dalassen sollte, aber der trug ja mein Bild, also schob ich schnell wieder alles ins Portemonnaie, schaufelte den ganzen Müll wieder in ihre Handtasche und schob den Ausweis in die Außentasche meines Weekenders. Es war 23.32 Uhr. Knapp, aber machbar.

Ich warf einen raschen Blick in den Darkroom, bevor ich ging. Yvette lag unter ihrem blonden Jungen und bohrte ihm ihre Stilettos in den Rücken. Auf der Rechnung würde sie sitzen bleiben, aber andererseits hatte sie kein einziges Mal auch nur angedeutet, mir die geliehenen 500 Euro zurückzahlen zu wollen – nicht, dass ich sie genommen hätte, aber trotzdem, einfach nur so, von wegen der guten Manieren. Ich war um 23.35 Uhr in der Lobby, der Vorhang war halb geöffnet, meine Hand lag schon auf der Klinke, als auf einmal Julien aus den Schatten auftauchte.

»Mademoiselle Lauren?«

»Tut mir leid, Julien, ich muss wirklich gehen.«

Er griff an mir vorbei und drückte die Tür sanft wieder zu. »Noch nicht. Ich muss mit Ihnen sprechen.«

»Okay, okay. Aber schnell.«

»Bien sûr, mademoiselle.«

Er begleitete mich in sein Büro in einem Hinterzimmer. Hier wurde kein verruchter Luxus geheuchelt: ein Tisch mit einem Computer, ein billiger Bürostuhl, ein Holzbrett mit Nagel, auf dem er die Bons aufspießte, und das Ganze unter dem grellen Licht einer Neonröhre. Ich stellte die Reisetasche auf den Tisch.

»Mademoiselle Lauren, ich habe Besuch bekommen. Dieses Mal von der Polizei. Man hat mir Fragen gestellt. Schon wieder.«

»Wann?«

»Heute. Gestern. Ich weiß nicht mehr so richtig.«

Ich hatte wirklich keine Zeit für diesen eleganten Katz-und-Maus-Scheiß.

»Wie viel wollen Sie?«

Er musterte die Tasche. »Wollen Sie verreisen?«

»Das geht Sie nichts an. Sagen Sie mir einfach, wie viel.«

»Fünftausend.«

»Wofür? Was glauben Sie denn, was ich getan habe?«

»Warum erzählen Sie's mir nicht?«

»So viel hab ich jetzt nicht dabei.«

»Dann geben Sie mir eben, was Sie jetzt dabeihaben. Und Sie sind in diesem Hause nicht mehr willkommen.«

Ich würde gerne behaupten, dass ich es nicht gewollt hätte. Dass ich in die Tasche gegriffen hätte, um Bargeld herauszunehmen, und dabei war mir die Waffe einfach irgendwie in die Hand gefallen, Euer Ehren. Aber die Sache war die, dass ich wirklich keine Zeit hatte. Ich hätte ihm etwas vortexten können, dass das heute wirklich nicht sein Glückstag sei und dass er mich nicht wütend hätte machen sollen, denn es werde ihm gar nicht gefallen, wenn ich wütend wurde – aber dies war auch nicht der rechte Moment für Stil. Ich beugte mich über den Tisch, schoss ihm zweimal in die Brust, zog meine Schuhe aus und rannte auf die Rue Thérèse hinaus.

Ich war einmal mit Renaud in der Bar des Hôtel de Crillon gewesen, als ein Paar an dem winzigen Marmortisch neben unserem in Streit geriet. Sie waren jung, noch jünger als ich, er unrasiert und verlottert genug, um ein berühmter Schauspieler zu sein, sie war angemessen schön auf eine Uma-Thurman-vor-Botox-Art, aschblondes, streng zurückgekämmtes Haar, ein Picasso-Gesicht. Ihr Mantel war aus wunderbarem cremefarbenen Kaschmir, ein bisschen zu warm für die Jahreszeit. Sie hatte zwei Martinis bestellt, er kam mit Verspätung und hatte einen schäbigen Strauß dabei, den er noch schnell in einem Laden an der Ecke gekauft hatte. Sie unterhielten sich eine Weile gedämpft, und dann, als die Drinks ausgetrunken waren, begann sie zu weinen. Hübsche Swarovski-Tränen tropften aus ihren beunruhigend türkisen Augen. Dann stand sie auf, und die Art, wie sie es tat, verriet mir, dass ihr bewusst war, wie die Blicke aller Männer auf sie gerichtet waren. Sie hielt den weichen Kragen vor ihrem langen Hals zusammen und beugte sich vor.

»Tut mir leid, ich kann einfach nicht mehr. Ich hab genug.«

Dann nahm sie die halb welken Blumen und schlug ihm den

Strauß ins Gesicht, bevor sie ihn auf den Boden fallen ließ und auf den Ausgang zustakste. Er stand langsam auf, zupfte sich ein einzelnes Nelkenblatt vom Kinn und sah sich um – ein Bild der verletzten Fassungslosigkeit. Die Kellner stellten sich auf wie eine Cheerleader-Truppe und riefen ihm ermutigend zu: »Sie ist da entlanggegangen! Schnell, Monsieur, da entlang!«, und er rannte ihr nach. Später sahen wir die beiden auf der anderen Seite des Flusses, wie sie knutschend und kichernd am *quai* saßen. Ihr Mantel war offen, darunter trug sie einen billigen Jeansrock und das Oberteil eines Männerpyjamas. Eine hübsche Art, kostenlose Drinks abzustauben. Vielleicht waren sie Studenten der Filmhochschule oder Schauspieler. Der Haken ist der, dass die Bewohner von Paris sich ihrer Marke bewusst sind – sie wissen, dass ihre Stadt einen Streit zwischen Liebenden lieben muss. Entsprechend erregen Mädchen, die mit verzweifeltem Gesichtsausdruck barfuß durch mitternächtliche Straßen laufen, nur selten Aufmerksamkeit. Während ich dahinlief, dachte ich an ein anderes Mädchen, das barfuß durch abendliche Straßen gerannt war, aber sogar jener Sommerabend wollte mir jetzt unschuldig vorkommen. Von der Rue Thérèse zur Gare du Nord sind es knapp zweieinhalb Kilometer, die ich in sechzehn Minuten schaffte. Nicht schlecht mit der schweren Tasche.

Schwer atmend schlüpfte ich an den üblichen Gruppen aus Betrunkenen und Zigeunern am Bahnhofseingang vorbei, um mir am Automaten einen einfachen Fahrschein nach Amsterdam zu lösen. Natürlich wollte er meinen Fünfzig-Euro-Schein prompt nicht annehmen, aber ich konnte unmöglich mit Karte zahlen. Ich strich den Schein auf meinem Oberschenkel glatt, ohne die Uhr aus den Augen zu lassen. Nicht wegen einer lumpigen Fahrkarte, nicht jetzt. Es konnte doch nicht angehen, dass ich ausgerechnet darüber stolpern sollte. Wie Al Capone mit seinen Steuern. Es gab ein seltsam blubberndes Geräusch, und ich brauchte einen Moment, bis mir klar wurde, dass ich es selbst war, die wie verrückt angefangen hatte zu kichern. Zwei, drei Mal spuckte der Automat den Schein unhöflich wieder aus. Ich atmete durch, zog die Ecken peinlich glatt wie die Decken auf einem Krankenhausbett und schob den Fünfziger wieder hinein. Zwanzig Sekunden lang hätte ich sogar an Gott geglaubt. *Aller simple, 1 adulte*. Jesus Christus, ich danke dir. Ich hatte sogar noch Zeit, die Karte in dem kleinen Gerät am Ende des Bahnsteigs abzustempeln, bevor meine schmutzigen Fußsohlen hinter der Reisetasche her in den Zug kletterten.

Epilog

DRINNEN

Es war der erste große Abend der Biennale, fast ein Jahr nachdem ich Paris verlassen hatte. Der Himmel über San Giorgio Maggiore hatte eine absurd rosa-blaue Färbung, und jeder fand, dass der Anblick an eine Deckenmalerei von Tiepolo erinnerte, wie immer vom Himmel in Venedig behauptet wird. Eine geschmeidige Reihe von Riva-Motorbooten schaukelte auf den Wellen an der Anlegestelle der Insel und wartete darauf, kreischende Scharen von Händlern und Kunstgroupies über die Lagune zu fahren. Als ich in Richtung Zattere blickte, entdeckte ich die *Mandarin*, eingeklemmt zwischen zwei Riesenyachten. Ihre gewaltigen Rümpfe erhoben sich massig über die weiße Massari-Kirche und bildeten eine surrealistische Installation. Steve musste sich eine größere Yacht anschaffen, wenn er mithalten wollte. Ich sollte später mit ihm zu Abend essen. Allerdings würde ich mich von ihm nicht ins Harry's führen lassen, wir würden unsere Drinks auf der großartigen Terrasse des Gritti nehmen und anschließend im La Madonna in San Polo Seeigel-Risotto essen, ob es ihm nun gefiel oder nicht. Ich hatte drei Quinn-Skulpturen für den Garten seines neuen Londoner Hauses im Auge, vergrößerte Wiedergaben von Embryos, die sich im Granit einrollten wie geheimnisvolle Meerestiere. Zur Abwechslung tatsächlich mal ziemlich hübsch. Aber zuerst musste ich noch auf die Johnson-Chang-Party im Bauer, für die Galeristen aus Hongkong, und ich war mir sicher, ich würde genug Zeit haben, auch noch bei der Prada Foundation reinzuschauen, bevor ich mich mit Steve traf. Ich hielt dem Fahrer des Wassertaxis die Hand hin, damit er mir beim Einsteigen half, und trat vorsichtig ins Boot, gefolgt von einer Schar von Stylingexperten und Fotografen, die die Shows für die *Vanity Fair* dokumentierten. Auf der kurzen Überfahrt unterhielt ich mich oberflächlich mit einem Kunsthändler, der gerade ein Werk von Mario Testino eingekauft hatte, aber in erster Linie wollte ich einfach diesen berauschenden Anblick in vollen Zügen genießen.

Auf die Chang-Party kam man ausschließlich mit Einladung. Ich hatte die erlesene Rolle aus chinesischem Pergament in meiner weichen Saint-Laurent-Clutch. Ein paar Paparazzi und Touristen standen herum, um auch einen Blick auf die Gäste zu erhaschen. Ich wich ihnen aus und ging auf die Dame am Einlass zu. Während sie mich auf ihrem Klemmbrett abhakte, schaute ich an ihr vorbei in die lange, mit braunem Marmor ausgekleidete Lobby des Hotels, die sich nach hinten zu einer Terrasse àus feinstem byzantinischem Mauerwerk öffnete. Reihen von Kellnern mit Tabletts voll unvermeidlicher Bellinis standen zwischen Shanghaier Street-Art-Objekten, die hier völlig fehl am Platz wirkten.

»Kommst du nicht rein?«

»Lorenzo! *Ciao, bello*. Ich hab schon überlegt, wo ich dich wohl finden würde.«

Lorenzo vertrat das Andere Haus in Mailand. Er war Venezianer, mit dem hellbraunen Haar und den hellen Augen der Lagunen. Eine seiner Urgroßmütter hatte Byron mit Tripper angesteckt, jedenfalls hatte er mir das erzählt, als ich ihn in Kiew vögelte.

»Rupert und du, ihr kennt euch sicher, oder?«

Rupert. Runder und röter denn je, der ewige Engländer im Ausland, im zerknitterten Leinenanzug mit einem kecken Panamahut. Ich sah ihm direkt ins Gesicht.

»Nein«, sagte er. »Ich glaube nicht, dass wir uns kennen.«

»Elisabeth Teerlinc«, stellte ich mich vor. Lorenzo wurde schon wieder nach drinnen gestrudelt. Wir standen im Zentrum einer jähen Zäsur der Menschenmenge.

Rupert reichte mir die Hand, natürlich verschwitzt. Ich sah ihm tief in die Augen und suchte nach einem Funken des Wiedererkennens, aber da war nichts. Wie könnte da auch etwas sein? Diese Frau im kobaltblauen Wildleder-Shiftkleid von Céline mit ihren makellosen Pumps lebte in einer völlig anderen Dimension als Judith Rashleigh. Dienerschaft beachtet man ja sowieso nicht richtig. Ich hatte mir am Ende nicht mal die Mühe gemacht, meine Haare zu ändern.

Meine Hand lag immer noch in seiner. Ich ließ sie dort.

»Mit wem sind Sie hier?«

»Ich habe eine eigene Galerie, Gentileschi. Ich habe meine Räumlichkeiten in Dorsoduro.«

»Ah. Gentileschi. Natürlich.«

Ich zog meine Hand zurück und fischte eine Visitenkarte aus meiner Handtasche.

»Sie sollten zu unserer morgigen Eröffnung kommen. Ich zeige eine Gruppe von Künstlern aus dem Balkan. Ziemlich amüsant.«

»Das wäre ganz wunderbar.« Er grinste mich anzüglich an. Rupert. Als ob der sich irgendwelche Hoffnungen machen dürfte.

»Kommen Sie mit rein? Lorenzo wartet.«

Sein weinrotes Gesicht verfärbte sich noch dunkler.

»Nein ... äh ... um ehrlich zu sein, habe ich keine Einladung.«

Ach, Rupert.

»Das ist aber schade.«

»Zu viele Leute.«

»Ja, da tritt man sich gegenseitig auf die Füße. Na, dann bis morgen, Rupert.«

Ich hielt ihm die Wange hin, dann kehrte ich ihm den Rücken zu, und die Dame am Empfang hob die samtene Kordel für mich hoch. Ich spürte seine Augen auf mir, als ich durch die Menschenmenge ins venezianische Dämmerlicht marschierte. Das lapislazuliblaue Wasser schimmerte zu meinen Füßen. Ich nahm mir ein Glas und blieb allein an der Brüstung stehen. Dort schaute ich auf die Wellen, und sie brachten mein Herz zum Singen.